2-2

시작은

하루
과학

하루 과학의 **구성과 특징**

한 주를 시작하며

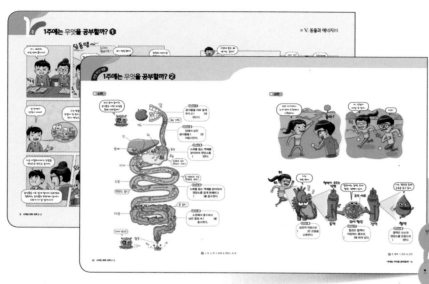

이번 주에는 무엇을 공부할까? ❶, ❷

❶ 공부할 내용 미리보기를 만화로 재미있게 구성하였습니다.

❷ 이전에 배웠던 내용을 삽화로 구성하여 기억을 되살리고, 간단한 퀴즈 문제로 개념을 확인하며 점검합니다.

1일 공부하기 전에 만화와 퀴즈로 재미있는 선수 학습!

한 주를 마무리하며

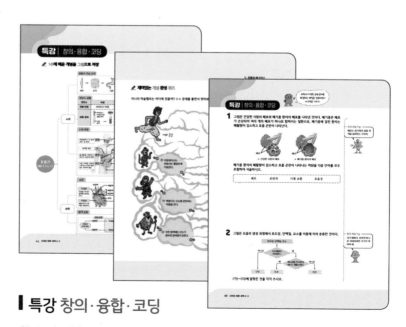

누구나 100점 테스트

한 주에 공부한 내용을 바탕으로 다양한 유형의 문제를 풀어보면서 실력을 다지고 학습 내용에 대한 자신감을 기릅니다.

특강 창의·융합·코딩

한 주간 배운 개념을 그림과 게임으로 정리하고, 다양한 유형의 창의·융합·코딩 문제를 풀어 보면서 창의력과 문제 해결력을 기를 수 있습니다.

1일~5일 학습

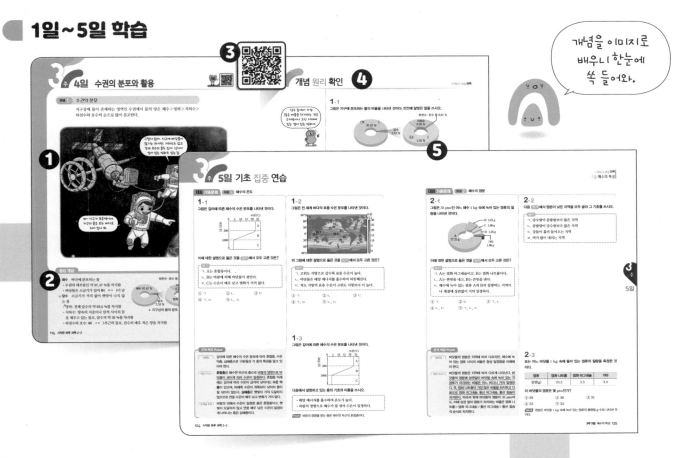

개념을 이미지로 배우니 한눈에 쏙 들어와.

개념 설명 + 개념 원리 확인 + 기초 집중 연습

❶ 꼭 알아야 할 중요 개념을 그림, 만화, 캐릭터의 설명 등을 통해 쉽고 재미있게 이해할 수 있습니다.

❷ 시각 자료로 이해한 내용과 관련된 핵심 개념을 정리하고, 빈칸 채우기로 확인할 수 있습니다.

❸ 개념 동영상을 볼 수 있는 QR 코드로 개념을 더 쉽고 재미있게 공부할 수 있습니다.

❹ 개념 원리 확인 문제를 풀어 보면서 개념을 확실하게 익힙니다.

❺ 대표 기출 문제와 연습 문제를 풀어 보면서 공부한 개념을 점검하고 응용력을 키울 수 있습니다.

하루 과학의 차례 2-2

1주

2주

하루 과학 2-2와 내 교과서 비교하기

하루 과학 2-2로 학교 진도에 따라 예습하거나 복습할 수 있어! 이때 내 과학 교과서 출판사명과 진도 범위를 확인하는 거야. 예를 들어 천재교과서 218~219쪽 까지가 진도 범위이면 하루 과학 2-2는 3주차 2일에 해당하는 102~107쪽 을 공부하면 돼.

대단원		일차별 학습 주제	하루 과학 2-2(쪽)	천재교과서(쪽)
V. 동물과 에너지	1주	1일 생물의 구성 단계와 영양소	12~17	155~161
		2일 소화	18~23	162~163
		3일 영양소의 흡수	24~29	164~167
		4일 순환(1)	30~35	168~169
		5일 순환(2)	36~41	170~173
VI. 물질의 특성	2주	1일 호흡	54~59	177~181
		2일 배설	60~65	182~188
		3일 물질의 특성(1)	66~71	197~203
		4일 물질의 특성(2)	72~77	204~207
		5일 물질의 특성(3)	78~83	208~211
	3주	1일 혼합물의 분리(1)	96~101	215~217
		2일 혼합물의 분리(2)	102~107	218~219
		3일 혼합물의 분리(3)	108~113	220~225
VII. 수권과 해수의 순환		4일 수권의 분포와 활용	114~119	235~239
		5일 해수의 특성	120~125	243~248
VIII. 열과 우리 생활	4주	1일 해수의 순환	138~143	249~253
		2일 온도와 열의 이동	144~149	263~264, 267~269
		3일 단열과 열평형	150~155	265~266, 270~272
		4일 비열과 열팽창	156~161	275~281
IX. 재해·재난과 안전		5일 재해·재난과 안전	162~167	290~299

비상교육(쪽)	미래엔(쪽)	동아출판(쪽)	YBM(쪽)
152~157, 159~160	158~161	151~155	158~163
158~160	162~164	156~158	164
160~161	165~167	158~159	165~169
166~167	168~169	160~163	172~173
168~171	170~172	160, 164~165	170~172, 174~175
176~179	174~177	169~173	178~181
180~182, 189~191	178~185	174~179	182~189
200~201, 210~213	196~203	191~193, 200~201	202~203, 210~211
202~205	204~207	194~196	206~207
206~209	208~211	197~199	208~209
218~219	214~217	205~207	214~216
220~221	218~219	208~209	218~219
224~227	220~227	210~213	220~223
238~243	238~242	225~227	238~243
248~253	244~249	228~232	246~249
254~257	250~254	235~240	250~253
266~269	266~269	251~255	266~271
270~274	270~275	256~260	272~276
280~285	276~283	263~270	280~287
294~301	294~305	280~293	298~307

1주에는 무엇을 공부할까? ❶

1주에는 무엇을 공부할까? ❷

● 소화

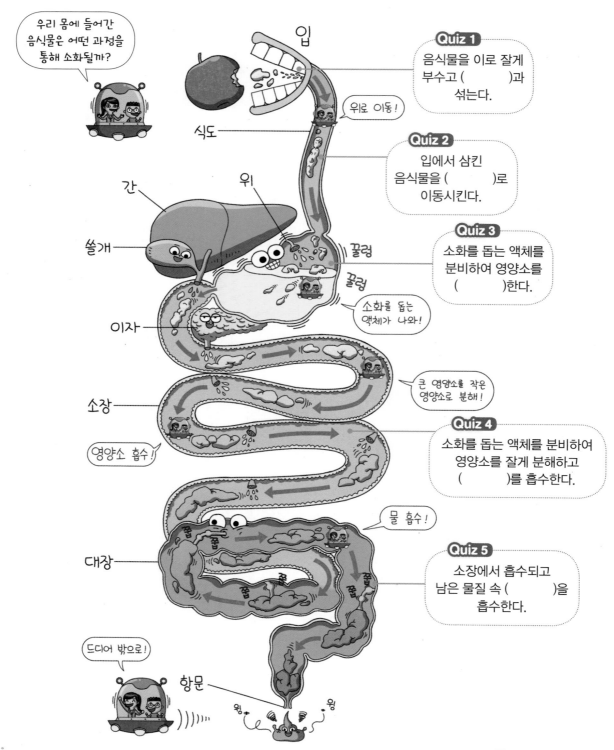

우리 몸에 들어간 음식물은 어떤 과정을 통해 소화될까?

입

식도

간

위

쓸개

이자

소장

영양소 흡수!

대장

항문

위로 이동!

꿀렁

꿀렁

소화를 돕는 액체가 나와!

큰 영양소를 작은 영양소로 분해!

물 흡수!

드디어 밖으로!

Quiz 1
음식물을 이로 잘게 부수고 (　　　)과 섞는다.

Quiz 2
입에서 삼킨 음식물을 (　　　)로 이동시킨다.

Quiz 3
소화를 돕는 액체를 분비하여 영양소를 (　　　)한다.

Quiz 4
소화를 돕는 액체를 분비하여 영양소를 잘게 분해하고 (　　　)를 흡수한다.

Quiz 5
소장에서 흡수되고 남은 물질 속 (　　　)을 흡수한다.

답 1. 침 2. 위 3. 분해 4. 영양소 5. 물

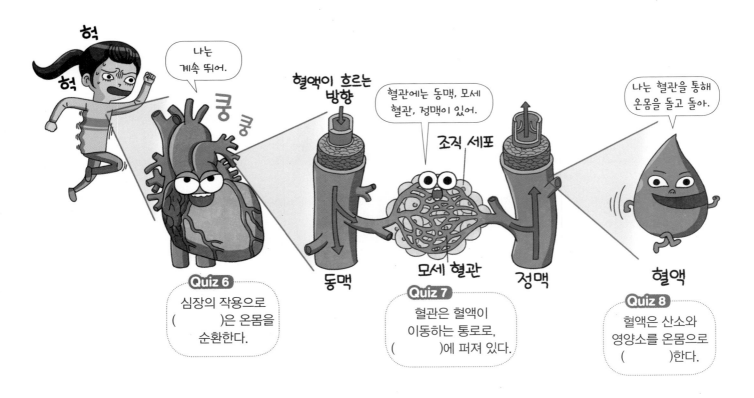

Quiz 6
심장의 작용으로
(   )은 온몸을
순환한다.

Quiz 7
혈관은 혈액이
이동하는 통로로,
(   )에 퍼져 있다.

Quiz 8
혈액은 산소와
영양소를 온몸으로
(   )한다.

답 6. 혈액 7. 온몸 8. 운반

1일 생물의 구성 단계와 영양소

주 1일

주제 1 생물의 구성 단계

생물은 세포로 이루어져 있지만, 단순히 세포가 모여 있는 것이 아니라 체계적인 구성 단계를 거쳐 개체를 이룬다.

중요 개념

● 생물의 구성 단계

세포	*조직	기관	개체
생물을 이루는 구조적·기능적 기본 단위 예 상피 세포, 근육 세포	모양과 기능이 비슷한 ❶(ㅅㅍ)가 모여 조직을 이룸 예 상피 조직, 근육 조직	여러 조직이 모여 고유한 모양과 기능을 갖춘 기관을 이룸 예 위, 심장, 폐	┌동물의 경우 여러 기관계가 모여 이루어진 독립된 생물체 예 사람, 고양이 식물의 경우 기관이 모여 개체가 된다.

〈식물〉 〈동물〉
세포
↓
조직
조직계 ↙↘ ↓
기관
기관계
↓ ↙
개체 ↖

• 조직계: 식물에만 있는 단계로, 여러 조직이 연결되어 일정한 기능을 하는 조직계를 이룬다. 예 표피 조직계
• 기관계: 동물에만 있는 단계로, 서로 연관된 기능을 수행하는 ❷(ㄱㄱ)이 모여 기관계를 이룬다. 예 소화계, 순환계

> • 식물의 구성 단계: 세포 → 조직 → 조직계 → 기관 → 개체
> • 동물의 구성 단계: 세포 → 조직 → 기관 → 기관계 → 개체

Tip

동물은 기관계를 통해 다양한 생명 활동이 일어난다.

➡ 동물은 기관계를 통해 소화, 순환, 호흡, 배설과 같은 다양한 생명 활동을 수행한다.

답 ❶ 세포 ❷ 기관

개념 원리 확인

생물을 구성하는 기본
단위는 세포야.

1-1

그림은 동물의 구성 단계를 나타낸 것이다. (가)와 (나)에 들어갈 구성 단계를 쓰시오.

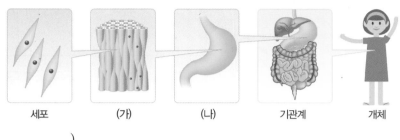

세포   (가)   (나)   기관계   개체

- (가): (   )
- (나): (   )

1-2

다음은 생물의 구성 단계에 대해 두 학생이 나눈 대화이다. 빈칸에 알맞은 말을 쓰시오.

식물은 동물과 달리 조직이
모여 조직계를 이루고, 조직
계가 모여 기관을 형성해.

식물이나 동물이나
같은 생물이니까 몸의
구성 단계가 같겠지?

식물의 구성 단계 중
동물에는 없는 단계가 있어.
그건 바로 (   )야.

1-3

그림은 소화 기능을 담당하는 기관의 모임을 나타낸 것이다. 이에 해당하는 동물의
구성 단계를 쓰시오.   (   )

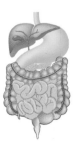

용어 풀이

＊**조직**(組 짤, 織 짤): 기관을 구성
하는 같은 종류의 세포 모임으로
근육 조직, 신경 조직, 상피 조직
(피부, 점막 등), 결합 조직(혈액,
연골 등)이 있다.

주제 2 영양소

음식물을 통해 섭취하는 영양소는 생명 활동에 필요한 에너지원이나 우리 몸을 구성하는 성분으로 이용되기도 하고 몸의 기능을 조절하기도 한다.

3대 영양소

탄수화물
· 주에너지원
· 사용되고 남은 것은 대부분 지방으로 바뀌어 저장
· 종류: 녹말, 엿당, 포도당 등

단백질
· 에너지원
· 근육, 머리카락 등 주로 몸을 구성
· 소화 효소의 주성분

지방
· 에너지원
· 단위 질량당 가장 많은 에너지 생성
· 세포막 등을 구성
· 피부 아래에 지방층 형태로 저장

부영양소

물
· 몸의 구성 성분 중 가장 많은 양을 차지
· 영양소와 노폐물 등을 운반
· 체온 조절

바이타민
· 적은 양으로 몸의 기능을 조절
· 부족 시 결핍증이 나타남
· 종류: 바이타민 A, B₁, C, D 등

무기 염류
· 뼈, 이, 혈액 등을 구성
· 몸의 기능을 조절
· 종류: 칼슘, 인, 나트륨, 칼륨 등

중요 개념

● **3대 영양소** 탄수화물, 단백질, ❶(ㅈㅂ)
· 우리 몸의 <u>주요 구성 물질</u>로, 에너지원으로 이용 ┌─ 물은 우리 몸의 약 60~70 %를 구성한다.
● **부영양소** 물, 바이타민, ❷(ㅁㄱㅇㄹ) 바이타민 C 결핍 시 괴혈병(잇몸이 붓고 피가 나며 피부에 멍이 들고, 관절통을 느낀다.)이 나타난다.
· 에너지원으로 이용되지 않는다.
· 몸을 구성하는 성분으로 이용되거나 여러 생명 현상을 조절
● **영양소 검출**
┌─ 베네딕트 반응은 포도당 뿐만 아니라 엿당과 같은 당분도 검출한다.

녹말(아이오딘 반응)	*포도당(베네딕트 반응)	단백질(뷰렛 반응)	지방(수단 Ⅲ 반응)

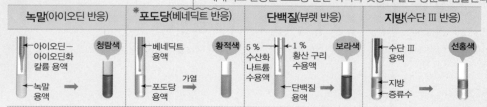

Tip

3대 영양소와 부영양소
➡ 에너지원으로 사용되는지의 여부에 따라 구분된다. 에너지원으로 이용되는 영양소는 3대 영양소(탄수화물, 단백질, 지방)이고, 에너지원으로 이용되지 않는 영양소는 부영양소(물, 바이타민, 무기 염류)이다.

답 ❶ 지방 ❷ 무기 염류

개념 원리 확인

○정답과 해설 **2쪽**

2-1

다음 음식물 속에 주로 들어 있는 영양소를 옳게 연결하시오.

(1)

(2)

(3)

ㆍ

ㆍ

㉠ 지방　　　　　　　ㄴ 탄수화물　　　　　　ㄷ 단백질

건강을 유지하려면 음식을 골고루 섭취해서 우리 몸에 필요한 영양소를 얻어야 해.

2-2

다음은 괴혈병 환자의 치료 과정에 대해 두 학생이 나눈 대화이다.

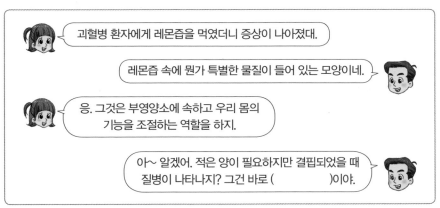

괴혈병 환자에게 레몬즙을 먹였더니 증상이 나아졌대.

레몬즙 속에 뭔가 특별한 물질이 들어 있는 모양이네.

응. 그것은 부영양소에 속하고 우리 몸의 기능을 조절하는 역할을 하지.

아~ 알겠어. 적은 양이 필요하지만 결핍되었을 때 질병이 나타나지? 그건 바로 (　　　　)이야.

빈칸에 알맞은 말로 옳은 것은?

① 물　　　　　　　② 지방　　　　　　　③ 단백질
④ 탄수화물　　　　⑤ 바이타민

바이타민은 에너지원으로 이용되지 않지만 우리 몸의 기능을 조절하는 역할을 하지.

2-3

그림은 포도당 용액이 들어 있는 시험관에 베네딕트 용액을 2~3방울 떨어뜨리고 가열하는 실험을 나타낸 것이다. 시험관 속 용액의 색깔은 어떤 색으로 변하는지 쓰시오.

(　　　　　　　　　)

용어 풀이

* **포도당**(葡 포도, 萄 포도, 糖 엿): 녹말을 구성하는 기본 단위로, 단당류에 속한다.

대표 기출문제 주제 1 생물의 구성 단계

1-1

그림은 사람의 몸을 구성하는 단계를 나타낸 것이다.

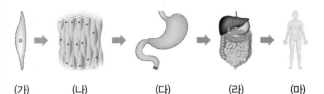

(가)   (나)   (다)   (라)   (마)

(가)~(마)에 대한 설명으로 옳지 않은 것은?

① (가)는 생물을 구성하는 기본 단위이다.

② (나)는 모양과 기능이 비슷한 세포가 모여 이루어진다.

③ 간, 소장은 (다)와 같은 단계에 속한다.

④ (라)는 식물의 구성 단계에서도 발견된다.

⑤ (마)는 독립적인 생명 활동을 영위할 수 있다.

1-2

다음은 생물의 구성 단계에 대해 두 학생이 나눈 대화이다. 옳게 말한 사람을 쓰시오.

식물의 몸은 '세포 → 조직 → 조직계 → 기관 → 개체'의 단계로 구성돼.

동물의 몸은 '세포 → 조직 → 조직계 → 기관계 → 개체'의 단계로 구성돼.

은혜   준성

Hint 식물의 구성 단계에는 동물에는 없는 조직계가 있고, 동물의 구성 단계에는 식물에는 없는 기관계가 있다.

1-3

사람과 같은 동물의 구성 단계에 대한 설명으로 옳은 것을 보기 에서 모두 고른 것은?

보기
ㄱ. 세포는 생물체를 구성하는 구조적·기능적 기본 단위이다.
ㄴ. 근육 세포가 모여 근육 조직을 이룬다.
ㄷ. 비슷한 기능을 하는 기관이 모여 개체를 구성한다.

① ㄱ   ② ㄴ   ③ ㄷ
④ ㄱ, ㄴ   ⑤ ㄴ, ㄷ

문제 해결 Point

가이드 사람의 몸을 구성하는 단계를 알고, 각 단계의 특징을 이해해야 한다.

해결 Point (가)는 세포, (나)는 조직, (다)는 기관, (라)는 기관계, (마)는 개체 단계이다. **세포**는 생물을 구성하는 기본 단위이고, 모양과 기능이 비슷한 세포가 모여 **조직**을 이룬다. 여러 조직이 모여 고유한 모양과 기능을 갖춘 **기관**을 구성하고, 연관된 기능을 하는 기관이 모여 **기관계**를 이룬다. 여러 기관계가 모여 독립된 생물체인 **개체**를 이루며 동물은 기관계의 작용으로 다양한 생명 활동을 수행한다.

오개념 주의 기관계는 동물에서만 발견되는 구성 단계로, 식물의 구성 단계에는 없다. 대신에 식물은 조직이 모여 조직계를 이루고 조직계가 모여 기관을 형성한다.

대표 기출문제 **주제2** 영양소

2-1

그림은 우리 몸을 구성하는 물질의 비율을 나타낸 것이다.

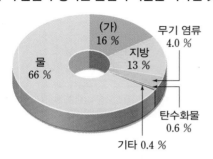

(가) 영양소에 대한 설명으로 옳지 않은 것은?

① 3대 영양소에 속한다.

② 1 g 당 열량이 가장 높다.

③ 뷰렛 반응에서 보라색을 나타낸다.

④ 살코기, 생선, 콩, 달걀 등에 많이 들어 있다.

⑤ 근육, 머리카락 등 몸을 구성하는 주요 성분이다.

문제 해결 Point

가이드	생물을 구성하는 물질 중 물을 제외하고 가장 많은 양을 차지하는 영양소는 단백질(가)이다.
해결 Point	**단백질**은 탄수화물, 지방과 함께 3대 영양소에 속하며 에너지원으로 쓰인다. 단백질은 살코기, 생선, 콩, 달걀 등에 많이 들어 있으며 근육, 머리카락 등 몸을 구성하는 주요 성분으로 성장기인 청소년에게 특히 많이 필요하다. 단백질이 들어 있는 용액에 뷰렛 용액을 떨어뜨리면 보라색을 나타내므로 단백질을 검출할 때 뷰렛 용액이 사용된다.
오개념 주의	단백질은 탄수화물과 함께 1 g 당 4 kcal의 열량을 낸다. 지방은 1 g 당 9 kcal의 열량을 내므로 1 g 당 열량이 가장 높은 것은 단백질이 아니라 지방이다.

2-2

우리 몸을 구성하는 영양소에 대한 설명으로 옳지 않은 것은?

① 탄수화물: 대부분 에너지원으로 이용된다.

② 단백질: 근육, 머리카락 등 몸을 구성하는 주요 성분이다.

③ 지방: 우리 몸의 구성 성분 중 가장 많은 비율을 차지한다.

④ 무기 염류: 뼈, 이, 혈액 등을 구성하며 몸의 기능을 조절한다.

⑤ 바이타민: 적은 양으로 몸의 생명 현상을 조절하며 섭취량이 부족하면 결핍증이 나타난다.

Hint 지방은 9 kcal/g의 열량을 내는 에너지원으로 세포막을 구성하는 역할을 한다. 여분의 지방은 피부 아래에 지방층 형태로 저장되므로 체온 유지에 도움을 준다.

2-3

그림은 미음이 든 시험관에 아이오딘─아이오딘화 칼륨 용액을 떨어뜨린 후 용액의 색깔이 청람색으로 변한 것을 나타낸 것이다.

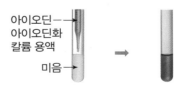

미음 속에 들어 있을 것으로 예상되는 영양소는?

① 녹말　　② 지방　　③ 포도당

④ 단백질　　⑤ 아미노산

주제 1 **소화계**

소화가 일어나는 데 관여하는 기관이 모여 소화계를 구성한다. 소화계는 음식물이 직접 지나가는 소화관과 소화액을 분비하는 소화샘으로 구성된다.

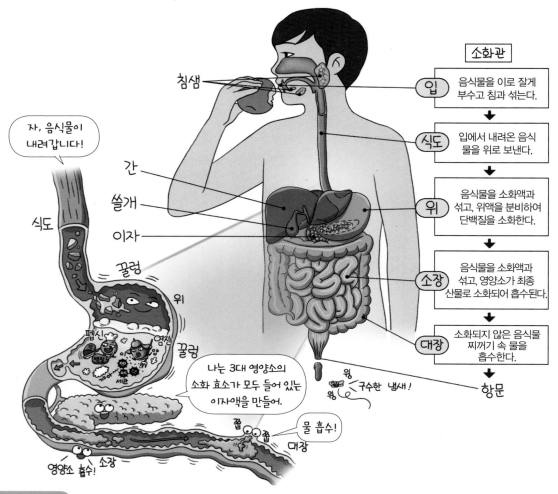

중요 개념

● **소화관** 음식물이 직접 지나가는 통로로, 입에서 항문까지 연결되어 있다.
 • 음식물의 이동 경로: 입 → 식도 → ❶(ㅇ) → 소장 → 대장 → 항문
● **소화샘** 소화관에 연결되어 ❷(ㅅㅎㅇ)을 분비하는 곳으로, 음식물이 직접 지나가지 않는다.
 • 침샘: 녹말을 분해하는 소화 효소가 들어 있는 침 분비 ┐ 소화액 속에는 영양소의 분해를 촉진하는 소화 효소가 들어 있다.
 • 간: 지방의 소화를 돕는 쓸개즙 생성
 • 쓸개: 간에서 생성된 쓸개즙을 저장하고 있다가 소장으로 분비
 • 이자: 3대 영양소의 소화 효소가 모두 들어 있는 이자액을 소장으로 분비

Tip

소화관은 몸의 외부 공간 이다?
➡ 소화관의 내부는 입과 항문을 따라 바깥과 연결되어 있기 때문에 음식물이 작은 영양소로 분해된 후 흡수되어야 비로소 몸 속으로 들어온 것이라고 할 수 있다.

답 ❶ 위 ❷ 소화액

개념 원리 확인

○ 정답과 해설 **3쪽**

1-1

그림은 사람의 소화계를 나타낸 것이다.

(1) A~F의 이름을 쓰시오

- A: (　　　　　　)
- B: (　　　　　　)
- C: (　　　　　　)
- D: (　　　　　　)
- E: (　　　　　　)
- F: (　　　　　　)

(2) 쓸개즙을 생성하는 소화 기관의 기호와 이름을 쓰시오.

(　　　　　　)

쓸개즙은 간에서 생성되지.

1-2

다음은 세 친구가 아래의 내용을 보고 나눈 대화이다. 옳게 말한 사람을 쓰시오.

소장은 영양소가 최종 산물로 소화되어 체내로 흡수되는 소화 기관이야.

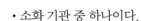

나는 누구일까요?

- 소화 기관 중 하나이다.
- 음식물이 직접 지나가는 통로이다.
- 길고 가는 관으로 위에서 온 음식물을 소화액과 섞어준다.
- 영양소가 최종 산물로 소화되어 흡수된다.

길고 가는 관으로 위에서 온 음식물을 소화 액과 섞어주는 걸 보니 소장에 대한 내용이야.

음식물이 직접 지나간 다는 걸 보니 식도에 대한 내용이야.

최종 산물로 소화되어 흡수된다는 걸 보니 대장에 대한 내용이야.

은수　　　　영웅　　　　온유

(　　　　　　)

용어 풀이

＊**소화**(消 사라질, 化 될): 생물이 섭취한 음식물을 분해하여 체내로 흡수하기 쉬운 형태로 변화시키는 과정

주 2일 소화

음식물 속에 들어 있는 영양소를 분해하여 세포막을 통과할 수 있는 작은 크기
의 영양소로 분해하는 과정을 소화라고 한다.

중요 개념

● **소화**　음식물 속의 영양소를 체내로 흡수할 수 있는 작은 크기의 영양소로 분해하는 과정
  • 기계적 소화: 음식물의 크기를 작게 하거나 음식물이 소화액과 잘 섞이도록 하는 작용
  　예 이의 씹는 작용, 혀의 섞는 작용, 소화관의 근육 운동 등
  • 화학적 소화: ❶(ㅅㅎㅎㅅ)가 작용하여 영양소가 세포에서 흡수될 수 있을 정도로 작은 크기
  　로 분해되는 작용
● *소화 효소*　소화액에 들어 있는 물질로, 크기가 큰 영양소를 크기가 작은 영양소로 분해하는
  물질
  • 각각의 소화 효소는 한 종류의 ❷(○○ㅅ)만 분해한다.
  • 체온 범위에서 가장 활발하게 작용한다. ─ 소화 효소의 주요 성분은 단백질이기 때문에 가열하면
  　　　　　　　　　　　　　　　　　　　　변성되어 기능을 잃는다.

Tip

**음식물을 잘 씹어먹으면
소화가 잘 되는 까닭**
➡ 음식물과 소화 효소가
접촉하는 면적이 넓어져
음식물의 화학적 소화가
잘 일어나기 때문이다.

답 ❶ 소화 효소 ❷ 영양소

2-1

그림은 이의 씹는 작용과 침의 소화 작용을 나타낸 것이다.

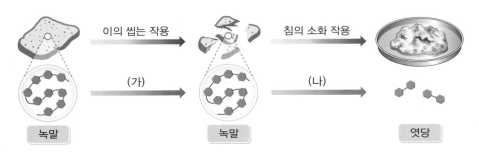

(가)와 (나)의 소화 작용을 무엇이라고 하는지 각각 쓰시오.

· (가): (   )

· (나): (   )

2-2

다음은 소화에 대해 두 학생이 나눈 대화이다. 옳게 말한 사람을 쓰시오.

(   )

2-3

다음에서 설명하는 것은 무엇인지 쓰시오.

> 소화액에 들어 있는 물질로, 크기가 큰 영양소를 크기가 작은 영양소로 분해한다.

(   )

대표 기출문제 주제 1 소화계

1-1

사람의 소화계에 대한 설명으로 옳은 것을 보기 에서 모두 고른 것은?

보기

ㄱ. 소화샘에서 소화액이 분비된다.

ㄴ. 영양소와 산소를 다른 조직으로 운반한다.

ㄷ. 음식물은 소화관과 소화샘을 직접 통과하여 이동한다.

ㄹ. 흡수되지 않은 음식물 찌꺼기는 항문을 통해 몸 밖으로 배출된다.

① ㄱ, ㄴ ② ㄱ, ㄹ ③ ㄴ, ㄷ
④ ㄴ, ㄹ ⑤ ㄷ, ㄹ

문제 해결 Point

가이드 소화계의 소화관과 소화샘을 구분하여 이해할 수 있어야 한다.

해결 Point 섭취한 음식물 속의 영양소를 체내에 흡수될 수 있도록 작게 분해하여 체내로 흡수하는 기관계는 소화계이다. **소화계**는 음식물이 직접 이동하는 **소화관**과 소화액을 분비하는 **소화샘**으로 구성된다.

오개념 주의 영양소, 산소와 같이 세포가 필요로 하는 물질을 운반하는 역할을 담당하는 기관계는 소화계가 아니고 순환계이다. 간, 쓸개, 이자와 같은 소화샘은 소화관에 연결되어 소화액을 분비하는 곳으로, 음식물이 직접 통과하지 않는다.

1-2

그림은 사람의 소화계를 나타낸 것이다.

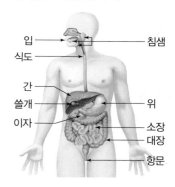

입 / 식도 / 간 / 쓸개 / 이자 / 침샘 / 위 / 소장 / 대장 / 항문

다음 음식물이 이동하는 경로의 (가)~(라)에 해당하는 소화 기관을 순서대로 옳게 나열한 것은?

입 → (가) → (나) → (다) → (라) → 항문

	(가)	(나)	(다)	(라)
①	간	위	쓸개	소장
②	식도	위	이자	소장
③	식도	위	소장	대장
④	침샘	간	쓸개	대장
⑤	쓸개	간	소장	대장

1-3

소화 기관 중 소화관에 연결되어 소화액을 분비하는 곳은?

① 위

② 소장

③ 대장

④ 식도

⑤ 이자

Hint 소화관에 연결되어 소화액을 분비하는 곳을 소화샘이라고 한다.

대표 기출문제 **주제2** 소화

2-1

다음은 소화에 관련된 실험이다.

> 셀로판 주머니 2개에 녹말 용액과 포도당 용액을 각각 넣고 물이 든 비커에 담가 놓는다. 어느 정도 시간이 지난 후 각 비커의 물을 덜어내어 시험관 A, B에 넣고 각각 아이오딘 반응과 베네딕트 반응을 실시한다.
>
>
> 녹말 용액 A 아이오딘-아이오딘화 칼륨 용액   포도당 용액 B 베네딕트 용액
>
> 〈실험 결과〉
> 시험관 A에서는 아이오딘 반응이 나타나지 않았고, 시험관 B에서는 베네딕트 반응이 나타났다.

이 실험에 대한 설명으로 옳지 않은 것은?

① 시험관 A에 녹말이 있다.

② 시험관 B에 포도당이 있다.

③ 포도당은 셀로판 주머니를 통과한다.

④ 녹말은 포도당보다 분자의 크기가 크다.

⑤ 녹말은 분해되어 크기가 작아져야 셀로판 주머니를 통과할 수 있다.

문제 해결 Point

가이드 이 실험은 소화가 일어나야 하는 까닭을 알기 위한 것으로, 셀로판 주머니(반투과성 막)는 소장 융털의 세포막에 해당한다.

해결 Point 시험관 A에서 아이오딘 반응이 나타나지 않은 것으로 보아 녹말은 셀로판 주머니를 통과하지 않았음을 알 수 있다. 시험관 B에서 베네딕트 반응이 나타난 것으로 보아 포도당은 셀로판 주머니를 통과했음을 알 수 있다. 즉, 녹말은 포도당처럼 작은 분자로 분해되어야 체내로 흡수될 수 있으므로 소화 과정이 필요함을 확인할 수 있다.

오개념 주의 녹말은 셀로판 주머니를 통과하지 못하므로 시험관 A에는 녹말이 들어 있지 않다. 따라서 시험관 A는 아이오딘 반응(청람색)을 나타내지 않는다.

2-2

다음은 소화의 의미에 대해 세 학생이 나눈 대화이다. 옳게 말한 사람을 쓰시오.

영양소를 분해해서 에너지를 얻는 과정이야.

영양소를 체내로 운반하는 과정 아닐까?

영양소를 체내로 흡수할 수 있을 정도로 작게 분해하는 과정이야.

은수   온유   준상

2-3

우리 몸의 소화 과정에 대한 설명으로 옳지 않은 것은?

① 소화 효소는 소화액 속에 들어 있다.

② 화학적 소화는 소화 효소가 관여한다.

③ 소화 효소의 작용은 온도의 영향을 받지 않는다.

④ 각각의 소화 효소는 한 종류의 영양소에만 작용한다.

⑤ 이의 씹는 작용, 혀의 섞는 작용은 기계적 소화에 해당한다.

Hint 소화 효소의 주요 성분은 단백질로, 단백질은 열에 의해 쉽게 변성된다.

주제 1 소화 과정

여러 소화 기관에서 분비되는 다양한 소화 효소의 작용에 의해 녹말, 단백질, 지방은 최종 분해 산물로 분해된다.

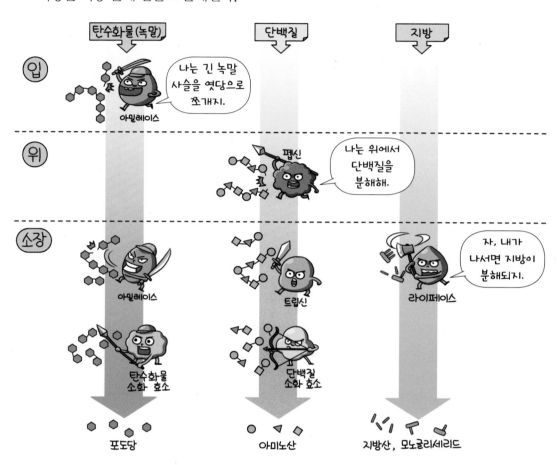

중요 개념

● **소화 과정**
(1) 입: 침 속에 들어 있는 소화 효소인 아밀레이스에 의해 녹말이 엿당으로 분해된다.
(2) 위: 위액 속에 들어 있는 소화 효소인 펩신에 의해 단백질이 분해된다.
  • 펩신: 음식물에 들어 있는 단백질을 분해한다. ┌ 염산: 강한 산성을 띠며 소화 효소는 아니지만 펩신의 작용을 돕고 살균 작용을 한다.
(3) 소장: 이자액, 쓸개즙, 소장의 소화 효소에 의해 녹말, 단백질, 지방이 최종 분해된다.
  • 이자액: ❶(ㅇㅁㄹㅇㅅ)(녹말 → 엿당), 트립신(단백질 → 작은 크기의 단백질), 라이페이스 (지방 → 지방산, *모노글리세리드)가 모두 들어 있다. ➡ 3대 영양소 모두 분해
  • 쓸개즙: 소화 효소는 없지만 지방의 소화를 돕는다. ┌ 지방 덩어리를 작은 알갱이로 만들어 지방이 잘 소화되도록 돕는다.
  • 소장의 소화 효소: 탄수화물 소화 효소, 단백질 소화 효소에 의해 탄수화물과 단백질이 최종 분해된다. └ 엿당 → 포도당 └ 작은 크기의 단백질 → 아미노산
● **최종 분해 산물**
  • 탄수화물 → 포도당   • 단백질 → ❷(ㅇㅁㄴㅅ)   • 지방 → 지방산, 모노글리세리드

Tip

밥을 오래 씹으면 단맛이 나는 까닭
➡ 밥의 주성분인 녹말이 침 속의 아밀레이스에 의해 단맛이 나는 엿당으로 분해되기 때문이다.

답 ❶ 아밀레이스 ❷ 아미노산

1-1

그림은 사람의 소화관에서 일어나는 녹말, 단백질, 지방의 소화 과정을 나타낸 것이다.

녹말, 단백질, 지방을 분해하는 소화 효소는 각각 달라.

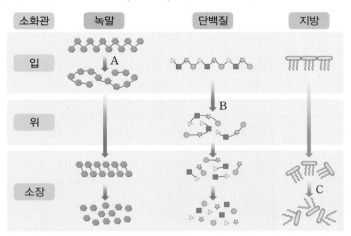

소화 효소 A, B, C의 이름을 각각 쓰시오.

- A: (   )
- B: (   )
- C: (   )

1-2

녹말, 단백질, 지방은 소화관을 지나는 동안 소화 효소에 의해 세포에서 흡수할 수 있을 만큼 작은 크기로 분해돼.

세 가지 영양소가 소화 과정을 거쳐 생성된 최종 분해 산물을 옳게 연결하시오.

(1) 녹말 •   • ㉠ 아미노산

(2) 단백질 •   • ㉡ 지방산, 모노글리세리드

(3) 지방 •   • ㉢ 포도당

1-3

용어 풀이

＊**모노글리세리드**(monoglyceride): 지방은 3분자의 지방산과 글리세롤 1분자로 구성되는데, 라이페이스에 의해 분해되면 지방산 2분자와 모노글리세리드(글리세롤과 지방산이 결합)가 된다.

다음 설명에 해당하는 물질을 쓰시오.

- 세균을 죽이는 작용을 한다.
- 위액에 들어 있는 성분으로 펩신의 작용을 돕는다.

(   )

3일 소화와 흡수

주제 2 영양소의 흡수

소장의 내부에는 주름이 많아 소장 내부의 표면적을 넓혀 주어 소화된 영양소를 효율적으로 흡수할 수 있다.

중요 개념

- **소장 안쪽 벽의 구조** 주름이 많고 표면에는 수많은 ❶(ㅇㅌ)이 있다. ➡ 표면적을 넓혀 주기 때문에 영양소를 효율적으로 흡수할 수 있다. ─ 지용성 영양소 ─ 수용성 영양소
- **영양소의 흡수와 이동** *암죽관으로 지방산, 모노글리세리드가, ❷(ㅁㅅㅎㄱ)으로 포도당, 아미노산, 무기 염류 등이 흡수 ➡ 흡수된 영양소는 심장으로 이동한 후 혈관을 통해 온몸의 세포로 운반
- **대장의 작용** – 소화 효소가 분비되지 않는다.
  - 소장에서 흡수되지 않고 남은 음식물 속의 물이 흡수된다.
  - 물이 빠져나가고 남은 찌꺼기는 항문을 통해 몸 밖으로 배출된다.

Tip

지방의 흡수
➡ 지방산과 모노글리세리드는 소장 융털의 상피 세포로 흡수된 후 상피 세포를 통과하면서 다시 지방으로 합성되어 암죽관으로 흡수된다.

답 ❶ 융털 ❷ 모세 혈관

융털의 내부에는 지용성 영양소가 흡수되는 곳과 수용성 영양소가 흡수되는 곳이 구분되어 있어.

2-1

그림은 소장 융털의 내부 구조를 나타낸 것이다. A, B의 이름을 각각 쓰시오.

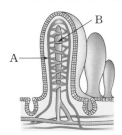

- A: (   )
- B: (   )

2-2

융털의 모세 혈관으로 흡수되는 양분을 모두 고르면? (정답 2개)

① 지방산   ② 포도당   ③ 단백질

④ 아미노산   ⑤ 모노글리세리드

2-3

다음은 소화에 대해 두 학생이 나눈 대화이다. 빈칸에 알맞은 말을 쓰시오.

최종 소화 산물은 소장에서 흡수돼.

영양소가 최종 소화되어 흡수되는 곳은 어디지?

소화관의 끝이 항문이고 항문과 연결된 소화관은...

아, 대장인가?

대장은 음식물 찌꺼기만 남아서 배출하는 장소이고, 실제 영양소가 최종 소화되어 영양소가 흡수되는 장소는 (   )이야.

용어 풀이

＊**암죽관**(chyle duct): 소장 안쪽 벽의 융털에 분포하는 림프관

대표 기출문제 　**주제 1**　소화 과정

1-1

그림은 사람의 소화 기관을 나타낸 것이다.

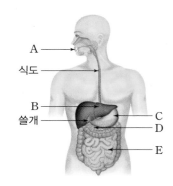

A~E에 대한 설명으로 옳지 <u>않은</u> 것은?

① A: 녹말이 최초로 분해된다.

② B: 쓸개즙 속의 소화 효소는 지방을 분해한다.

③ C: 위액은 강한 산성을 나타낸다.

④ D: 3대 영양소를 분해하는 소화 효소가 모두 들어 있다.

⑤ E: 최종 소화 산물이 흡수된다.

문제 해결 Point

가이드	A는 입, B는 간, C는 위, D는 이자, E는 소장이다.
해결 Point	입에서 녹말이, 위에서 단백질이, 소장에서 지방이 최초로 분해된다. 위액에는 펩신과 함께 염산이 있어서 강한 산성을 나타낸다. 이자에서는 <u>3대 영양소를 분해하는 소화 효소(아밀레이스, 트립신, 라이페이스)</u>가 분비된다. 소장에서 <u>영양소는 최종 산물로 분해가 완료되어 체내로 흡수</u>된다.
오개념 주의	쓸개즙은 간에서 생성된 후 쓸개에 저장된다. 쓸개즙은 소화 효소가 없으며 라이페이스가 작용할 수 있도록 지방의 소화를 돕는 역할을 한다.

1-2

침의 소화 작용을 알아보기 위해 다음과 같은 실험을 하였다.

(가) 2개의 시험관 A, B에 각각 묽은 녹말 용액을 넣는다.

(나) 시험관 A에는 증류수를, B에는 침을 넣는다.

(다) 35~40 ℃의 따뜻한 물이 들어 있는 비커에 시험관을 담가 둔다.

(라) 일정 시간이 지난 후 각 시험관에 아이오딘 반응과 베네딕트 반응을 실시하여 색깔 변화를 관찰한다.

⑴ 시험관 A, B 중 아이오딘 반응이 나타나는 시험관을 예상하여 쓰시오. 　　　　　(　　　)

⑵ 시험관 A, B 중 베네딕트 반응이 나타나는 시험관을 예상하여 쓰시오. 　　　　　(　　　)

⑶ 녹말의 분해에 관여하는 침 속 소화 효소의 이름을 쓰시오.
　　　　　　　　　　　　　　　　(　　　)

1-3

그림은 우리 몸의 소화 기관 중 일부를 나타낸 것이다.

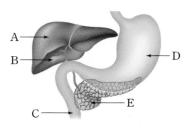

단백질의 소화가 처음 일어나는 곳의 기호와 작용하는 소화 효소의 이름을 옳게 짝 지은 것은?

① A－쓸개즙

② B－쓸개즙

③ C－아밀레이스

④ D－펩신

⑤ E－트립신

Hint 단백질이 처음 분해되는 장소는 위이다.

대표 기출문제 **주제 2** 영양소의 흡수

2-1

그림은 소장 안쪽 벽의 구조를 나타낸 것이다.

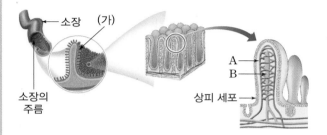

이에 대한 설명으로 옳은 것을 보기 에서 모두 고른 것은?

보기
ㄱ. A는 모세 혈관이다.
ㄴ. 포도당은 B로 흡수된다.
ㄷ. (가)는 영양소를 효율적으로 흡수할 수 있는 구조
이다.

① ㄱ   ② ㄴ   ③ ㄷ
④ ㄱ, ㄷ   ⑤ ㄴ, ㄷ

2-2

그림은 소장의 융털로 영양소가 흡수되는 과정을 나타낸 것이다.

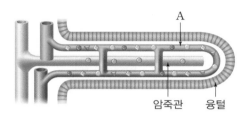

A로 흡수되는 영양소로 옳지 <u>않은</u> 것은? (정답 2개)

① 지방산   ② 포도당   ③ 무기 염류
④ 아미노산   ⑤ 모노글리세리드

Hint 융털의 암죽관으로 지용성 영양소가 흡수된다.

2-3

다음은 영양소의 흡수와 이동에 대한 내용이다.

최종 소화된 영양소는 소장 (A)의 모세 혈관과
(B)(으)로 흡수되어 심장으로 이동한 후 온몸의 세포
로 운반된다. 운반된 영양소는 우리 몸을 구성하는 성분이
되거나 몸의 기능을 조절하는 데 이용되며, 생명 활동에 필
요한 에너지원이 되기도 한다.

A와 B에 들어갈 말을 옳게 짝 지은 것은?

	A	B
①	융털	암죽관
②	융털	동맥
③	융털	정맥
④	암죽관	융털
⑤	암죽관	정맥

문제 해결 Point

가이드 | 소장 안쪽 벽의 주름에 나 있는 작은 돌기인 융털의
구조와 기능을 알아야 한다.

해결 Point | (가)는 융털, A는 모세 혈관, B는 암죽관이다. 소장
안쪽 벽의 주름과 융털 구조는 표면적을 넓혀 주어
영양소를 효율적으로 흡수할 수 있게 한다. 융털 내
부는 가운데에 암죽관(B)이 있고, 그 주변을 모세 혈
관(A)이 둘러싸고 있다.

오개념 주의 | 융털의 모세 혈관으로 포도당, 아미노산과 같은 수
용성 영양소가 흡수되고, 암죽관으로 지방산, 모노
글리세리드와 같은 지용성 영양소가 흡수된다.

주 4일 순환(1)

주

주제 1 심장

심장은 혈관, 혈액과 함께 순환계를 구성한다. 심장은 끊임없이 수축과 이완을 반복함으로써 혈액 순환의 원동력을 제공한다.

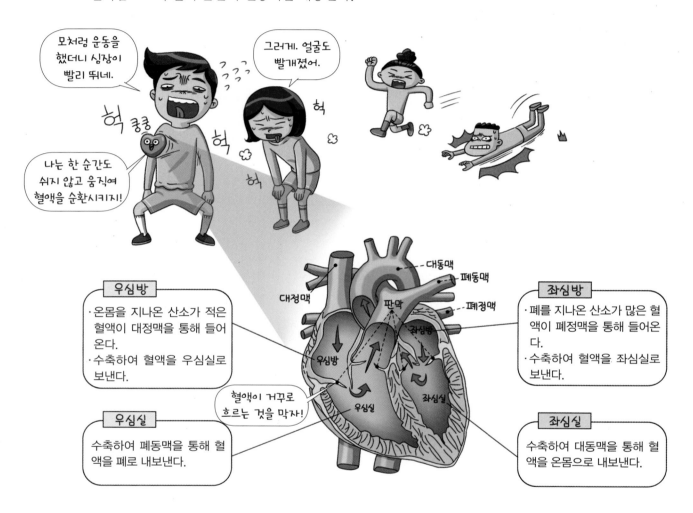

우심방

·온몸을 지나온 산소가 적은 혈액이 대정맥을 통해 들어온다.
·수축하여 혈액을 우심실로 보낸다.

우심실

수축하여 폐동맥을 통해 혈액을 폐로 내보낸다.

좌심방

·폐를 지나온 산소가 많은 혈액이 폐정맥을 통해 들어온다.
·수축하여 혈액을 좌심실로 보낸다.

좌심실

수축하여 대동맥을 통해 혈액을 온몸으로 내보낸다.

혈액이 거꾸로 흐르는 것을 막자!

중요 개념

● **심장의 구조** 2개의 심방과 2개의 심실로 구성되며 두꺼운 ❶(ㄱㅇ)으로 되어 있다.
(1) 심방(좌심방, 우심방): 혈액을 받아들이는 곳으로, 정맥과 연결된다.
(2) 심실(좌심실, 우심실): 혈액을 내보내는 곳으로, 동맥과 연결된다.
  · 대동맥을 통해 온몸으로 혈액을 내보내는 좌심실 벽의 근육층이 폐동맥을 통해 폐로 혈액을 내보내는 우심실의 근육층보다 더 두껍다.
(3) 판막: 심방과 심실 사이, 심실과 동맥 사이에 ❷(ㅍㅁ)이 있어 혈액이 거꾸로 흐르는 것을 막아준다. ➡ 혈액이 한 방향으로만 흐르도록 해준다.
● **심장에서 혈액의 이동**
  대정맥 → 우심방 → 우심실 → 폐동맥 / 폐정맥 → 좌심방 → 좌심실 → 대동맥
● **심장의 박동** 심장의 규칙적인 수축과 이완 운동을 말하며 이는 혈액 순환의 원동력이다.

> **Tip**
>
> **판막의 기능**
> ➡ 혈액이 정상적으로 흐를 때는 판막이 열리고, 거꾸로 흐를 때는 판막이 닫혀 혈액이 거꾸로 흐르는 것을 막는다.

답 ❶ 근육 ❷ 판막

심장은 2개의 심방,
2개의 심실로 구성되며,
심방과 심실은 좌우에
하나씩 존재해.

1-1

그림은 심장의 단면 구조를 나타낸 것이다.

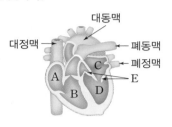

(1) A~D의 이름을 각각 쓰시오.

· A: (   )   · B: (   )
· C: (   )   · D: (   )

(2) 심장에서 혈액이 거꾸로 흐르는 것을 방지하는 것의 기호와 이름을 쓰시오.

(   )

판막은 혈액이
거꾸로 흐를 때 닫혀.

(3) 다음은 심장에서 혈액의 이동 경로를 나타낸 것이다. 빈칸에 알맞은 말을 쓰시오.

> 대정맥 → ㉠(   ) → 우심실 → 폐동맥 / 폐정맥 →
>
> 좌심방 → ㉡(   ) → 대동맥

1-2

순환계를 구성하는 기관 중 다음 설명에 해당하는 것은 무엇인지 쓰시오.

> · 2심방 2심실로 이루어져 있다.
> · 두꺼운 근육으로 된 주머니 모양이다.
> · 주먹만 한 크기의 기관으로 수축과 이완을 반복한다.

(   )

용어 풀이

＊ **박동**(搏 두드릴, 動 움직일): 심
장의 규칙적인 수축과 이완을 박
동이라고 한다. 신체적 운동이나
산소 요구량에 따라 박동 수는
변한다.

주제 2 **혈관**

심장에서 나온 혈액은 혈관을 따라 온몸으로 흐른다. 혈관은 혈액이 흐르는 통로로 동맥, 모세 혈관, 정맥으로 구분된다.

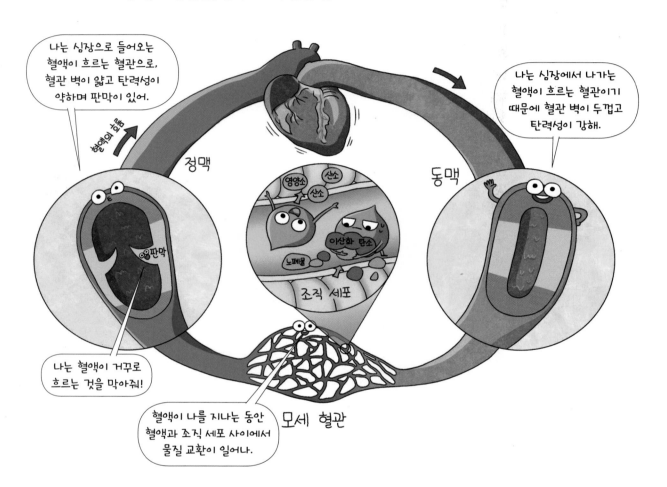

중요 개념

● **혈관** 혈관은 혈액이 지나는 길로, 심장에서 나온 혈액은 ❶(ㄷㅁ) → 모세 혈관 → 정맥 방향으로 흐른다.

동맥	모세 혈관	정맥
• 심장에서 나온 혈액이 지나가는 혈관 • 혈관 벽이 두껍고 탄력성이 강하다. ➡ 심장의 수축, 이완으로 생기는 높은*혈압을 견딜 수 있다. • 몸속 깊은 곳에 위치한다.	• 동맥과 정맥을 연결하는 혈관 • 혈관 벽이 한 층의 세포로 되어 있어 매우 얇다. • 모세 혈관을 지나는 혈액과 주변의 조직 세포 사이에서 영양소와 노폐물, 산소와 이산화 탄소 등의 물질 교환이 일어난다.	• 심장으로 들어가는 혈액이 지나가는 혈관 • 혈관 벽이 동맥보다 얇고 탄력성이 약하며, 혈압이 낮다. • 정맥 곳곳에는 ❷(ㅍㅁ)이 있어 혈액이 거꾸로 흐르는 것을 막는다. 혈액이 심장 쪽으로만 흐르게 한다. • 피부 가까이에 위치한다.

Tip

혈관의 비교
➡ • 혈압
동맥 > 모세 혈관 > 정맥
• 혈관의 총 단면적
모세 혈관 > 정맥 > 동맥
• 혈액이 흐르는 속도
동맥 > 정맥 > 모세 혈관
• 혈관 벽의 두께
동맥 > 정맥 > 모세 혈관

답 ❶동맥 ❷판막

판막의 유무로 동맥과 정맥을 구분할 수 있어.

2-1

그림은 혈관의 종류를 나타낸 것이다.

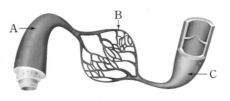

(1) A~C의 이름을 각각 쓰시오.

• A: (   )

• B: (   )

• C: (   )

(2) 혈관 A, B, C에서 혈액이 흐르는 방향을 화살표로 표시하시오.

A (   ) B (   ) C

모세 혈관은 혈관 벽이 한 층의 세포로 되어 있어 물질 교환이 일어나기에 유리해.

용어 풀이

＊ **혈압**(血 피, 壓 누를): 혈관을 따라 흐르는 혈액이 혈관의 벽을 미는 압력으로, 심장 박동에 따라 최고 혈압과 최저 혈압이 나타난다. 혈압은 심장에서 멀어질수록 낮아진다.

2-2

각 혈관에 해당하는 내용을 옳게 연결하시오.

(1) 정맥 •

(2) 동맥 •

(3) 모세 혈관 •

• ㉠ 심장에서 나가는 혈액이 흐르며 혈관 벽의 탄력성이 강하다.

• ㉡ 피부 가까이에 위치하며 심장으로 들어가는 혈액이 흐른다.

• ㉢ 혈관을 지나는 혈액과 주변 조직 세포 사이에서 물질 교환이 일어난다.

4일 기초 집중 연습

대표 기출문제 주제1 심장

1-1

그림은 사람의 심장 구조를 나타낸 것이다.

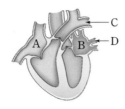

이에 대한 설명으로 옳은 것을 보기 에서 모두 고른 것은?

보기
ㄱ. 2심방 2심실 구조이다.
ㄴ. A, B는 심장으로 들어오는 혈액을 받는다.
ㄷ. C, D는 정맥이다.
ㄹ. 심장이 박동할 때 혈액은 거꾸로 흐른다.

① ㄱ, ㄴ ② ㄱ, ㄷ ③ ㄴ, ㄷ
④ ㄴ, ㄹ ⑤ ㄷ, ㄹ

문제 해결 Point

가이드
A는 우심방, B는 좌심방, C는 폐동맥, D는 폐정맥이다.

해결 Point
폐동맥(C)은 우심실과 연결되며 심장에서 폐로 나가는 혈액이 흐르는 혈관으로 동맥이다. 폐정맥(D)은 좌심방과 연결되며 폐에서 심장으로 들어오는 혈액이 흐르는 혈관으로 정맥이다. 심방과 심실 사이, 심실과 동맥 사이에 **판막**이 있어서 심장 박동 시 수축이 일어날 때 혈액이 거꾸로 흐르는 것을 방지해 준다.

오개념 주의
심장에서 나가는 혈액이 흐르는 혈관이 동맥, 심장으로 들어오는 혈액이 흐르는 혈관이 정맥이다. 따라서 심방은 정맥과, 심실은 동맥과 연결되어 있다.

1-2

다음은 대정맥을 통해 심장으로 들어온 혈액이 폐로 이동하는 경로를 나타낸 것이다.

대정맥 → (A) → 우심실
→ (B) → 폐

빈칸 A와 B에 알맞은 말을 옳게 짝 지은 것은?

	A	B
①	우심방	폐정맥
②	우심방	폐동맥
③	좌심방	폐정맥
④	좌심방	폐동맥
⑤	좌심방	모세 혈관

1-3

사람의 심장에 대한 설명으로 옳지 <u>않은</u> 것은?

① 심방 2개, 심실 2개가 있다.
② 심실은 심방에 비해 근육층이 두껍다.
③ 우심실에서 우심방으로 혈액이 흐른다.
④ 판막은 혈액이 거꾸로 흐르는 것을 막아준다.
⑤ 심방과 심실은 규칙적으로 수축, 이완을 반복한다.

Hint 심장에서 혈액은 심방 → 심실 → 동맥 방향으로 흐른다.

대표 기출문제 주제 2 혈관

2-1

그림은 혈관이 연결된 모습을 나타낸 것이다.

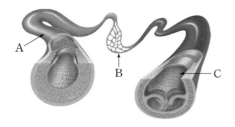

이에 대한 설명으로 옳은 것을 보기 에서 모두 고른 것은?

보기
ㄱ. A는 혈관 벽이 두껍고 탄력성이 강하다.
ㄴ. B는 조직 세포와 물질 교환을 한다.
ㄷ. C는 판막이 있는 것으로 보아 동맥이다.
ㄹ. 혈액이 흐르는 방향은 C → B → A이다.

① ㄱ, ㄴ   ② ㄱ, ㄷ   ③ ㄱ, ㄹ
④ ㄴ, ㄷ   ⑤ ㄷ, ㄹ

문제 해결 Point

가이드   A는 동맥, B는 모세 혈관, C는 정맥이다.

해결 Point   **동맥**(A)은 혈관 벽이 두껍고 탄력성이 강하여 심실에서 나온 혈액의 높은 압력을 견딜 수 있다. **모세 혈관**(B)은 혈관 벽이 매우 얇고 혈액이 흐르는 속도가 느려 조직 세포와 물질 교환이 일어나기에 유리하다.

오개념 주의   **정맥**(C)은 혈압이 매우 낮아 혈액이 거꾸로 흐를 수 있으므로 혈관 곳곳에 **판막**이 있어 이를 방지한다. 혈액이 흐르는 방향은 동맥(A) → 모세 혈관(B) → 정맥(C)이다.

2-2

그림은 우리 몸의 혈관을 나타낸 것이다.

혈관 (가)에 있는 A의 역할을 설명한 것으로 옳은 것은?

① 맥박을 나타낸다.
② 혈압을 낮춰준다.
③ 혈관 벽의 탄력성을 높인다.
④ 혈액이 거꾸로 흐르는 것을 방지한다.
⑤ 조직 세포와 물질 교환이 일어나게 한다.

Hint 정맥에는 판막이 있다.

2-3

다음은 우리 몸의 혈관에 대해 세 학생이 나눈 대화이다. 옳게 설명한 사람을 모두 쓰시오.

동맥은 심장에서 나가는 혈액이 흐르는 혈관이야.

모세 혈관은 가늘어서 혈압이 가장 낮아.

정맥의 판막은 혈액을 한 방향으로 흐르게 해.

은혜   권율   서연

(   )

주제 1 혈액의 구성

혈액은 액체 성분인 혈장과 세포 성분인 혈구로 이루어져 있으며, 혈구는 적혈구, 백혈구, 혈소판으로 구성된다.

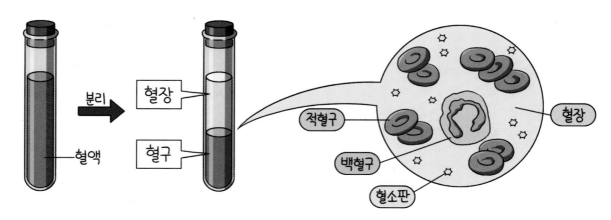

중요 개념

● **혈액의 성분** *혈장과 혈구로 구성
(1) 혈장: 혈액의 액체 성분으로 혈액의 약 55 %를 차지한다.
• 혈장의 90 %는 물이며, 여러 영양소를 녹여 조직 세포로 운반하고 조직 세포에서 나온 이산화 탄소와 노폐물을 운반한다.
(2) 혈구: 혈액의 세포 성분으로 적혈구, 백혈구, 혈소판으로 구분된다.

핵이 없다.	적혈구	• 가운데가 오목한 원반 모양이고, 산소를 운반한다. • ❶(ㅎㅁㄱㄹㅂ)이 들어 있어 붉은색을 띤다.
	백혈구 핵이 있다.	• 모양이 불규칙하고, 혈구 중 크기가 가장 크다. • 식균 작용을 통해 체내로 침입한 병원체를 제거한다.
	혈소판	• 모양이 불규칙하고, 혈구 중 크기가 가장 작다. • 상처가 났을 때 혈액을 ❷(ㅇㄱ)시켜 과다 출혈을 막고 상처를 보호한다.

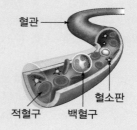

혈관

혈소판
적혈구 백혈구

Tip

적혈구에서 헤모글로빈의 역할
➡ 산소가 많은 곳(폐포)에서는 산소와 쉽게 결합하고, 산소가 적은 곳(조직 세포)에서는 산소와 쉽게 떨어져 조직 세포에 산소를 공급한다.

답 ❶ 헤모글로빈 ❷ 응고

1-1

그림은 혈액의 구성 성분을 나타낸 것이다.

적혈구, 백혈구, 혈소판은 혈구이고, 나머지 액체 성분은 혈장이야.

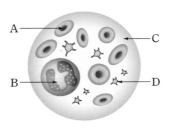

A~D의 이름을 쓰시오.

· A: (   )   · B: (   )
· C: (   )   · D: (   )

1-2

헤모글로빈은 산소가 많을 때는 산소와 결합하고 산소가 부족할 때 산소를 떨어뜨리기 때문에 산소를 운반할 수 있어.

적혈구가 붉은색을 띠는 것은 적혈구에 있는 붉은색을 띠는 색소 단백질 때문이다. 산소와 결합하는 성질이 있는 이것을 무엇이라고 하는지 쓰시오.

(   )

1-3

빈칸 (가)~(다)에 들어갈 혈액의 성분을 쓰시오.

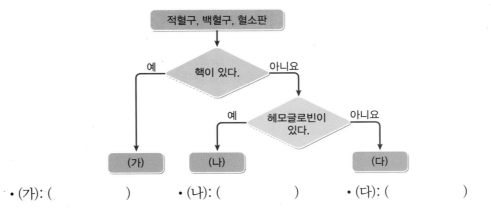

· (가): (   )   · (나): (   )   · (다): (   )

용어 풀이

＊**혈장**(血 피, 漿 즙): 혈액을 구성하는 액체 성분으로, 혈구보다 가벼워 혈구를 원심분리시키면 윗부분에 뜬다. 혈장은 영양소, 산소, 노폐물 등을 녹여 운반한다.

주제 2 **혈액 순환**

심장에서 나온 혈액이 다시 심장으로 돌아오기까지 우리 몸을 순환하는 혈액의 흐름은 크게 폐순환과 온몸 순환으로 구분할 수 있다.

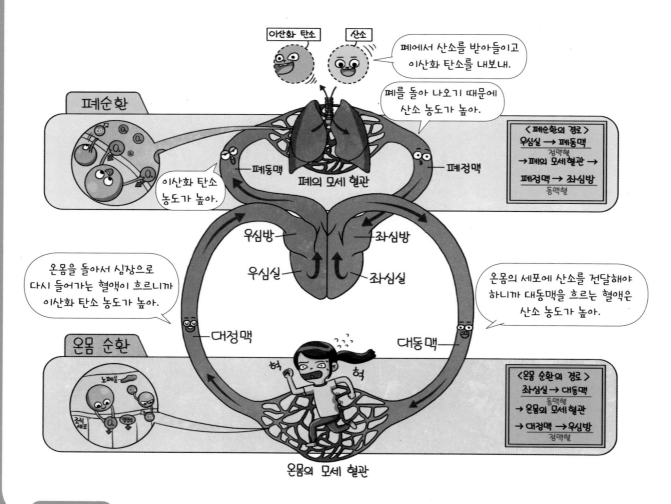

중요 개념

- **혈액의 순환** 심장에서 나간 혈액은 동맥, 모세 혈관, 정맥을 순환하면서 조직 세포에 산소와 영양소를 전달하고 생명 활동 결과로 생긴 노폐물과 이산화 탄소를 받아온다.
  - 동맥혈: 폐에서의 기체 교환으로 ❶(ㅅㅅ)가 풍부한 선홍색의 혈액
    ➡ 대동맥, 폐정맥, 좌심방, 좌심실에 흐른다.
  - 정맥혈: 조직 세포와의 기체 교환으로 산소가 적은 암적색의 혈액
    ➡ 대정맥, 폐동맥, 우심방, 우심실에 흐른다.
- **폐순환** 온몸에 영양소와 산소를 공급하고 돌아온 혈액이 우심실에서 나와 폐로 이동하여 이산화 탄소를 내보내고 산소를 공급받아 좌심방으로 돌아오는 순환 – 정맥혈이 동맥혈로 바뀐다.
- **온몸 순환** 폐에서 산소를 받은 혈액이 좌심실에서 나와 온몸의 ❷(ㅈㅈ ㅅㅍ)에 영양소와 산소를 공급하고 노폐물과 이산화 탄소를 받아 우심방으로 돌아오는 순환
  └ 동맥혈이 정맥혈로 바뀐다.

Tip

모든 동맥에는 동맥혈이, 모든 정맥에는 정맥혈이 흐를까?
➡ 아니다. 폐동맥에는 정맥혈이, 폐정맥에는 동맥혈이 흐른다.

답 ❶ 산소 ❷ 조직 세포

개념 원리 확인

우리 몸의 혈액 순환은 온몸 순환과 폐순환으로 구분할 수 있어.

2-1

그림은 우리 몸에서 일어나는 혈액 순환 과정을 모식도로 나타낸 것이다.

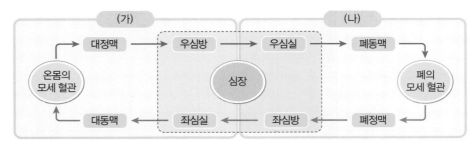

(가)와 (나)는 각각 어떤 순환을 의미하는지 쓰시오.

• (가): (   )   • (나): (   )

2-2

온몸 순환을 마친 혈액은 정맥혈이 되고, 폐순환을 마친 혈액은 동맥혈이 돼.

그림은 심장에서의 혈액의 흐름을 나타낸 것이다. (가)와 (나) 중 산소가 풍부한 혈액이 흐르는 곳을 쓰시오.

(   )

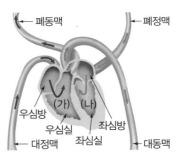

2-3

폐순환과 온몸 순환에 해당하는 내용을 옳게 연결하시오.

(1) 폐순환 •

(2) 온몸 순환 •

• ㉠ 조직 세포에 산소를 공급하므로 동맥혈이 정맥혈로 바뀐다.

• ㉡ 폐에서 산소를 받으므로 정맥혈이 동맥혈로 바뀐다.

대표 기출문제 　주제 1 　혈액의 구성

1-1

그림은 혈액의 구성 성분을 나타낸 것이다.

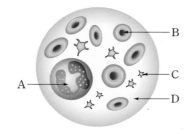

이에 대한 설명으로 옳은 것을 보기 에서 모두 고른 것은?

보기
ㄱ. A에 핵이 있다.
ㄴ. B는 식균 작용을 한다.
ㄷ. C는 산소를 운반한다.
ㄹ. D는 영양소와 노폐물을 운반한다.

① ㄱ, ㄴ　　　② ㄱ, ㄷ　　　③ ㄱ, ㄹ
④ ㄴ, ㄷ　　　⑤ ㄷ, ㄹ

1-2

그림은 혈액을 채취하여 두 층으로 분리한 모습을 나타낸 것이다.

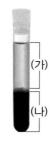

(가)와 (나)에 해당하는 것을 옳게 짝 지은 것은?

	(가)	(나)
①	혈장	혈구
②	적혈구	백혈구
③	백혈구	적혈구
④	혈장	조직 세포
⑤	혈구	조직 세포

1-3

그림은 김사액으로 염색한 혈액을 현미경으로 관찰한 모습을 나타낸 것이다.

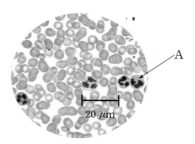

A는 무엇인가?

① 혈장　　　　② 혈소판　　　　③ 백혈구
④ 적혈구　　　⑤ 헤모글로빈

Hint 김사액을 사용했을 때 핵이 보라색으로 염색된다.

문제 해결 Point

가이드　A는 백혈구, B는 적혈구, C는 혈소판, D는 혈장이다.

해결 Point　**백혈구**(A)는 모양이 불규칙하고 핵이 존재하며, 몸속에 침입한 세균 등을 잡아먹는 식균 작용을 한다. **혈장**(D)은 혈액의 액체 성분으로, 영양소와 노폐물 등을 녹여 운반한다.

오개념 주의　**적혈구**(B)는 붉은색 색소 단백질인 헤모글로빈이 있어 붉은색을 띠며, 헤모글로빈의 작용으로 온몸의 조직 세포에 산소를 운반하는 역할을 한다. **혈소판**(C)은 상처 부위의 혈액을 응고시킨다.

대표 기출문제 | 주제 2 | 혈액 순환

2-1

그림은 사람의 혈액 순환 경로를 나타낸 것이다.

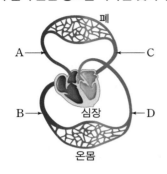

이에 대한 설명으로 옳은 것을 보기 에서 모두 고른 것은?

보기

ㄱ. A에는 심장에서 나와 폐로 가는 혈액이 흐른다.

ㄴ. B에는 동맥혈이 흐른다.

ㄷ. C를 흐르는 혈액은 산소 농도가 낮다.

ㄹ. D는 대동맥이다.

① ㄱ, ㄴ   ② ㄱ, ㄷ   ③ ㄱ, ㄹ

④ ㄴ, ㄷ   ⑤ ㄷ, ㄹ

문제 해결 Point

가이드 A는 폐동맥, B는 대정맥, C는 폐정맥, D는 대동맥이다.

해결 Point 동맥은 심장에서 나오는 혈액이 흐르는 혈관이고, 정맥은 심장으로 들어가는 혈액이 흐르는 혈관이다. 따라서 A, D는 동맥, B, C는 정맥이다. 폐정맥(C), 대동맥(D)에는 산소 농도가 높은 동맥혈이 흐르고, 폐동맥(A), 대정맥(B)에는 산소 농도가 낮은 정맥혈이 흐른다.

오개념 주의 폐동맥이 동맥이기 때문에 동맥혈이, 폐정맥이 정맥이기 때문에 정맥혈이 흐른다고 생각하면 안 된다. 온몸을 지나온 혈액이 대정맥 → 우심방 → 우심실 → 폐동맥으로 이동하므로, 폐동맥에는 정맥혈이 흐른다. 폐를 지나온 혈액이 폐정맥을 통해 좌심방으로 이동하므로, 폐정맥에는 동맥혈이 흐른다.

2-2

다음은 우리 몸의 혈액 순환 경로 중 일부를 나타낸 것이다.

우심실 → (가) → 폐의 모세 혈관 → (나) → 좌심방

(가)와 (나)에 해당하는 것을 옳게 짝 지은 것은?

	(가)	(나)
①	우심방	대정맥
②	폐정맥	대정맥
③	대동맥	대정맥
④	폐동맥	폐정맥
⑤	대정맥	폐동맥

Hint 폐순환은 우심실에서 나온 혈액이 폐동맥 → 폐의 모세 혈관 → 폐정맥을 지나 좌심방으로 들어오는 과정이다.

2-3

그림은 사람의 혈액 순환 경로를 나타낸 것이다.

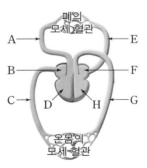

온몸 순환 경로를 옳게 나열한 것은?

① B → A → 폐의 모세 혈관 → E → F

② C → B → 폐의 모세 혈관 → H → G

③ D → A → 폐의 모세 혈관 → E → H

④ F → H → 온몸의 모세 혈관 → D → B

⑤ H → G → 온몸의 모세 혈관 → C → B

누구나 100점 테스트

생물의 구성 단계 ▶ p.12

01 그림은 사람의 구성 단계를 나타낸 것이다.

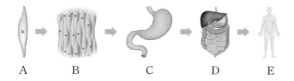

이에 대한 설명으로 옳지 <u>않은</u> 것은?

① A는 생물을 구성하는 기본 단위이다.
② B는 비슷한 세포의 모임이다.
③ C는 조직 단계이다.
④ D 단계는 식물에서 발견되지 않는다.
⑤ E는 독립적인 생명 활동을 영위할 수 있다.

영양소 ▶ p.14

02 영양소에 대한 설명으로 옳은 것을 보기에서 모두 고른 것은?

보기
ㄱ. 3대 영양소는 공통적으로 에너지원으로 쓰인다.
ㄴ. 단위 질량당 열량이 가장 높은 영양소는 탄수화물이다.
ㄷ. 바이타민은 적은 양으로 몸의 기능을 조절하는 데 관여한다.
ㄹ. 단백질은 우리 몸의 구성 성분 중 가장 많은 양을 차지한다.

① ㄱ, ㄴ   ② ㄱ, ㄷ   ③ ㄴ, ㄷ
④ ㄴ, ㄹ   ⑤ ㄷ, ㄹ

영양소의 검출 ▶ p.14

03 포도당을 검출하는 용액과 이 용액을 떨어뜨린 후 가열했을 때 나타나는 색깔 변화를 옳게 짝 지은 것은?

	검출 용액	색깔 변화
①	뷰렛 용액	보라색
②	베네딕트 용액	황적색
③	베네딕트 용액	선홍색
④	수단 Ⅲ 용액	푸른색
⑤	아이오딘－아이오딘화칼륨 용액	황적색

소화계 ▶ p.18

04 그림은 사람의 소화계를 나타낸 것이다.

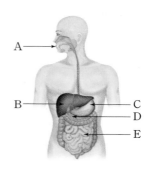

A~E 중 쇠고기를 먹었을 때 단백질이 처음 소화되는 소화 기관은?

① A   ② B   ③ C
④ D   ⑤ E

입안에서의 소화 ▶ p.24

05 다음은 침의 소화 작용을 알아보기 위해 아래와 같은 실험을 한 후 세 친구가 나눈 대화이다.

(가) 2개의 시험관 A, B에 각각 묽은 녹말 용액을 넣는다.
(나) 시험관 A에는 증류수, B에는 침을 넣는다.
(다) 35~40 ℃의 따뜻한 물이 들어 있는 비커에 시험관을 담가 둔다.
(라) 일정 시간이 지난 후 각 시험관에 아이오딘 반응과 베네딕트 반응을 실시하여 색깔 변화를 관찰한다.

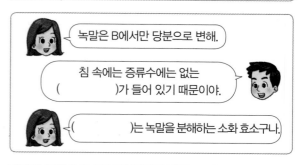

녹말은 B에서만 당분으로 변해.

침 속에는 증류수에는 없는 (   )가 들어 있기 때문이야.

(   )는 녹말을 분해하는 소화 효소구나.

빈칸에 공통으로 들어갈 알맞은 말을 쓰시오.

영양소의 소화 ▶ p.24

06 사람의 몸속에서 영양소가 소화될 때 각 영양소와 영양소를 분해하는 소화 효소를 옳게 짝 지은 것은?

	영양소	소화 효소
①	녹말	펩신
②	녹말	라이페이스
③	지방	쓸개즙
④	단백질	트립신
⑤	단백질	아밀레이스

순환계 ▶ p.30, 32

07 사람의 순환계에 대한 설명으로 옳지 않은 것은?

① 혈액은 한 방향으로만 흐른다.
② 심장 박동은 혈액 순환의 원동력이다.
③ 맥박은 혈액이 거꾸로 흐르는 것을 방지한다.
④ 모세 혈관을 통해 조직 세포와 물질 교환이 일어난다.
⑤ 순환계는 산소, 영양소, 노폐물 등을 운반하는 역할을 한다.

혈관의 종류 ▶ p.30, 32

08 다음은 사람의 순환계에 대해 세 학생이 나눈 대화이다. 옳지 않게 말한 사람을 쓰시오.

심장에서 나가는 혈액이 흐르는 혈관은 동맥이야.

심장에서 나온 혈액은 동맥, 정맥을 거쳐 모세 혈관으로 가서 없어져.

정맥은 피부 아래 푸른색으로 보이는 혈관이야.

온유   하울   예희

혈액의 성분 ▶ p.36

09 그림은 혈액을 구성하는 성분을 나타낸 것이다.

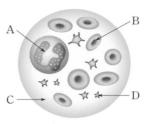

A~D에 대한 설명이 옳은 것을 보기 에서 모두 고른 것은?

보기
ㄱ. A에 헤모글로빈이 있다.
ㄴ. B의 핵은 김사액에 의해 염색된다.
ㄷ. C는 혈액의 액체 성분이다.
ㄹ. D는 출혈 시 혈액을 응고시킨다.

① ㄱ, ㄴ   ② ㄱ, ㄷ   ③ ㄴ, ㄷ
④ ㄴ, ㄹ   ⑤ ㄷ, ㄹ

혈액 순환의 경로 ▶ p.38

10 그림은 우리 몸의 혈액 순환 경로를 나타낸 것이다.

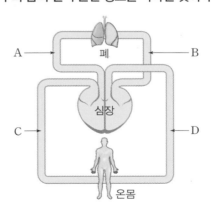

이에 대한 설명으로 옳은 것은?

① A는 폐정맥이다.
② B, D에는 정맥혈이 흐른다.
③ B의 산소 농도는 A보다 높다.
④ D에는 판막이 있다.
⑤ 심장은 1심방 1심실이다.

특강 | 창의·융합·코딩

✎ 1주에 배운 개념을 그림으로 저장

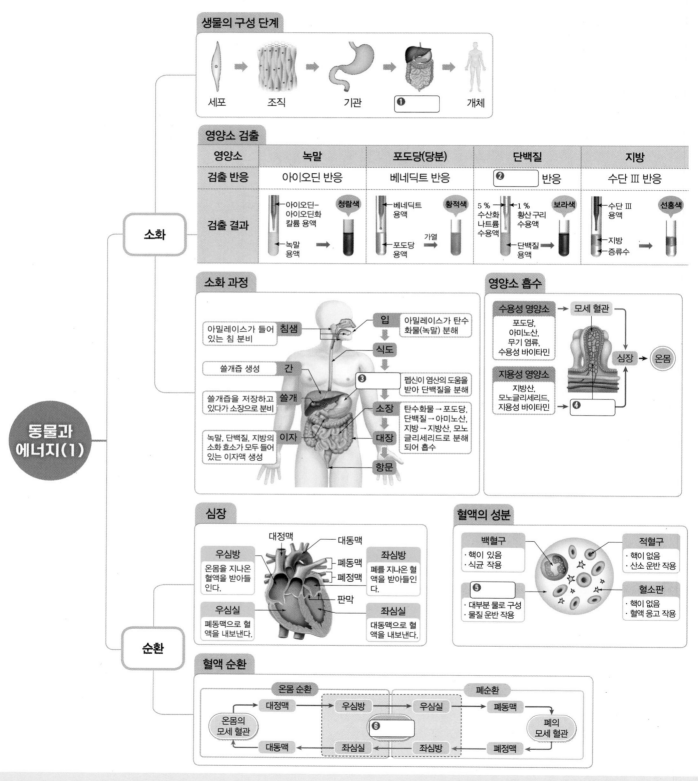

생물의 구성 단계

세포 → 조직 → 기관 → ❶ → 개체

영양소 검출

영양소	녹말	포도당(당분)	단백질	지방
검출 반응	아이오딘 반응	베네딕트 반응	❷ 반응	수단 III 반응
검출 결과	아이오딘-아이오딘화 칼륨 용액 / 청람색 / 녹말 용액	베네딕트 용액 / 황적색 / 포도당 용액 / 가열	5 % 수산화 나트륨 수용액 / 1 % 황산 구리 수용액 / 보라색 / 단백질 용액	수단 III 용액 / 선홍색 / 지방 / 증류수

소화 과정

아밀레이스가 들어 있는 침 분비 — 침샘 / 입 — 아밀레이스가 탄수화물(녹말) 분해

식도

쓸개즙 생성 — 간

❸ — 펩신이 염산의 도움을 받아 단백질을 분해

쓸개즙을 저장하고 있다가 소장으로 분비 — 쓸개

소장 — 탄수화물→포도당, 단백질→아미노산, 지방→지방산, 모노글리세리드로 분해되어 흡수

녹말, 단백질, 지방의 소화 효소가 모두 들어 있는 이자액 생성 — 이자

대장

항문

영양소 흡수

수용성 영양소 → 모세 혈관
포도당, 아미노산, 무기 염류, 수용성 바이타민

지용성 영양소 → ❹
지방산, 모노글리세리드, 지용성 바이타민

→ 심장 → 온몸

심장

대정맥 / 대동맥

우심방: 온몸을 지나온 혈액을 받아들인다.

좌심방: 폐를 지나온 혈액을 받아들인다.

폐동맥 / 폐정맥

판막

우심실: 폐동맥으로 혈액을 내보낸다.

좌심실: 대동맥으로 혈액을 내보낸다.

혈액의 성분

백혈구
· 핵이 있음
· 식균 작용

적혈구
· 핵이 없음
· 산소 운반 작용

❺
· 대부분 물로 구성
· 물질 운반 작용

혈소판
· 핵이 없음
· 혈액 응고 작용

혈액 순환

온몸 순환 / 폐순환

대정맥 → 우심방 → 우심실 → 폐동맥 → 폐의 모세 혈관

온몸의 모세 혈관

대동맥 ← 좌심실 ← 좌심방 ← 폐정맥

❻

동물과 에너지(1)
- 소화
- 순환

✏️ 재미있는 개념 완성 퀴즈

지니의 마술램프는 어디에 있을까? ○× 문제를 풀면서 찾아보시오.

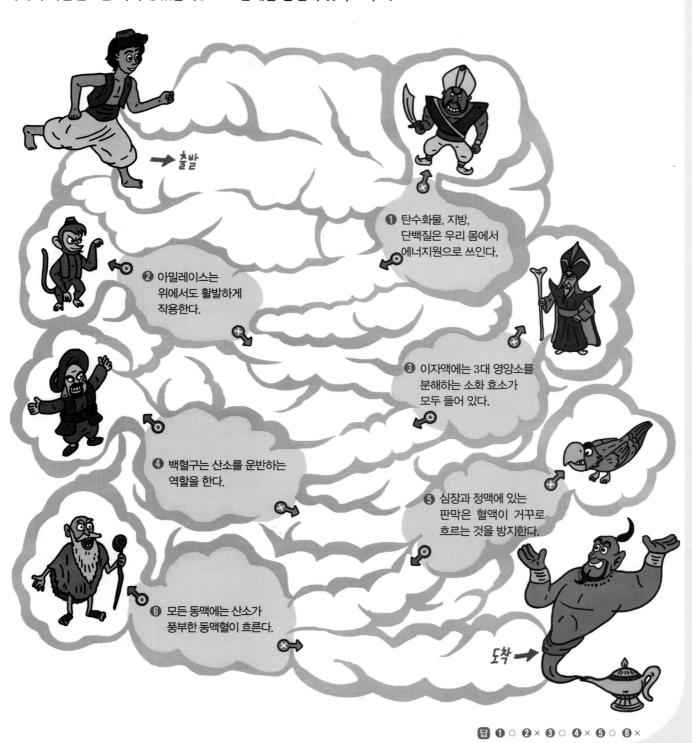

출발

❶ 탄수화물, 지방, 단백질은 우리 몸에서 에너지원으로 쓰인다.

❷ 아밀레이스는 위에서도 활발하게 작용한다.

❸ 이자액에는 3대 영양소를 분해하는 소화 효소가 모두 들어 있다.

❹ 백혈구는 산소를 운반하는 역할을 한다.

❺ 심장과 정맥에 있는 판막은 혈액이 거꾸로 흐르는 것을 방지한다.

❻ 모든 동맥에는 산소가 풍부한 동맥혈이 흐른다.

도착 →

답 ❶ ○ ❷ × ❸ ○ ❹ × ❺ ○ ❻ ×

1 그림은 시계의 내부 구조 사진을 보고 두 학생이 나눈 대화를 나타낸 것이다.

시계 내부 사진 좀 봐. 부품 하나라도 없으면 시계가 작동하지 않아.

조그만 시계도 이렇게 정교하게 작동하는데 생물의 생명 활동은 얼마나 정교할까?

맞아. 특히 동물은 세포가 모여 조직, 조직이 모여 기관, 기관이 모여 개체를 이루지.

개체를 이루기 전에 (   ) 단계가 빠졌잖아.

빈칸에 들어갈 말을 쓰시오.

● 문제 해결 Tip
기관계는 비슷한 일을 하는 기관들이 모여 소화, 순환, 호흡, 배설 등의 생명 활동을 수행하는 단계야.

2 그림은 철수가 구입한 과자의 영양 성분표를 나타낸 것이다.

(1) 영양 성분표에 있는 영양소 중 열량을 내는 데 관여하는 영양소를 모두 쓰시오.

(2) 이 과자에 녹말이 들어 있는지 확인하려면 어떻게 해야 하는지 녹말 검출 시 사용하는 검출 용액과 색깔 변화를 포함하여 서술하시오.

영 양 성 분		
1회 분량 1개(35 g)		
총 12회 분량		
1회 분량 당 함량		• %영양소 기준치
열량	150 kcal	
탄수화물	22 g	7 %
단백질	2 g	3 %
지방	6 g	12 %
나트륨	55 mg	2 %
칼슘	15 mg	2 %
• %영양소기준치: 1일 영양소 기준치에 대한 비율		

● 문제 해결 Tip
열량을 내는 영양소는 체내에서 에너지원으로 쓰이는 영양소야.

3 다음은 서연이와 은우의 대화를 나타낸 것이다.

서연: 오빠, 엄마가 급한 일 때문에 조금 전에 나가셔서 우리 둘이 점심 먹어야 돼.

은우: 그래, 같이 먹자. 밥만 먹지 말고 반찬도 골고루 먹어야 해.

서연: 그런데 밥을 오래 씹으면 단맛이 나던데 왜 그런 걸까?

은우: 왜냐하면
( )

● 문제 해결 Tip
침 속에는 녹말을 분해하는 소화 효소인 아밀레이스가 들어 있어.

빈칸에 들어갈 말을 다음 용어를 모두 포함하여 서술하시오.

침	아밀레이스	녹말	엿당

4 다음은 과학사 관련 책에서 발췌한 내용이다.

"1825년 8월 1일 12시쯤 데친 쇠고기, 빵 한 조각, 잘게 썬 양배추 잎을 명주실에 매달아 구멍을 통해 위 속에 넣었다. 구멍에 넣기 전의 음식 무게는 약 3.6 g 이었다. 마르탱은 실험용 음식을 넣고도 여느 때와 마찬가지로 일을 했다."
버몬트 박사는 이처럼 마르탱의 위 구멍 덕에 소화액에 대한 생체 실험을 해낼 수 있었다.

● 문제 해결 Tip
위에서는 단백질이 소화되지.

(1) 쇠고기, 빵, 양배추 중 위에서 소화되는 것은 무엇인지 쓰시오.

(2) 위에서 분비되는 소화액을 구성하는 주요 성분 2가지를 다음에서 골라 쓰시오.

펩신	염산	트립신	아밀레이스	라이페이스

5 다음은 소화의 의미를 알아보기 위한 실험을 나타낸 것이다.

녹말 용액과 포도당 용액이 들어 있는 셀로판 주머니를 물이 담긴 비커 (가)와 (나)에 10분 동안 담가둔 후 셀로판 주머니를 꺼내고 비커 (가)에는 아이오딘 반응을, 비커 (나)에는 베네딕트 반응을 하여 색깔 변화를 관찰하였다.

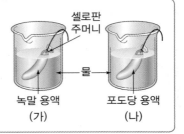

셀로판 주머니
물
녹말 용액
(가)
포도당 용액
(나)

(1) (가)와 (나) 중 베네딕트 반응이 나타난 비커를 쓰시오.

(2) 우리 몸에서 소화된 영양소가 흡수될 때 셀로판 주머니의 막에 해당하는 곳은 어디인지 쓰시오.

(3) 다음은 이 실험을 통해 알 수 있는 사실을 영양소의 흡수와 관련하여 설명한 것이다. ( ) 안에 알맞은 말을 고르시오.

크기가 ㉠(작은 / 큰) 영양소는 ㉡(작은 / 큰) 영양소로 분해되어야 소장 융털의 세포막을 통과하여 몸속으로 흡수될 수 있다.

문제 해결 Tip
소화는 음식물에 들어 있는 영양소를 체내로 흡수할 수 있도록 분해하는 과정으로, 소화가 끝난 영양소는 소장 융털의 세포막을 통과하여 융털 안쪽으로 흡수되지.

6 다음은 혈액을 관찰하는 실험 과정을 나타낸 것이다.

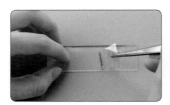
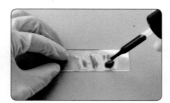

❶ 혈액 한 방울을 받침유리에 떨어뜨리고 혈액을 얇게 편 다음 말린다.

❷ 혈액 위에 에탄올을 떨어뜨린 후 김사액을 떨어뜨려 염색한다.

❸ 염색한 받침유리를 흐르는 물에 씻어 김사액을 제거하고 현미경으로 관찰한다.

(1) 과정 ❸에서 김사액에 의해 염색된 것은 무엇인지 쓰시오.

(2) 오른쪽 그림은 혈액의 어떤 성분을 나타낸 것이다. 이것이 무엇인지 쓰시오.

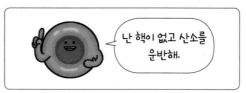

난 핵이 없고 산소를 운반해.

문제 해결 Tip
김사액은 핵을 염색시키는 약이야. 혈구 중에서 핵을 가지는 것이 무엇인지 생각해 보자.

7 다음은 혈관을 나타낸 그림을 보고 두 학생이 나눈 대화이다.

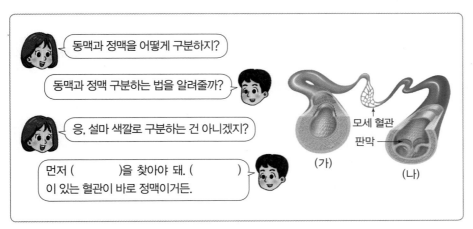

동맥과 정맥을 어떻게 구분하지?

동맥과 정맥 구분하는 법을 알려줄까?

응, 설마 색깔로 구분하는 건 아니겠지?

먼저 (   )을 찾아야 돼. (   ) 이 있는 혈관이 바로 정맥이거든.

모세 혈관
판막
(가)   (나)

문제 해결 Tip
판막은 혈관 중 혈압이 낮은 정맥에만 존재해.

(1) 빈칸에 공통으로 들어갈 말을 쓰시오.

(2) (가), (나), 모세 혈관을 포함하여 혈액이 흐르는 방향을 쓰시오.

8 다음은 우리 몸의 혈액 순환에 대해 세 친구가 나눈 대화이다.

대동맥은 산소의 농도가 높아.

폐동맥은 폐를 지나온 혈액이 흐르기 때문에 산소의 농도가 높아.

폐순환을 거치면 혈액의 산소 농도가 높아지겠지.

은혜   승준   민초

문제 해결 Tip
폐순환은 우심실 → 폐동맥 → 폐의 모세 혈관 → 폐정맥 → 좌심방의 순서로 혈액이 흘러. 이때 혈액이 폐를 지나면서 산소 농도가 높아지지.

옳지 <u>않게</u> 말한 사람의 이름을 쓰고, 대화 내용을 옳게 고치시오.

산 위에 올라오니 정말 좋다.

아~ 상쾌한 공기!

나무에서 산소가 나와 그런지 공기가 너무 상쾌해.

그래? 그렇다면 많이 들이마셔야지.

분명히 산소를 많이 들이마셨는데 숨이 막혀!

파하

계속 공기를 들이마시기만 하니까 그렇지. 우리 몸은 공기 중의 산소를 몸 안으로 받아들이고, 몸 안의 이산화 탄소를 몸 밖으로 내보내기 위해 계속 호흡을 해야 해.

이런! 누가 여기에 쓰레기를 버리고 갔네. 내가 들고 가야겠다.

오~ 멋진데?

후아 후아

어쩌지? 갑자기 화장실이 급해!

안 되겠다. 이것 좀 네가 들고 가줘!

휘잉

이런...

다다다

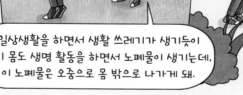

일상생활을 하면서 생활 쓰레기가 생기듯이 우리 몸도 생명 활동을 하면서 노폐물이 생기는데, 이 노폐물은 오줌으로 몸 밖으로 나가게 돼.

여보, 난 여러 개가 섞여 있는 걸 좋아해. 이렇게 밝고, 화려하고 예쁜 것, 낼 내 생일인 거 알지?

어? 당연히 알고 있지. 내일은 백화점을 가자.

14K 금 반지는 순금에 은, 구리, 아연 등이 섞여 있는 혼합물입니다. 순금에 다른 금속이 섞여 있어 좀더 밝고 화려하며 빛납니다.

금 반지는 화려하지 않고 수수해 보이지만 순금으로 되어 있어 가격이 비쌉니다.

생일 선물로 14K 금 반지를 사줄게. 밝고 화려하며 예쁜 것을 좋아한다고 했잖아.

아니야! 난 순수한 것을 더 좋아해. 순물질로 되어 있는 순금 반지를 사줘.

2주에는 무엇을 공부할까? ❷

● 호흡

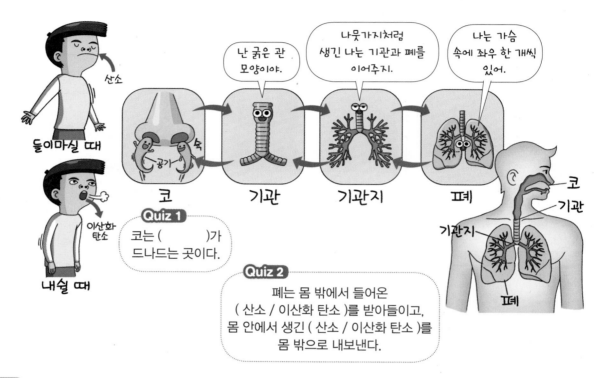

Quiz 1
코는 ( )가 드나드는 곳이다.

Quiz 2
폐는 몸 밖에서 들어온 (산소 / 이산화 탄소)를 받아들이고, 몸 안에서 생긴 (산소 / 이산화 탄소)를 몸 밖으로 내보낸다.

● 배설

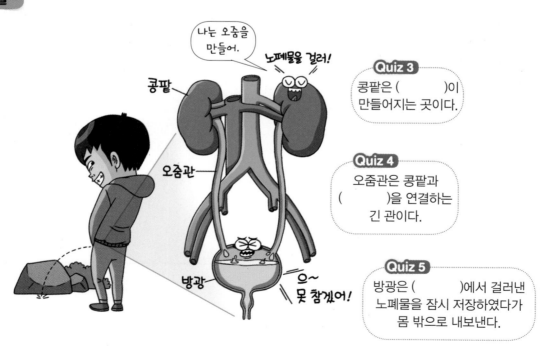

Quiz 3
콩팥은 ( )이 만들어지는 곳이다.

Quiz 4
오줌관은 콩팥과 ( )을 연결하는 긴 관이다.

Quiz 5
방광은 ( )에서 걸러낸 노폐물을 잠시 저장하였다가 몸 밖으로 내보낸다.

답 1. 공기 2. 산소, 이산화 탄소 3. 오줌 4. 방광 5. 콩팥

🔵 부피와 질량

물이 넘쳐 흘러나와.

난 부피가 커서 그래.

Quiz 6
물질이 차지하는 공간의
크기를 (   )라고 한다.

으~ 질량이 크군.

질량이 작군.

Quiz 7
물체가 갖는 고유한 양을
(   )이라고 한다.

🔵 용해와 용액

소금이 더 녹지 않고 쌓였어.

설탕은 물에 많이 녹아.

Quiz 8
물의 온도와 양이 같아도
용질마다 물에 용해되는 양은
(같다 / 다르다).

엄마! 국이 너무 진하고 짜요.

물 부어 줄게.

Quiz 9
같은 양의 물에 용질이 많이
포함되어 있을수록 (진한 /
묽은) 용액이다.

🔲 6. 부피 7. 질량 8. 다르다 9. 진한

주제 1 호흡계

우리는 끊임없이 숨을 쉬면서 산소를 흡수하고 이산화 탄소를 배출하는데, 이러한 기능을 호흡계가 담당한다.

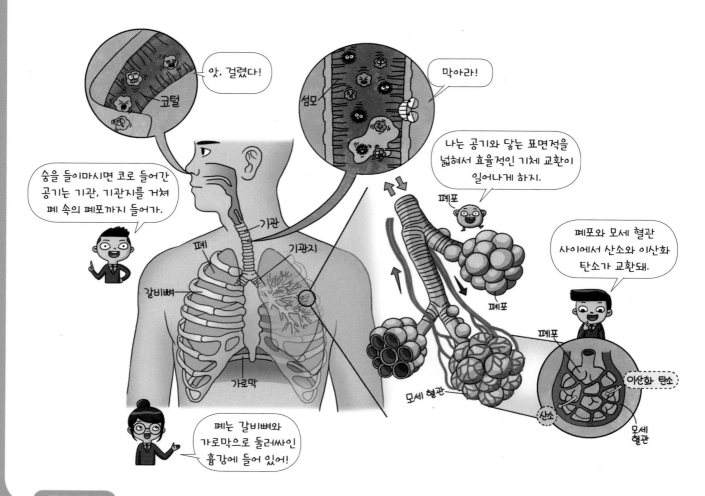

앗, 걸렸다!

코털

섬모

막아라!

숨을 들이마시면 코로 들어간 공기는 기관, 기관지를 거쳐 폐 속의 폐포까지 들어가.

나는 공기와 닿는 표면적을 넓혀서 효율적인 기체 교환이 일어나게 하지.

폐포

폐포와 모세 혈관 사이에서 산소와 이산화 탄소가 교환돼.

기관

폐

기관지

갈비뼈

가로막

폐포

폐포

모세 혈관

폐포

이산화 탄소

산소

모세 혈관

폐는 갈비뼈와 가로막으로 둘러싸인 흉강에 들어 있어!

중요 개념

● **호흡** 생명 활동을 위해 공기의 산소를 받아들이고 몸속의 이산화 탄소를 내보내는 작용
● **호흡계의 구조와 기능** 공기의 이동 경로: 코 → 기관 → 기관지 → 폐 속의 폐포
① 코: 공기를 들이마시고 내보는 곳, 콧속의 털과 끈끈한 액체가 먼지나 세균을 걸러낸다.
② 기관, 기관지: 기관 안쪽 벽에는 섬모가 있어 먼지와 세균을 걸러낸다.
③ 폐: 갈비뼈와 가로막으로 둘러싸인 흉강 속에 좌우 1개씩 있다. └ 기관은 2개의 기관지로 갈라져 각각 폐와 연결된다.
• 근육이 없어 스스로 수축·이완할 수 없다.
• 폐는 한 겹의 얇은 세포층으로 이루어진 수많은 ❶(ㅍㅍ)로 이루어져 있어 공기와 닿는 표면적을 넓혀 준다. ⇨ 폐포와 폐포를 둘러싼 ❷(ㅁㅅㅎㄱ) 사이에서 산소와 이산화 탄소의 기체 교환이 효율적으로 일어나게 한다.

갈비뼈와 가로막이 둘러싸고
있는 공간이 흉강이고 그 속에
폐가 들어 있어.

1-1

그림은 사람의 호흡계를 나타낸 것이다.

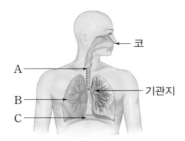

(1) A와 B의 이름을 쓰시오.

· A: (   )   · B: (   )

(2) 호흡 운동과 관련이 깊은 C의 이름을 쓰시오.

(   )

1-2

그림은 들숨(들이마시는 숨)과 날숨(내쉬는 숨)의 성분을 나타낸 것이다.

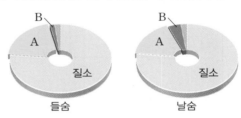

들숨   날숨

들숨에 비해 날숨에서 비율이 줄어드는 기체 A와 비율이 증가하는 기체 B의 이름을 쓰시오.

· A: (   )   · B: (   )

밀폐된 방에 사람이
많이 앉아 있으면 산소의
농도가 줄어들고 이산화
탄소의 농도가 늘어나지.

1-3

다음은 폐의 일부를 확대한 그림을 보고 두 학생이 나눈 대화를 나타낸 것이다.

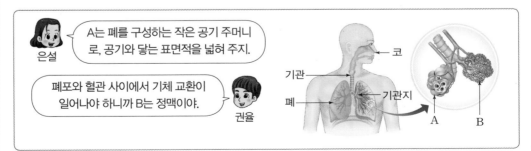

은설: A는 폐를 구성하는 작은 공기 주머니로, 공기와 닿는 표면적을 넓혀 주지.

권율: 폐포와 혈관 사이에서 기체 교환이 일어나야 하니까 B는 정맥이야.

옳게 말한 사람을 쓰시오.

(   )

용어 풀이

* **확산**(擴 넓힐, 散 흩을): 밀도 차이나 농도 차이에 의해 물질을 이루고 있는 입자들이 농도가 높은 쪽에서 농도가 낮은 쪽으로 퍼져 나가는 현상

주제 2 호흡 운동

산소를 받아들이고 이산화 탄소를 내보내는 과정에서 근육이 없는 폐는 갈비뼈와 가로막의 움직임에 따라 호흡 운동이 일어난다.

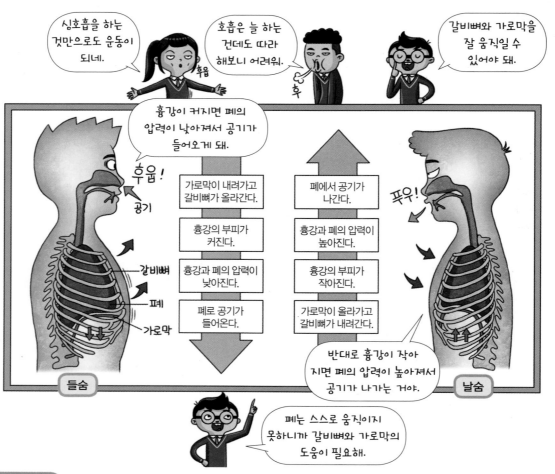

중요 개념

● **호흡 운동의 원리** 폐는 근육이 없어 스스로 커지거나 작아지지 못하므로 *흉강을 둘러싸고 있는 갈비뼈와 ❶(ㄱㄹㅁ)의 움직임에 따라 흉강과 폐의 부피와 압력이 변하여 호흡 운동이 일어난다. — 기체의 부피는 압력에 반비례한다.
• 폐의 부피가 작아지면 압력이 증가: 공기는 바깥으로 빠져나간다.
• 폐의 부피가 커지면 압력이 감소: 공기는 폐로 들어온다.

● **들숨과 날숨**

구분	갈비뼈	가로막	흉강 부피	흉강 압력	폐의 부피	폐의 압력	공기 이동
들숨 들이마시는 숨	올라감	내려감	커짐	낮아짐	커짐	낮아짐	외부 → ❷(ㅍ)
날숨 내쉬는 숨	내려감	올라감	작아짐	높아짐	작아짐	높아짐	폐 → 외부

Tip

공기의 이동 원리
➡ 공기는 압력이 높은 곳에서 낮은 곳으로 이동한다. 들숨 시 폐 내부의 압력이 외부보다 낮아져 공기가 외부에서 폐 안으로 들어오고, 날숨 시 폐 내부 압력이 외부보다 높아져 공기가 폐 안에서 외부로 나간다.

답 ❶ 가로막 ❷ 폐

개념 원리 확인

○ 정답과 해설 10쪽

호흡 운동 모형에서는 가로막에 해당하는 고무막의 움직임으로만 공기가 드나들지만, 사람의 몸에서는 가로막과 갈비뼈가 함께 움직여 공기가 드나들어.

2-1

그림은 호흡 운동의 원리를 알아보기 위한 모형이다. 빨대, 고무풍선, 고무막은 우리 몸의 어느 부위에 해당하는지 연결하시오.

(1) 빨대 •
(2) 고무막 •
(3) 고무풍선 •

• ㉠ 폐
• ㉡ 기관
• ㉢ 가로막

들숨과 날숨에서 갈비뼈와 가로막은 흉강의 부피를 조절하는 역할을 하지.

2-2

그림은 흉강과 폐에서 일어나는 호흡 운동을 나타낸 것이다. (가)와 (나)는 각각 들숨과 날숨 중 어느 것에 해당하는지 쓰시오.

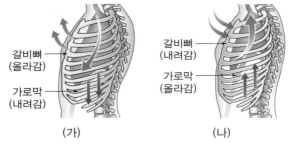

갈비뼈 (올라감)
가로막 (내려감)

갈비뼈 (내려감)
가로막 (올라감)

(가)   (나)

• (가): (   )
• (나): (   )

2-3

다음은 호흡 운동 모형 장치의 고무막을 잡아당기는 그림을 보고 두 학생이 나눈 대화를 나타낸 것이다. (   ) 안에서 알맞은 말을 고르시오.

은혜

고무풍선을 둘러싸고 있는 공간의 부피가 늘어나면 압력이 낮아져 고무풍선으로 공기가 들어와.

준우

응. 이건 마치 (들숨 / 날숨)과 같은 상황이야.

유리관
고무풍선
병 속 공간
고무막

용어 풀이

＊ **흉강**(胸 가슴, 腔 속 빌): 포유류 동물의 가슴 부분에 있는 공간으로 심장, 폐, 식도, 기관 등의 주요 장기가 들어 있으며, 가로막에 의해 복강과 구분된다.

대표 기출문제 **주제 1** 호흡계

1-1

그림은 사람의 호흡계를 나타낸 것이다.

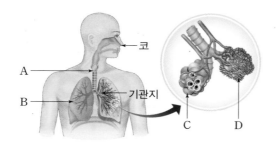

이에 대한 설명으로 옳은 것을 보기 에서 모두 고른 것은?

보기
ㄱ. A는 공기가 출입하는 통로이다.
ㄴ. B는 스스로 수축·이완할 수 있다.
ㄷ. C는 표면적을 넓히는 구조이다.
ㄹ. D는 혈관 벽이 두껍게 발달되어 있다.

① ㄱ, ㄴ   ② ㄱ, ㄷ   ③ ㄱ, ㄹ
④ ㄴ, ㄷ   ⑤ ㄷ, ㄹ

문제 해결 Point

가이드
A는 기관, B는 폐, C는 폐포, D는 모세 혈관이다.

해결 Point
기관(A)은 공기가 출입하는 통로로, 안쪽 벽에 가는 섬모가 있어 먼지와 세균을 걸러낸다. 폐(B)는 한 겹의 얇은 세포층으로 이루어진 수많은 폐포(C)로 이루어져 있어 공기와 닿는 표면적을 넓혀 주어 폐포와 폐포를 둘러싼 모세 혈관(D) 사이에서 산소와 이산화 탄소의 기체 교환이 효율적으로 일어나게 한다.

오개념 주의
폐는 근육층이 없어서 스스로 수축·이완 운동을 할 수 없다. 모세 혈관은 한 층의 세포로 이루어진 혈관 벽을 가지고 있어서 폐포와 물질 교환이 활발하게 일어날 수 있다.

1-2

그림은 폐포와 모세 혈관에서의 기체 교환을 나타낸 것이다.

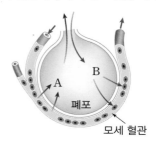

기체 A와 B에 들어갈 말을 옳게 짝 지은 것은?

	A	B
①	산소	질소
②	산소	이산화 탄소
③	질소	산소
④	이산화 탄소	산소
⑤	이산화 탄소	질소

1-3

그림은 호흡계에 대해 두 학생이 나눈 대화이다. 옳게 말한 사람을 쓰시오.

기관의 안쪽 벽은 섬모로 덮여 있어서 먼지와 세균을 걸러줘.

수많은 폐포도 먼지와 세균을 걸러내지.

은수   서율

Hint 수많은 폐포는 소장의 융털처럼 표면적을 넓혀 주어 효율적인 물질 교환이 일어나게 한다.

대표 기출문제 주제 2 호흡 운동

2-1

그림은 호흡 운동 모형을 나타낸 것이다.

- 유리관
- 유리병
- 고무풍선
- 고무막

고무막을 아래로 당겼을 때에 해당하는 설명으로 옳은 것을 보기 에서 모두 고른 것은?

보기
ㄱ. 들숨에 해당한다.
ㄴ. 고무풍선이 커진다.
ㄷ. 유리병 내부의 압력이 높아진다.
ㄹ. 유리관을 통해 공기가 나간다.

① ㄱ, ㄴ   ② ㄱ, ㄷ   ③ ㄴ, ㄷ
④ ㄴ, ㄹ   ⑤ ㄷ, ㄹ

문제 해결 Point

가이드 유리병 내부의 부피가 커지면 압력이 낮아지고 공기는 상대적으로 압력이 높은 곳에서 낮은 곳으로 이동한다.

해결 Point 호흡 운동 모형의 고무막을 아래로 당겼을 때 공기는 압력이 상대적으로 높은 바깥쪽에서 유리관을 통해 고무풍선으로 들어와 고무풍선은 부풀게 된다. 고무막은 우리 몸의 가로막에 해당하는 것으로, 고무막을 아래로 당긴 것은 들숨에서 가로막이 아래로 내려가는 것을 모방한 것이다.

오개념 주의 고무막을 아래로 당기면 유리병 내부의 부피가 커지므로 압력은 낮아진다. 이때 고무풍선 내부의 압력도 낮아져 바깥의 공기가 유리관을 통해 고무풍선으로 들어오게 되는 것이다.

2-2

날숨에서 갈비뼈와 가로막의 움직임과 폐의 크기 변화를 옳게 짝지은 것은?

	갈비뼈	가로막	폐
①	내려간다	올라간다	작아진다
②	내려간다	올라간다	커진다
③	내려간다	내려간다	작아진다
④	올라간다	올라간다	커진다
⑤	올라간다	내려간다	작아진다

Hint 날숨에서 흉강의 부피는 줄어들고 폐의 크기는 작아진다.

2-3

오른쪽 그림은 호흡 운동의 원리를 알아보기 위한 모형을 나타낸 것이다. 호흡 운동 모형의 고무막을 아래로 잡아당겼을 때에 해당하는 사람의 몸 변화를 (가)와 (나) 중에서 골라 쓰시오.

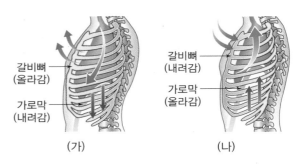

갈비뼈 (올라감)
가로막 (내려감)
(가)

갈비뼈 (내려감)
가로막 (올라감)
(나)

주제 1 배설계

생명 활동을 하는 세포에서는 노폐물이 생기는데, 세포에서 생긴 노폐물을 몸 밖으로 내보내는 작용을 배설이라고 한다.

중요 개념

● **배설계** 콩팥, 오줌관, 방광, 요도로 구성된다.
  • 콩팥: 혈액 속의 ❶(ㄴㅍㅁ)을 걸러내어 오줌 생성 • 오줌관: 콩팥에서 방광으로 연결된 관
  • 방광: 오줌을 일시적으로 저장 • 요도: 방광에 모인 오줌이 몸 밖으로 배출되는 통로
● **네프론** 콩팥에서 오줌을 생성하는 기본 단위로 사구체, 보먼주머니, 세뇨관으로 구성
  • 사구체: ❷(ㅁㅅㅎㄱ)이 실뭉치처럼 뭉쳐진 구조 – 혈액이 여과된다.
  • 보먼주머니: 사구체를 둘러싸고 있는 주머니 모양의 구조 – 사구체에서 걸러진 여과액을 받는다.
  • 세뇨관: 보먼주머니에 연결된 가는 관 – 주변의 모세 혈관과 물질 교환이 일어나면서 오줌 생성
● **노폐물 생성과 배설**

분해되는 영양소	노폐물
탄수화물, 지방	이산화 탄소, 물
단백질	이산화 탄소, 물, 암모니아

• 이산화 탄소: 폐에서 날숨을 통해 몸 밖으로 나간다.
• 물: 체내에서 사용하거나 날숨과 오줌을 통해 몸 밖으로 나간다.
• 암모니아: 간에서 독성이 약한 요소로 바뀐 후 콩팥에서 오줌으로 배설된다.

Tip

콩팥에서는 노폐물을 배설하는 작용만 한다?
➡ 콩팥은 노폐물의 배설 이외에 체내 수분량과 농도를 조절하여 체내 환경을 일정하게 유지하는 역할도 한다.

답 ❶ 노폐물 ❷ 모세 혈관

개념 원리 확인

○ 정답과 해설 11쪽

오줌은 콩팥에서 생성되어서 몸 밖으로 배출돼.

1-1

그림은 사람의 배설계를 나타낸 것이다. 오줌을 생성하는 곳의 기호와 이름을 쓰시오.

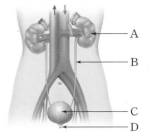

- 기호: (   )
- 이름: (   )

네프론은 콩팥에서 오줌을 생성하는 기본 단위로 사구체, 보먼주머니, 세뇨관으로 구성되어 있어.

1-2

그림은 콩팥의 일부분을 나타낸 것이다.

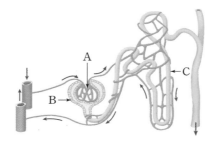

모세 혈관이 실뭉치처럼 뭉쳐진 구조로 혈액이 여과되는 곳의 기호와 이름을 쓰시오.

- 기호: (   )   - 이름: (   )

1-3

그림은 영양소가 분해되어 생성된 노폐물이 몸 밖으로 내보내지는 과정을 나타낸 것이다. (가)와 (나)에 들어갈 노폐물은 무엇인지 각각 쓰시오.

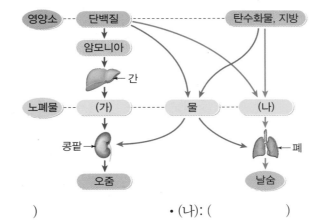

- (가): (   )   - (나): (   )

용어 풀이

＊ **사구체**(絲 실, 球 공, 體 몸): 모세 혈관이 실뭉치와 같이 뭉쳐있는 것으로, 콩팥으로 들어온 혈액의 여과 작용이 일어나는 장소

2주 2일 배설

오줌은 콩팥의 네프론에서 여과, 재흡수, 분비 과정을 거쳐 만들어진다.

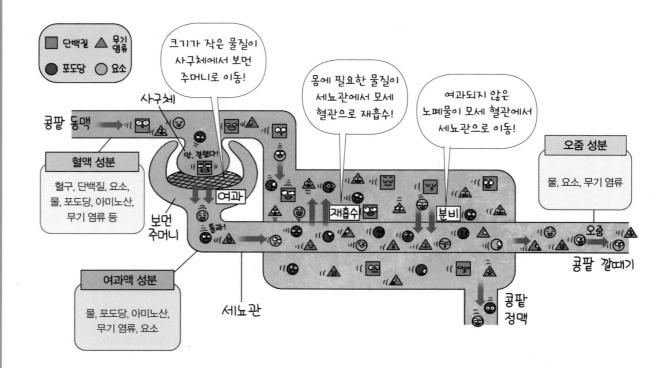

중요 개념

● **오줌의 생성** 네프론에서 여과, 재흡수, 분비 과정을 거쳐 혈액의 노폐물이 걸러지고 오줌이 생성된다.

기능	일어나는 장소	특징
여과	사구체 → 보먼주머니	• 혈액에 포함된 물질 중 크기가 작은 물, 포도당, 아미노산, 무기 염류, 요소 등이 여과된다. • 크기가 큰 ❶(ㄷㅂㅈ), 혈구 등은 여과되지 않는다.
재흡수	세뇨관 → 모세 혈관	• 몸에 필요한 성분은 모세 혈관으로 재흡수된다. • 포도당과 아미노산은 100 %, 물과 무기 염류 등은 필요한 만큼 재흡수된다.
분비	모세 혈관 → 세뇨관	• 사구체에서 미처 여과되지 않고 혈액에 남아 있던 노폐물 등 일부는 ❷(ㅅㄴㄱ)으로 분비된다.

● **오줌의 배설 경로** 콩팥 동맥 → 사구체 → 보먼주머니 → 세뇨관 → 콩팥 깔때기 → 오줌관 → 방광 → 요도 → 몸 밖

Tip

여과가 일어나는 원리
➡ 사구체로 들어가는 혈관이 사구체에서 나오는 혈관보다 굵어서 생기는 사구체의 높은 혈압에 의해 물질이 보먼주머니로 여과된다.

답 ❶ 단백질 ❷ 세뇨관

개념 원리 확인

○ 정답과 해설 **11쪽**

2-1

그림은 네프론을 간략하게 그린 모식도이다.
(가)~(다)에 해당하는 과정을 각각 쓰시오.

- (가): (   )
- (나): (   )
- (다): (   )

> 사구체, 보면주머니, 세뇨관, 모세 혈관에서 물질이 이동되는 방향을 잘 알아놓도록 해.

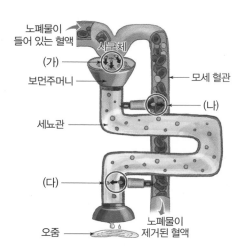

2-2

다음은 사구체에서 보면주머니로 걸러진 여과액 속에 들어 있는 물질에 대해 두 학생이 나눈 대화이다. 옳게 말한 사람을 쓰시오.

> 크기가 큰 물질은 여과되지 못하니까 단백질과 혈구는 발견되지 않아.

> 혈액 속에 들어 있는 모든 물질이 여과되니까 혈액 성분과 다르지 않을 것 같아.

범우   온유

> 사구체는 마치 체와 같은 역할을 한다고 보면 돼. 크기가 큰 물질은 체를 통과하지 못하는 것처럼 사구체를 통과하지 못한 성분은 혈액 속에 남아 있게 되지.

(   )

2-3

다음은 오줌의 배설 경로를 나타낸 것이다. 빈칸에 들어갈 말을 쓰시오.

> 콩팥 동맥 → ㉠(   ) → 보면주머니 → ㉡(   )
> → 콩팥 깔때기 → 오줌관 → 방광 → 몸 밖

대표 기출문제 | 주제 1 배설계

1-1

그림은 사람의 배설계를 나타낸 것이다.

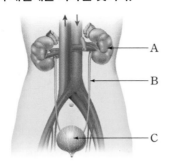

이에 대한 설명으로 옳은 것을 보기 에서 모두 고른 것은?

보기
> ㄱ. A에서 암모니아는 요소로 전환된다.
> ㄴ. 네프론은 A에 존재한다.
> ㄷ. B에서 모세 혈관과 물질 교환이 일어난다.
> ㄹ. C는 오줌을 일시적으로 저장한다.

① ㄱ, ㄴ   ② ㄱ, ㄷ   ③ ㄴ, ㄷ

④ ㄴ, ㄹ   ⑤ ㄷ, ㄹ

문제 해결 Point

가이드   A는 콩팥, B는 오줌관, C는 방광이다.

해결 Point   네프론은 오줌을 생성하는 콩팥(A)의 기본 단위로 콩팥에 존재한다. 오줌은 콩팥에서 생성된 뒤 방광(C)에 일시적으로 저장되었다가 요도를 통해 몸 밖으로 배출된다.

오개념 주의   암모니아는 소화계에 해당하는 간에서 요소로 전환된다. 오줌관(B)은 콩팥(A)에서 생성된 오줌이 방광으로 이동하는 통로이다. 모세 혈관과 물질 교환이 일어나는 곳은 콩팥의 네프론을 구성하는 세뇨관이다.

1-2

다음은 우리 몸에서 영양소가 분해되는 과정을 나타낸 것이다.

> • 탄수화물, 지방 + 산소 ⟶ ㉠(　　　　) + 물 + 에너지
> • 단백질 + 산소 ⟶ ㉠(　　　　) + 물 + ㉡(　　　　) + 에너지

(1) ㉠에 공통적으로 들어갈 말을 쓰시오.

(2) ㉡은 독성이 강하기 때문에 간에서 ㉢ 독성이 약한 물질로 전환되어야 한다. ㉡, ㉢에 알맞은 말을 각각 쓰시오.

1-3

다음은 배설계 중 어느 부분에 대해 두 친구가 나눈 대화이다.

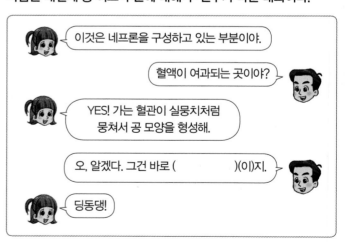

> 이것은 네프론을 구성하고 있는 부분이야.
>
> 혈액이 여과되는 곳이야?
>
> YES! 가는 혈관이 실뭉치처럼 뭉쳐서 공 모양을 형성해.
>
> 오, 알겠다. 그건 바로 (　　　　)(이)지.
>
> 딩동댕!

빈칸에 들어갈 말로 옳은 것은?

① 콩팥   ② 사구체   ③ 보먼주머니

④ 콩팥 동맥   ⑤ 콩팥 깔때기

Hint 사구체의 한자는 실 絲, 공 球, 몸 體로, 혈관이 실뭉치처럼 뭉쳐 있는 공 모양의 구조라는 의미이다.

대표 기출문제 주제 **2** 오줌의 생성 과정

2-1

그림은 콩팥의 일부분을 나타낸 것이다.

건강한 사람의 A에서 B로 여과되지 않는 것을 모두 고르면? (정답 2개)

① 요소　　　② 혈구　　　③ 포도당

④ 단백질　　⑤ 아미노산

문제 해결 Point

가이드　A는 사구체이고, B는 보먼주머니이다.

해결 Point　콩팥 동맥을 통해 콩팥으로 들어온 혈액이 사구체를 지나는 동안 크기가 작은 물질이 보먼주머니로 빠져나가는 **여과**가 일어난다. 이때 사구체는 혈액을 거르는 체와 같은 역할을 하는데, 혈액이 걸러질 때 분자의 크기가 큰 단백질, 혈구는 여과되지 못한다. 따라서 단백질과 혈구는 여과액에서 발견되지 않는다. 여과될 때에는 요소 외에도 포도당, 아미노산과 같은 영양소도 함께 여과되지만 포도당, 아미노산과 대부분의 물은 세뇨관에서 모세 혈관으로 재흡수된다.

오개념 주의　혈구와 단백질과 같이 크기가 큰 물질은 여과되지 않는다.

2-2

그림은 콩팥의 네프론을 나타낸 것이다.

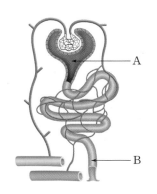

A보다 B에서 농도가 가장 높아지는 물질은?

① 요소　　　② 단백질　　③ 포도당

④ 아미노산　⑤ 무기 염류

Hint　네프론은 콩팥에서 요소를 걸러낸다.

2-3

그림은 소화계, 순환계, 호흡계, 배설계의 유기적 관계를 나타낸 것이다.

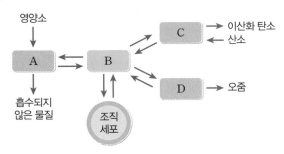

A~D에 알맞은 기관계를 다음에서 골라 각각 쓰시오.

순환계　소화계　배설계　호흡계

(　　　　　　　　　　　　　　　)

주제 1 순물질과 혼합물

다른 물질이 섞이지 않고 한 가지 물질로만 이루어진 물질을 순물질이라 하고,
두 가지 이상의 순물질이 섞여 있는 물질을 혼합물이라고 한다.

중요 개념

● **순물질과 혼합물**

순물질에는 수소, 산소 등과 같이 한 종류의 원소로 이루어진 물질(홑원소 물질)과 이산화 탄소, 물 등과 같이 두 종류 이상의 원소가 결합하여 이루어진 물질(화합물)이 있다.

순물질의 성질은 그대로 유지

구분	순물질	혼합물
정의	한 가지 물질로만 이루어진 물질 **예** 산소, 금, 물, 소금, 이산화 탄소 등	❶(ㄷ) 가지 이상의 순물질이 섞여 있는 물질 **예** 공기, 소금물, 암석, 우유, 주스 등
특징	끓는점, 어는점, 녹는점이 ❷(ㅇㅈ)	끓는점, 어는점, 녹는점이 일정하지 않음

끓는점, 어는점, 녹는점을 측정하면 순물질과 혼합물을 구별할 수 있다.

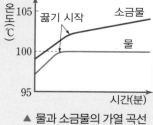

▲ 물과 소금물의 가열 곡선

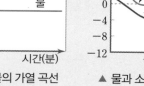

▲ 물과 소금물의 냉각 곡선

Tip

균일 혼합물
➡ 성분 물질이 골고루 섞여 있는 혼합물 **예** 소금물, 공기 등

불균일 혼합물
➡ 성분 물질이 골고루 섞여 있지 않은 혼합물 **예** 암석, 우유, 흙탕물 등

🔑 답 ❶두 ❷일정

개념 원리 확인

○정답과 해설 **12쪽**

1-1

그림은 흙탕물에 대해 두 친구가 나눈 대화를 나타낸 것이다. 빈칸에 알맞은 말을 쓰시오.

순물질이 섞여 있으면 혼합물이야.

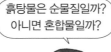
흙탕물은 순물질일까? 아니면 혼합물일까?

흙탕물은 물과 흙 등이 섞여 있는 (   )이야!

2주

3일

1-2

순물질과 혼합물의 예를 각각 옳게 연결하시오.

순물질은 홑원소 물질과 화합물로 분류할 수 있고, 혼합물은 균일 혼합물과 불균일 혼합물로 분류할 수 있어.

(1) 순물질 •

(2) 혼합물 •

• ㉠ 우유
• ㉡ 금
• ㉢ 공기
• ㉣ 소금

1-3

그래프는 어떤 액체 물질의 가열 곡선이다. 이에 대한 설명에 맞게 (   ) 안에서 알맞은 말을 고르시오.

용어 풀이

＊ **암석**(巖 바위, 石 돌): 광물이 모여 이루어진 고체.

어떤 액체 물질은 ㉠(순물질 / 혼합물)이다. 그렇게 생각한 이유는 물질의 끓는점이 ㉡(일정하기 / 변하기) 때문이다.

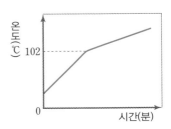

온도(℃) 102

시간(분)

주제 **2** **끓는점, 녹는점, 어는점**

물질은 끓는점처럼 다른 물질과 구별되는 본래의 성질을 갖는데, 이를 물질의 특성이라고 한다.

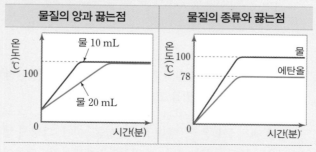

중요 개념

● **물질의 특성** 물질의 성질 중 그 물질만이 나타내는 고유한 성질로서, 같은 물질인 경우 물 ┌ 다른 물질과 구별되는 성질이다.
질의 ❶(ㅇ)에 관계없이 일정하다. **에** 끓는점, 녹는점, 어는점, 밀도, 용해도 등

● **끓는점, 녹는점, 어는점** 같은 물질에서는 양에 관계없이 일정하고, 물질의 ❷(ㅈㄹ)에 따라 다르다. ➡ 물질의 양이 다르면 끓는점까지 도달하는 시간은 다르지만 끓는점은 같다. 따라서 끓는점은 물질의 특성이다.

물질의 양과 끓는점

온도(℃)
물 10 mL
100
물 20 mL
0
시간(분)

물질의 종류와 끓는점

온도(℃)
물
100
에탄올
78
0
시간(분)

Tip

온도에 따른 물질의 상태
· 실온 < 녹는점: 고체
· 녹는점 < 실온 < 끓는점: 액체 **에** 물, 에탄올 등
· 끓는점 < 실온: 기체

고체	액체	기체
←		→
낮은 온도		높은 온도
녹는점		끓는점

답 ❶ 양 ❷ 종류

개념 원리 확인

순수한 물의 끓는점은 100 ℃로 일정하게 유지되지만, 물에 다른 물질을 섞은 혼합물은 100 ℃ 이상에서 끓기 시작해.

2-1

물질의 끓는점과 녹는점, 어는점에 대한 설명으로 옳은 것은 ○표, 옳지 <u>않은</u> 것은 × 표를 하시오.

(1) 끓는점과 녹는점은 물질의 특성이다. ( )

(2) 물질의 양이 증가하면 어는점이 달라진다. ( )

(3) 같은 물질이라도 녹는점과 어는점은 다르다. ( )

2-2

그래프는 액체 물질 A~C를 같은 세기의 불꽃으로 가열하여 얻은 곡선이다. A~C 중 종류가 같은 물질을 모두 고르시오.

( )

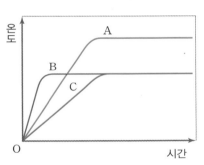

2-3

끓는점은 다른 물질과 구별되는 성질이야.

다음은 녹는점이 다른 물질의 특성을 이용한 예이다. 빈칸에 알맞은 말을 쓰시오.

주조는 액체 상태의 금속 재료를 틀에 부어 굳히는 방법이다. 틀을 구성하는 물질은 액체 상태의 금속 재료보다 ( )이 높아야 고온에서도 녹지 않고 모양을 유지한다.

용어 풀이

＊**끓는점**: 액체가 표면과 내부에서 기포가 발생하면서 끓기 시작하는 온도

대표 기출문제 　주제 1　 순물질과 혼합물

1-1

그림은 여러 가지 물질들을 순서없이 나열한 것이다.

▲ 물

▲ 흙탕물

▲ 암석

▲ 설탕물

이에 대한 설명으로 옳은 것을 보기 에서 모두 고른 것은?

보기

ㄱ. 물처럼 한 가지 물질로만 이루어진 물질을 순물질이라 한다.
ㄴ. 흙탕물은 물과 흙 등이 섞여 있는 혼합물이다.
ㄷ. 암석은 여러 물질이 골고루 섞인 균일 혼합물이다.
ㄹ. 설탕물은 균일 혼합물이므로 끓는점이 일정하다.

① ㄱ, ㄴ　　　② ㄴ, ㄷ　　　③ ㄷ, ㄹ
④ ㄱ, ㄴ, ㄷ　　⑤ ㄴ, ㄷ, ㄹ

문제 해결 Point

가이드 순물질과 혼합물의 차이점을 알고 제시된 물질을 보고 구별할 수 있어야 한다.

해결 Point 한 가지 물질로 이루어진 물질은 **순물질**이고, 두 가지 이상의 물질이 섞여 있는 물질은 **혼합물**이다. 설탕물과 같이 성분 물질이 고르게 섞여 있는 혼합물을 **균일 혼합물**, 암석과 같이 물질이 고르지 않게 섞여 있는 혼합물을 **불균일 혼합물**이라고 한다.

오개념 주의 설탕물과 같은 혼합물은 끓는점, 어는점, 녹는점이 일정하지 않다.

1-2

보기 는 물질 A와 B를 어떤 기준에 따라 분류한 것이다.

보기

A: 구리, 물　　　　　　B: 소금물, 흙탕물

이와 같이 물질을 나눈 기준을 옳게 설명한 사람을 쓰시오.

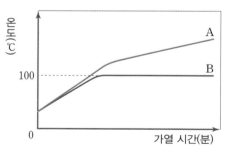

A와 B는 모두 혼합물인데, 균일 혼합물과 불균일 혼합물로 구분해 놓은 거야.
준혁

A는 한 가지 물질로 이루어진 순물질이고, B는 두 가지 이상의 물질이 섞인 혼합물이야.
재은

1-3

그래프는 물과 소금물의 가열 곡선이다.

이에 대한 설명으로 옳지 <u>않은</u> 것은?

① B는 물이다.
② A와 B 중 하나는 혼합물이다.
③ B는 A보다 높은 온도에서 끓기 시작한다.
④ B는 끓는 동안 온도가 일정하게 유지된다.
⑤ A는 끓기 시작한 이후 온도가 계속 상승한다.

Hint 순물질과 혼합물의 끓는점은 다르고, 끓고 있는 동안 온도 변화의 유무도 차이가 있다.

대표 기출문제 주제 2 끓는점, 녹는점, 어는점

2-1

그래프는 액체 물질 A~D의 가열 곡선을 나타낸 것이다.

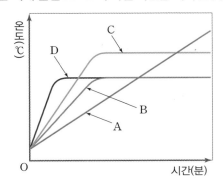

이에 대한 설명으로 옳지 <u>않은</u> 것은?

① B와 D는 같은 물질이다.

② B보다 D의 양이 더 적다.

③ C는 B보다 끓는점이 낮다.

④ 끓는점이 가장 높은 물질은 A이다.

⑤ 가장 먼저 끓기 시작하는 물질은 D이다.

문제 해결 Point

| 가이드 | 액체 물질의 가열 곡선을 보고 물질의 끓는점, 물질의 양을 파악할 수 있어야 한다.

| 해결 Point | 끓는점은 액체가 끓어 기체가 되는 동안 일정하게 유지되는 온도로, 물질의 특성이다. B와 D는 끓는점이 같으므로 같은 물질이다. 물질의 양이 많아지면 끓는점에 도달하는 데 걸리는 시간이 길어진다. 따라서 D가 B보다 끓는점에 더 빨리 도달했으므로 D는 B보다 물질의 양이 적다. 그래프에서 가장 빨리 온도가 일정해지는 것은 D이므로 D가 가장 먼저 끓기 시작한다.

| 오개념 주의 | 그래프에서 온도가 일정하게 유지되는 구간이 B보다 C가 높으므로 C는 B보다 끓는점이 높고, A는 온도가 일정하게 유지되는 구간이 아직 나타나지 않았으므로 A는 아직 끓는점에 도달하지 않았다. 따라서 A가 끓는점이 가장 높다.

2-2

그래프는 어떤 액체 물질 A~C의 가열 곡선을 나타낸 것이다.

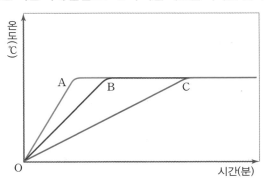

이에 대한 설명으로 옳은 것은?

① C보다 A의 질량이 크다.

② A, B, C 모두 질량이 같다.

③ A, B, C 모두 같은 물질이다.

④ 가장 먼저 끓는 물질은 C이다.

⑤ 끓는점이 가장 높은 물질은 A이다.

Hint 세 물질의 가열 곡선에서 온도가 일정해지는 지점이 끓기 시작하는 온도이다.

2-3

고체 물질 A 50 g을 가열하였더니 온도가 50 ℃일 때 A가 녹기 시작하였다. 고체 물질 A 100 g을 가열했을 때 A가 녹기 시작하는 온도로 옳은 것은?

① 40 ℃   ② 50 ℃   ③ 70 ℃

④ 90 ℃   ⑤ 100 ℃

물질의 특성(2)

주제 1 **부피와 질량**

넓이와 높이를 가진 물체가 공간에서 차지하는 크기를 부피라 하고, 물체가 가지고 있는 물체 고유의 양을 질량이라고 한다.

중요 개념

● 부피와 질량

구분	부피	질량
정의	물체가 차지하는 ❶(　ㄱㄱ　)의 크기	물체가 갖는 고유의 양
단위	mL 또는 cm³	g 또는 ❷(　kg　)

➡ 종류가 다른 물질의 부피와 질량은 그 크기나 양을 변화시키면 같은 값을 가질 수 있으므로 물질의 특성이 아니다.

● 부피와 질량의 측정 방법

부피 측정 방법	• 액체는 눈금실린더*를 사용 • 고체는 밑넓이×높이를 측정하여 계산
질량 측정 방법	저울을 이용

Tip

밑넓이와 높이를 측정하기 어려운 물체의 부피 측정
➡ 밑넓이×높이로 계산하여 구하기 힘든 모양의 물체의 경우에는 물에 넣었을 때 늘어난 물의 부피를 측정한다.

답 ❶공간 ❷kg

개념 원리 확인

○ 정답과 해설 **13**쪽

1-1

부피와 질량에 대해 관련있는 내용을 옳게 연결하시오.

(1) 부피 •

(2) 질량 •

- ㉠ 물체가 갖는 고유의 양
- ㉡ mL, cm³
- ㉢ g, kg
- ㉣ 물체가 차지하는 공간의 크기

물질의 특성이 되려면 각각의 물질이 서로 다른 값을 가져야 해.

1-2

부피와 질량이 물질의 특성인지에 대한 설명이다. ( ) 안에서 알맞은 말을 고르시오.

(1) 물질의 특성은 물질마다 (같은 / 다른) 값을 가진다.

(2) 종류가 다른 물체의 부피와 질량은 그 크기나 양을 변화시키면 같은 값을 가질 수 있으므로 물질의 특성이라 할 수 (있다 / 없다).

밑넓이와 높이를 측정하기 어려운 물체는 물이 담긴 눈금실린더를 이용해.

용어 풀이

＊**눈금실린더**: 액체의 부피를 측정하는 기구로 용량은 다양하며 표면에 mL 단위로 눈금이 새겨져 있다.

1-3

그림은 밑넓이와 높이를 측정하기 어려운 철 조각의 부피를 측정하는 방법이다. 이에 대한 설명에 맞게 빈칸에 알맞은 말을 쓰시오.

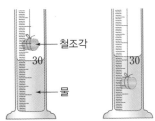

ㄱ. 눈금실린더에 물 30 mL를 넣는다.

ㄴ. 철 조각을 넣었더니 눈금실린더의 눈금이 32 mL가 되었다.

ㄷ. 철 조각의 부피는 늘어난 물의 부피와 같기 때문에 철 조각의 부피는 (   )이다.

주제 2 밀도

물질의 질량을 부피로 나눈 값을 밀도라고 한다. 모든 물질은 각각 다른 값의 밀도를 가지므로 밀도는 물질의 특성이다.

중요 개념

┌ 물질을 구별할 수 있는 물질의 특성이다.
● **밀도** 단위 부피당 물질의 ❶(ㅈㄹ)으로, 같은 물질에서는 물질의 양에 관계없이 일정하다.

$$밀도 = \frac{질량}{부피} \text{(단위: g/cm}^3\text{, g/mL 등)}$$

● **밀도의 비교** 밀도가 ❷(ㅋ) 물질은 아래로 가라앉고, 밀도가 작은 물질은 위로 뜬다. → 같은 물질의 경우 밀도는 보통 고체>액체>기체 순이다. (단, 물은 예외)

● **혼합물의 밀도** 혼합물은 성분 물질이 섞여 있는 비율에 따라 밀도가 달라진다.

예 달걀을 물에 넣으면 달걀이 가라앉지만 물에 소금을 조금씩 넣어 녹이면 소금물의 농도가 진해지면서 달걀보다 밀도가 커지기 때문에 달걀이 점차 떠오른다.

작다
─ 식용유
─ 얼음
밀도
─ 물
크다

Tip

물의 밀도
➡ 물은 다른 물질과는 다르게 액체일 때보다 고체일 때의 밀도가 더 크다. 그래서 얼음은 물에 뜨게 된다.

답 ❶ 질량 ❷ 큰

개념 원리 확인

2-1

좋은 볍씨보다 밀도가 작고 쭉정이보다 밀도가 큰 소금물을 이용하면 좋은 볍씨를 쉽게 분리할 수 있어.

그림은 알이 찬 좋은 볍씨를 고르기 위해 수확한 볍씨들을 소금물에 넣은 모습이다. 소금물, 쭉정이, 좋은 볍씨를 밀도가 큰 순으로 옳게 나열한 것은?

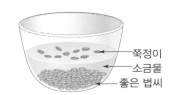

쭉정이
소금물
좋은 볍씨

① 쭉정이 > 소금물 > 좋은 볍씨
② 소금물 > 쭉정이 > 좋은 볍씨
③ 소금물 > 좋은 볍씨 > 쭉정이
④ 좋은 볍씨 > 쭉정이 > 소금물
⑤ 좋은 볍씨 > 소금물 > 쭉정이

2-2

밀도는 물질의 특성이기 때문에 밀도가 다르면 종류가 다른 물질이라고 할 수 있어.

표는 세 가지 물질의 질량과 부피를 측정한 결과이다. 이에 대한 설명에 맞게 (   ) 안에서 알맞은 말을 고르시오.

구분	A	B	C
질량(g)	50	16	48
부피(cm³)	100	32	16

(1) 물질 A와 B는 밀도가 (같은 / 다른) 물질이다.
(2) 물질 A와 B는 (같은 / 다른) 종류의 물질이다.
(3) 물질 A와 C는 (같은 / 다른) 종류의 물질이다.

2-3

그림은 통나무로 만든 배를 보고 무거운 통나무가 물에 뜨는 이유에 대해 학생들이 나눈 대화이다. 빈 칸에 알맞은 말을 쓰시오.

통나무는 너무 무거워서 힘이 센 내가 들기에도 굉장히 힘든데 왜 물에 뜰까?

나무와 물의 밀도를 비교했을 때, 나무가 물보다 밀도가 더 (   ) 때문이야.

용어 풀이

＊**아르키메데스**: 왕의 금관 부피를 재는 방법을 연구하다 부력의 원리인 '아르키메데스의 원리'를 발견한 고대 그리스의 수학자이자 물리학자

1-1

그림은 물 16 mL가 들어 있는 눈금실린더에 돌을 넣었을 때의 모습을 나타낸 것이다.

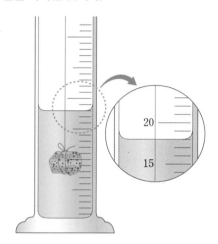

이 실험에서 사용한 돌의 부피는?

① 1 mL   ② 2 mL   ③ 3 mL

④ 4 mL   ⑤ 5 mL

문제 해결 Point

가이드 모양에 따라 고체의 부피를 측정하는 방법이 다를 수 있음을 알아야 한다. 일반적으로 고체의 부피는 밑넓이와 높이의 곱으로 구할 수 있고, 밑넓이와 높이를 측정하기 어려운 고체는 눈금실린더 등의 도구를 이용하여 측정할 수 있다.

해결 Point 제시된 돌의 경우에는 공식을 통해 부피를 구할 수 없으므로 눈금실린더에 물을 넣고 부피를 측정한 다음 돌을 넣어 늘어난 물의 부피를 측정하여 돌의 부피를 알아낼 수 있다. 돌을 넣었을 때 늘어난 물의 부피는 18 mL − 16 mL = 2 mL이다.

오개념 주의 물의 부피를 측정할 때, 물의 높이가 수평이 되는 지점의 눈금을 읽어야 한다.

1-2

질량에 대한 설명으로 옳은 것을 보기 에서 모두 고른 것은?

보기

ㄱ. 물질의 고유한 양

ㄴ. 저울 등의 도구로 측정할 수 있다.

ㄷ. 단위로는 mL 또는 cm^3를 사용한다.

① ㄱ   ② ㄴ   ③ ㄱ, ㄴ

④ ㄴ, ㄷ   ⑤ ㄱ, ㄴ, ㄷ

1-3

아르키메데스의 실험에 대해 옳은 말을 한 사람을 쓰시오.

아르키메데스는 왕관과 순금의 성분이 같다면 부피도 같을 것이라 생각했어.

준수

아르키메데스는 왕관과 순금의 밀도를 측정하기 위해 부피를 측정한 거야.

지나

Hint 물질의 종류가 달라도 부피는 같을 수 있다.

대표 기출문제 주제 2 밀도

2-1

그림은 두 종류의 과일을 물에 넣었을 때 모습을 본 두 사람의 대화이다. 빈칸에 들어갈 말로 옳은 것은?

물에 넣은 딸기와 방울토마토의 모습이 신기한 걸?

그건 딸기와 방울토마토의 (   )가 서로 다르기 때문이지.

① 질량   ② 밀도   ③ 부피
④ 녹는점   ⑤ 끓는점

2-2

그래프는 여러 가지 물질의 질량과 부피를 나타낸 것이다. A~E 중 종류가 같은 물질을 두 가지 쓰시오.

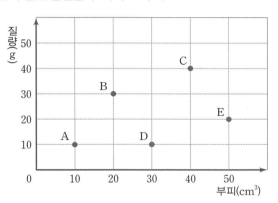

Hint 종류가 같은 물질은 물질의 특성도 같다. 부피와 질량으로 구할 수 있는 물질의 특성은 밀도이다.

2-3

그림은 물 6 mL가 들어 있는 눈금실린더에 돌을 넣었을 때의 모습과 돌을 윗접시 저울에 올려놓고 수평이 될 때까지 올려놓은 분동을 나타낸 것이다.

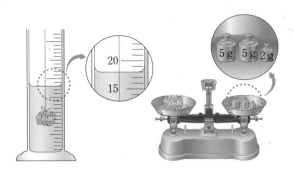

이 실험에서 사용한 돌의 밀도는?

① 0.5 g/mL   ② 1 g/mL   ③ 1.5 g/mL
④ 2 g/mL   ⑤ 2.5 g/mL

문제 해결 Point

가이드 | 물질의 종류에 따라 밀도가 다르다는 것을 알아야 하고 밀도가 다른 물질을 섞었을 경우 뜨거나 가라앉는 경우가 발생할 수 있음을 알아야 한다.

해결 Point | 물질이 물에 뜨거나 가라앉는 것은 밀도가 다르기 때문에 일어나는 현상이다. 물보다 밀도가 작은 물질은 위로 뜨고 물보다 밀도가 큰 물질은 아래로 가라앉는다.

오개념 주의 | 끓는점과 녹는점으로는 위의 현상을 설명할 수 없다. 또한 부피와 질량은 물질의 양에 따라 그 값이 달라질 수 있기 때문에 물질의 특성이라 할 수 없고 뜨거나 가라앉는 현상과는 관련이 없다.

물질의 특성(3)

주제 1 고체의 용해도

한 물질이 다른 물질에 녹아 고르게 섞이는 현상을 용해라고 한다. 용해도는 어떤 온도에서 용매 100 g에 최대로 녹을 수 있는 용질의 g수를 나타낸다.

용해도 곡선의 기울기가 클수록 온도 변화에 따른 용해도 차이가 크다.

중요 개념

● **용해도** 어떤 온도에서 *용매 100 g에 ❶(ㅊㄷ)로 녹을 수 있는 *용질의 g수 – 용해도는 물질의 종류에 따라 다르므로 물질을 구별할 수 있는 특징이다.

● **고체의 용해도**

• 고체 물질의 용해도는 대부분 ❷(ㅇㄷ)가 높아질수록 증가하고 용매의 종류에 따라 달라지지만, 압력의 영향을 거의 받지 않는다. 예 냉장고에 꿀을 보관하면 꿀 속에 들어 있는 포도당의 용해도가 낮아져 흰색 포도당 결정이 생긴다.

• 용해도를 나타낼 때에는 온도와 용매의 종류를 함께 표시해야 한다. – 용해도가 온도와 용매의 종류에 따라 달라지기 때문

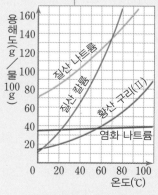

▲ 고체 물질의 용해도 곡선

Tip

포화 용액과 불포화 용액

• 포화 용액: 어떤 온도에서 일정한 양의 용매에 용질이 최대로 녹아 있는 용액

• 불포화 용액: 포화 용액보다 적은 양의 용질이 녹아 있는 용액

답 ❶ 최대 ❷ 온도

개념 원리 확인

o 정답과 해설 **14쪽**

설탕이 물에 녹는 것처럼 한 물질이 다른 물질에 녹아 고르게 섞이는 현상을 용해라고 해.

1-1

설탕이 물에 녹는 과정을 설명한 것이다. (   ) 안에서 알맞은 말을 고르시오.

> 일정한 양의 물에 설탕을 넣고 저어 주면 설탕이 녹아 보이지 않게 된다. 이것은 ㉠(용질 / 용매)인 설탕이 ㉡(용질 / 용매)인 물에 용해되어 혼합물인 ㉢(용매 / 용액)이 되기 때문이다.

2주

5일

용해도는 물질을 구별할 수 있는 특성이야.

1-2

고체의 용해도에 대한 설명으로 옳지 <u>않은</u> 것은?

① 용매의 종류와 온도를 함께 나타내야 한다.
② 일반적으로 온도가 높아질수록 용해도가 증가한다.
③ 같은 물질의 용해도는 용매의 종류에 관계없이 일정하다.
④ 온도에 따른 용해도의 차이는 물질의 종류에 따라 다르다.
⑤ 일정한 온도에서 용매 100 g에 최대한 녹을 수 있는 용질의 g수이다.

1-3

그림은 세제를 녹이는 방법에 대해 두 친구가 나눈 대화이다. 빈칸에 알맞은 말을 쓰시오.

찬물에서는 왜 가루 세제가 잘 녹지 않을까?

고체인 가루 세제들은 온도가 (   )을수록 용해도가 높아져서 잘 녹기 때문이야.

용어 풀이

* **용매**(溶 녹을, 媒 중매): 어떠한 용액이 존재할 때 용질을 녹여 용액을 만드는 물질
* **용질**(溶 녹을, 質 바탕): 다른 물질(용매)에 녹는 물질
* **용액**(溶 녹을, 液 담글): 용질이 용매에 용해되어 고르게 섞여 있는 혼합물

주제 2 기체의 용해도

기체는 고체와 달리 온도가 낮을수록, 압력이 높을수록 용해도가 증가한다.

탄산음료의 뚜껑을 여는 순간 기포가 발생하는 것은 용기 안의 압력이 낮아지면서 이산화 탄소의 용해도가 감소하기 때문이란다.

냉장 보관한 탄산 음료보다 실온에 보관한 탄산음료에서 더 많은 기체가 발생해.

냉장보관   실온보관

여름철에 금붕어가 자꾸 수면 위로 올라오는 이유는 온도가 올라가면서 산소의 용해도가 낮아지기 때문이지.

기체의 용해도는 온도와 압력에 영향을 받아.

용해도 감소
용해도 증가

중요 개념

● **기체의 용해도** 온도와 압력의 영향을 크게 받는다.— 기체의 용해도를 표시할 때는 온도와 압력을 함께 표시해야 한다.

온도에 따른 기체의 용해도	압력에 따른 기체의 용해도
온도가 ❶(　ㄴㅇ　)수록 기체의 용해도가 감소한다. 예 더운 여름철에 물고기가 수면 위로 올라온다.	압력이 ❷(　ㄴㅇ　)수록 기체의 용해도가 감소한다. 예 잠수병

온도가 높은 콜라에서 기포가 많이 발생함

기포가 적게 발생함   기포가 많이 발생함

5℃   20℃

└ 온도가 높을수록 이산화 탄소의 용해도가 감소하기 때문

뚜껑을 열어 병 속 압력이 낮아지면 기포가 많이 발생함

기포가 밖으로 빠져나옴

└ 압력이 낮을수록 이산화 탄소의 용해도가 감소하기 때문

Tip

탄산음료를 오래 보관하려면?

➡ 탄산 기체가 많이 녹아 있을수록 톡 쏘는 맛이 유지되기 때문에 용해도를 높이기 위해 뚜껑을 잘 닫고 냉장 보관해야 한다.

답 ❶ 높을 ❷ 낮을

개념 원리 확인

○ 정답과 해설 **14**쪽

기체의 용해도는 온도와 압력의 영향을 받아. 이와 관련된 일상의 현상들이 정말 많지.

2-1

온도가 낮을수록 용해도가 증가하는 물질을 보기 에서 모두 고른 것은?

보기
ㄱ. 산소	ㄴ. 설탕	ㄷ. 질산 칼륨
ㄹ. 황산 구리(II)	ㅁ. 이산화 탄소	

① ㄱ, ㄴ   ② ㄱ, ㅁ   ③ ㄴ, ㄹ
④ ㄷ, ㄹ   ⑤ ㄷ, ㅁ

2-2

그림은 여름철에 자주 볼 수 있는 금붕어의 모습이다. 이 현상에 대한 설명에 맞게 (   ) 안에서 알맞은 말을 고르시오.

여름철에는 어항 속 금붕어가 수면 위로 자주 올라오는 모습을 볼 수 있다. 여름철에 금붕어가 이처럼 움직이는 까닭은 기온이 ㉠(상승 / 하강)하여 물의 온도가 상승하면 산소의 용해도가 ㉡(높아 / 낮아)져서 금붕어가 호흡할 때 필요한 산소가 ㉢(많아지기 / 부족해지기) 때문이다.

탄산음료의 경우 뚜껑을 제거하면 순간적으로 압력이 낮아져서 기포가 발생할 수 있어.

용어 풀이
* **기포**(氣 기운, 泡 거품): 액체 속에 공기나 다른 기체가 들어가 둥근 형상을 하고 있는 것
* **잠수병**: 깊은 바닷속의 잠수부가 너무 빨리 수면으로 올라오면 압력이 급격히 낮아져 혈액 속에 녹아 있던 질소 기체가 빠져나와 기포를 형성하여 통증을 유발하는 병

2-3

그림은 탄산음료의 뚜껑을 열었을 때 거품이 많이 나오는 모습이다. 이와 같은 현상이 나타나는 원인을 보기 에서 고르시오.

보기
ㄱ. 온도가 높을수록 기체의 용해도가 감소한다.
ㄴ. 온도가 높을수록 기체의 용해도가 증가한다.
ㄷ. 압력이 낮을수록 기체의 용해도가 감소한다.

(   )

대표 기출문제 **주제 1** 고체의 용해도

1-1

그래프는 어떤 고체 물질의 용해도 곡선을 나타낸 것이다.

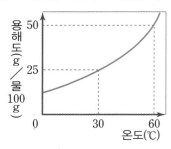

30 ℃의 물 100 g에 이 고체 물질을 녹여 포화 용액을 만들었다. 온도를 60 ℃로 올렸을 때 추가로 더 녹일 수 있는 고체 물질의 질량은?

① 5 g   ② 10 g   ③ 15 g

④ 20 g   ⑤ 25 g

문제 해결 Point

가이드   포화 용액의 의미를 알고, 온도가 높을수록 고체의 용해도가 증가함을 이해해야 한다.

해결 Point   그래프를 보면 30 ℃ 물 100 g에 최대한 녹일 수 있는 고체 물질의 질량은 25 g이다. 이를 모두 녹인 상태를 **포화 상태**라고 한다. 이때, 물의 온도를 60 ℃로 올리게 되면 고체의 용해도는 50 g/물 100 g으로 올라가게 된다. 이미 녹아 있는 고체 물질이 25 g이므로 추가로 더 녹일 수 있는 고체 물질의 질량은 50 g−25 g=25 g이다.

오개념 주의   물의 온도가 2배(30 ℃ → 60 ℃)로 상승했다고 해서 고체의 용해도가 꼭 2배로 올라가는 것은 아님을 주의한다.

1-2

그림은 염화 나트륨과 붕산의 용해도 곡선을 나타낸 것이다.

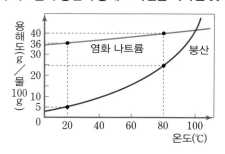

이에 대한 설명으로 옳지 <u>않은</u> 것은?

① 용해도는 물질마다 다른 고유한 성질이다.

② 온도가 높아지면 용질의 용해도가 증가한다.

③ 온도가 변할 때 용해도가 크게 변하는 것은 붕산이다.

④ 80 ℃의 물 50 g에 최대로 녹일 수 있는 용질의 g수는 붕산보다 염화 나트륨이 크다.

⑤ 80 ℃의 포화 용액을 20 ℃로 냉각시켰을 때 결정이 더 많이 석출되는 물질은 염화 나트륨이다.

1-3

포화 용액인 설탕물에 설탕을 더 많이 녹일 수 있는 방법으로 옳은 것을 보기에서 모두 고른 것은?

보기

ㄱ. 물의 양을 더 늘린다.

ㄴ. 물의 양을 더 줄인다.

ㄷ. 온도를 더 높인다.

ㄹ. 온도를 더 낮춘다.

① ㄱ, ㄷ   ② ㄱ, ㄹ   ③ ㄴ, ㄷ

④ ㄴ, ㄹ   ⑤ ㄱ, ㄴ, ㄷ

Hint 용매의 양이 많을수록, 온도가 높을수록 고체의 용해도가 증가한다.

대표 기출문제 주제 2 기체의 용해도

2-1

그림은 4개의 시험관에 같은 양의 탄산음료를 넣고 각각 다른 환경에 보관한 것이다.

얼음물   50 ℃의 물

4개의 시험관 중 기포가 가장 많이 생기는 것은?

① A   ② B   ③ C
④ D   ⑤ 모두 같다.

2-2

그림은 여름철 어항 속 금붕어가 수면 위로 올라와 호흡하는 모습을 나타낸 것이다.

이러한 현상과 원리가 가장 비슷한 것은?

① 기름은 물 위에 뜬다.
② 가루 세제는 따뜻한 물에 더 잘 녹는다.
③ 물보다 에탄올이 더 낮은 온도에서 끓는다.
④ 사이다의 온도가 높을수록 거품이 많이 나온다.
⑤ 소금물이 순수한 물보다 더 낮은 온도에서 언다.

Hint 그림은 온도에 따른 기체의 용해도 변화에 대한 것이다.

문제 해결 Point

| 가이드 | 기체의 용해도는 온도와 압력의 영향을 받으며, 압력의 영향을 거의 받지 않는 고체의 용해도와는 차이가 있다는 것을 알아야 한다. |

| 해결 Point | 기체는 온도가 낮을수록, 압력이 클수록 용해도가 커진다. 탄산음료에서 기포가 많이 생기는 경우는 이산화 탄소의 용해도가 작아졌을 때이다. 따라서 기체의 용해도가 가장 작은 환경인 온도가 높고 압력이 작은 시험관 C에서 기포가 많이 발생한다. |

| 오개념 주의 | 탄산음료에서 기포가 많이 발생하는 것은 이산화 탄소의 용해도가 낮아졌기 때문에 발생하는 현상이다. |

2-3

다음은 기포가 다 빠져나가서 톡 쏘는 맛이 없어진 탄산음료에 대한 학생들의 대화이다. 빈칸에 알맞은 말을 쓰시오.

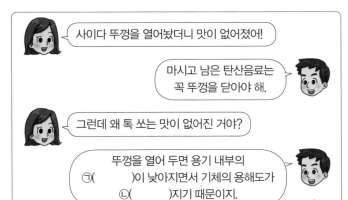

사이다 뚜껑을 열어놨더니 맛이 없어졌어!

마시고 남은 탄산음료는 꼭 뚜껑을 닫아야 해.

그런데 왜 톡 쏘는 맛이 없어진 거야?

뚜껑을 열어 두면 용기 내부의 ㉠(   )이 낮아지면서 기체의 용해도가 ㉡(   )지기 때문이지.

누구나 100점 테스트

기체 교환 과정 ▶ p.54

01 그림은 사람의 몸에서 일어나는 기체 교환 과정을 나타낸 것이다.

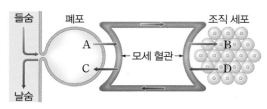

이에 대한 설명으로 옳은 것을 보기 에서 모두 고른 것은?

> **보기**
>
> ㄱ. A와 B는 산소이다.
> ㄴ. C와 D는 이산화 탄소이다.
> ㄷ. C는 날숨보다 들숨에 많이 들어 있다.
> ㄹ. 산소는 날숨을 통해 몸 안으로 들어오고, 이산화 탄소는 들숨을 통해 몸 밖으로 나간다.

① ㄱ, ㄴ　　　② ㄴ, ㄷ　　　③ ㄷ, ㄹ
④ ㄱ, ㄴ, ㄷ　　⑤ ㄴ, ㄷ, ㄹ

호흡 운동 ▶ p.56

02 그림은 사람의 호흡 기관을 나타낸 것이다. 호흡 운동에 대한 설명으로 옳지 <u>않</u>은 것은?

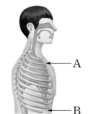

① 들숨에서 A는 올라간다.
② 날숨에서 B는 올라간다.
③ 들숨에서 공기는 폐로 들어간다.
④ 날숨에서 흉강의 부피는 커진다.
⑤ 폐는 근육이 없어 갈비뼈와 가로막의 운동에 의해 흉강의 부피가 변한다.

배설계 ▶ p.60

03 다음 기관 중 오줌이 생성되는 곳은?

① 오줌관　　② 방광　　③ 간
④ 콩팥　　　⑤ 요도

오줌의 생성 과정 ▶ p.62

04 그림은 콩팥의 일부를 나타낸 것이다.

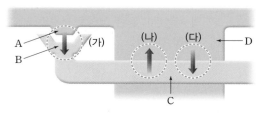

이에 대한 설명으로 옳지 <u>않</u>은 것은?

① (가)에서 단백질은 여과되지 않는다.
② 포도당과 아미노산은 (나) 방향으로 이동한다.
③ (다) 방향으로 노폐물이 분비된다.
④ (가)는 여과, (나)는 분비, (다)는 재흡수 과정이다.
⑤ C와 D 사이에서 물질 교환이 일어난다.

오줌의 배설 경로 ▶ p.62

05 다음은 오줌의 배설 경로를 나타낸 것이다.

> 콩팥 동맥 → (A) → 보먼주머니 → 세뇨관 →
> 콩팥 깔때기 → 오줌관 → (B) → 요도 → 몸 밖

A와 B에 알맞은 말을 옳게 짝 지은 것은?

	A	B
①	사구체	방광
②	사구체	네프론
③	네프론	방광
④	모세 혈관	사구체
⑤	모세 혈관	콩팥 깔때기

순물질과 혼합물 ▶ p.66

06 표와 같이 여러 가지 물질을 두 종류로 나눈 기준으로 옳은 것은?

A	B
물, 에탄올, 금, 구리	우유, 흙탕물, 암석, 공기

① 고체와 액체

② 순물질과 혼합물

③ 홑원소 물질과 화합물

④ 균일 혼합물과 불균일 혼합물

⑤ 끓는점이 높은 물질과 낮은 물질

끓는점, 녹는점, 어는점 ▶ p.68

07 그래프는 어떤 액체 물질 A의 가열 곡선을 나타낸 것이다. 이에 대한 설명으로 옳은 것을 보기 에서 모두 고른 것은?

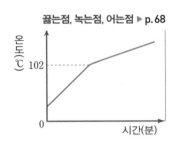

보기
ㄱ. A는 순물질이다.
ㄴ. A가 끓는 동안 온도는 일정하게 유지된다.
ㄷ. A가 끓는 동안 용액의 농도는 진해진다.

① ㄱ   ② ㄴ   ③ ㄷ

④ ㄱ, ㄴ   ⑤ ㄴ, ㄷ

밀도 ▶ p.74

08 표는 여러 가지 물질의 밀도를 나타낸 것이다.

물질	사과	당근	물
밀도(g/cm³)	0.8	1.2	1

사과와 당근을 물에 넣었을 때의 모습으로 옳은 것은?

고체의 용해도 ▶ p.78

09 그래프는 어떤 고체 물질 A에 대한 용해도 곡선이다.

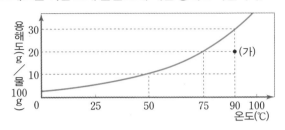

이에 대한 설명으로 옳지 <u>않은</u> 것은?

① (가) 지점은 포화 상태이다.

② 온도가 높을수록 용해도는 커진다.

③ 물의 양이 100 g보다 많아지면 더 많은 고체를 녹일 수 있다.

④ (가) 지점에서 온도를 75 ℃로 낮추면 용액은 포화 상태가 된다.

⑤ 50 ℃의 물 100 g에는 최대로 녹일 수 있는 A의 양은 10 g이다.

기체의 용해도 ▶ p.80

10 그림은 사이다를 넣은 두 개의 시험관의 온도를 달리 했을 때 발생한 기포의 모습을 나타낸 것이다.

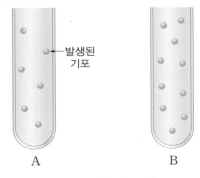

A, B 중 온도가 더 높은 시험관을 쓰시오.

✏️ 2주에 배운 개념을 그림으로 저장

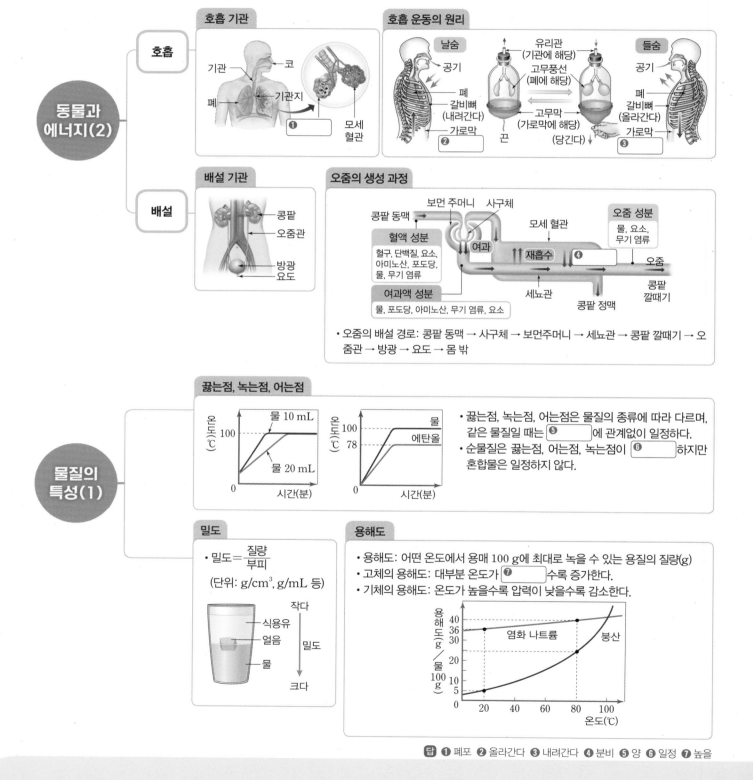

동물과 에너지(2)

호흡

호흡 기관
- 코
- 기관
- 폐
- 기관지
- ❶ [   ]
- 모세 혈관

호흡 운동의 원리

날숨
- 공기
- 폐
- 갈비뼈 (내려간다)
- 가로막
- ❷ [   ]

- 유리관 (기관에 해당)
- 고무풍선 (폐에 해당)
- 고무막 (가로막에 해당) (당긴다)
- 끈

들숨
- 공기
- 폐
- 갈비뼈 (올라간다)
- 가로막
- ❸ [   ]

배설

배설 기관
- 콩팥
- 오줌관
- 방광
- 요도

오줌의 생성 과정
- 콩팥 동맥
- 보먼 주머니
- 사구체
- 모세 혈관
- 오줌 성분: 물, 요소, 무기 염류
- **혈액 성분**: 혈구, 단백질, 요소, 아미노산, 포도당, 물, 무기 염류
- 여과
- 재흡수
- ❹ [   ]
- 오줌
- **여과액 성분**: 물, 포도당, 아미노산, 무기 염류, 요소
- 세뇨관
- 콩팥 정맥
- 콩팥 깔때기

• 오줌의 배설 경로: 콩팥 동맥 → 사구체 → 보먼주머니 → 세뇨관 → 콩팥 깔때기 → 오줌관 → 방광 → 요도 → 몸 밖

물질의 특성(1)

끓는점, 녹는점, 어는점

(그래프: 온도(℃) vs 시간(분), 물 10 mL, 물 20 mL, 100)

(그래프: 온도(℃) vs 시간(분), 물, 에탄올, 100, 78)

• 끓는점, 녹는점, 어는점은 물질의 종류에 따라 다르며, 같은 물질일 때는 ❺ [   ]에 관계없이 일정하다.
• 순물질은 끓는점, 어는점, 녹는점이 ❻ [   ]하지만 혼합물은 일정하지 않다.

밀도

• 밀도 = $\dfrac{질량}{부피}$

(단위: g/cm³, g/mL 등)

- 식용유
- 얼음
- 물
- 작다 ← 밀도 → 크다

용해도

• 용해도: 어떤 온도에서 용매 100 g에 최대로 녹을 수 있는 용질의 질량(g)
• 고체의 용해도: 대부분 온도가 ❼ [   ]수록 증가한다.
• 기체의 용해도: 온도가 높을수록 압력이 낮을수록 감소한다.

(그래프: 용해도(g/물 100 g) vs 온도(℃), 염화 나트륨, 붕산, 40, 36, 30, 20, 10, 5)

🅐 ❶ 폐포 ❷ 올라간다 ❸ 내려간다 ❹ 분비 ❺ 양 ❻ 일정 ❼ 높을

✏️ 재미있는 개념 완성 퀴즈

다음 설명에 해당하는 용어를 찾으려고 한다. 용어가 있는 곳까지 길을 따라가시오.

❶ 폐를 구성하는 작은 공기 주머니로, 모세 혈관에 둘러싸여 있어 기체 교환이 일어나는 곳

❷ 혈액 속의 노폐물을 걸러 내어 오줌을 생성하는 기관

❸ 공기, 설탕물, 흙탕물과 같이 서로 다른 종류의 물질이 섞여 있는 것

❹ 끓는점이 0 ℃ 이하인 물질이 실온(약 20 ℃)에서 존재하는 물질의 상태

❺ 어떤 온도에서 용매 100 g에 최대한 녹을 수 있는 용질의 g수

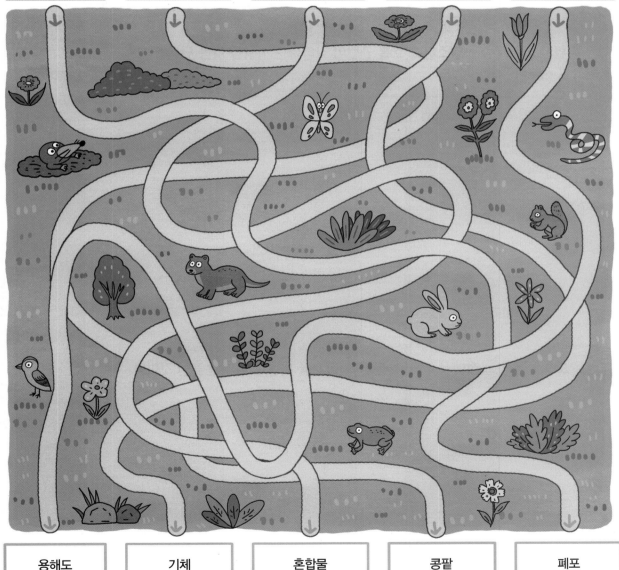

| 용해도 | 기체 | 혼합물 | 콩팥 | 폐포 |

답 ❶ 폐포 ❷ 콩팥 ❸ 혼합물 ❹ 기체 ❺ 용해도

과학의 다양한 유형 문제를 해결하는 방법을 연습하면서 사고력을 기르자.

1 그림은 건강한 사람의 폐포와 폐기종 환자의 폐포를 나타낸 것이다. 폐기종은 폐포가 손상되어 여러 개의 폐포가 하나로 합쳐지는 질환으로, 폐기종에 걸린 환자는 폐활량이 감소하고 호흡 곤란이 나타난다.

● 문제 해결 **Tip**

폐포는 공기와의 접촉 면적을 넓혀주는 구조야.

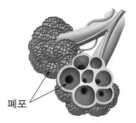

폐포

폐포

▲ 건강한 사람의 폐포   ▲ 폐기종 환자의 폐포

폐기종 환자의 폐활량이 감소하고 호흡 곤란이 나타나는 까닭을 다음 단어를 모두 포함하여 서술하시오.

폐포	표면적	기체 교환	효율성

2 그림은 오줌의 생성 과정에서 포도당, 단백질, 요소를 이동에 따라 분류한 것이다.

● 문제 해결 **Tip**

사구체에서 보먼주머니로 여과되려면 크기가 작아야 해.

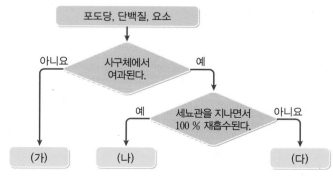

포도당, 단백질, 요소

아니요   사구체에서 여과된다.   예

(가)

예   세뇨관을 지나면서 100 % 재흡수된다.   아니요

(나)   (다)

(가)~(다)에 알맞은 것을 각각 쓰시오.

3 그림은 보기 에 있는 물질을 기준에 따라 분류한 것이다.

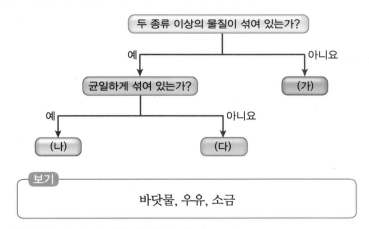

보기

바닷물, 우유, 소금

(가), (나), (다)에 들어갈 알맞은 물질을 각각 쓰시오.

문제 해결 Tip

물질은 크게 순물질과 혼합물로 분류할 수 있고, 혼합물은 균일 혼합물과 불균일 혼합물로 분류할 수 있어.

4 그림은 세 사람이 라면을 끓일 때 면을 빨리 익히는 방법에 대해 대화한 내용이다. ( ) 안에서 알맞은 말을 고르시오.

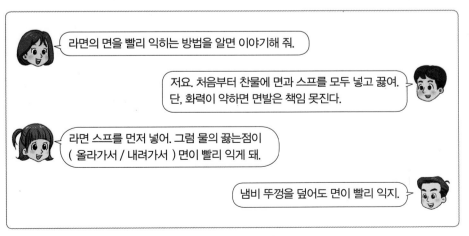

라면의 면을 빨리 익히는 방법을 알면 이야기해 줘.

저요. 처음부터 찬물에 면과 스프를 모두 넣고 끓여. 단, 화력이 약하면 면발은 책임 못진다.

라면 스프를 먼저 넣어. 그럼 물의 끓는점이 (올라가서 / 내려가서) 면이 빨리 익게 돼.

냄비 뚜껑을 덮어도 면이 빨리 익지.

문제 해결 Tip

물이 라면 스프와 섞이면 혼합물이 되면서 끓는점이 변해.

5 다음은 아르키메데스의 일화에 대한 친구들의 대화이다.

왕관이 순금으로 되어 있는지 알기 위해서 밀도를 이용했어.

왕관이 순금으로 되어 있는지 알기 위해서 용해도를 이용했어.

아르키메데스가 "유레카"라고 외친 일화를 알고 있니?

태영   은서   준수

문제 해결 Tip
아르키메데스는 목욕을 하던 중 넘치는 물을 보고 고체의 부피를 측정하는 방법을 알게 되었어.

(1) 태영과 은서 중 옳게 말한 사람을 쓰시오.

(2) 아르키메데스가 측정한 값이 표와 같다면 왕관은 순금으로 만들어진 것인지 판단하고 그렇게 생각한 까닭을 서술하시오.

구분	질량	부피
왕관	1.9 kg	1000 cm^3
순금	1.9 kg	1000 cm^3

6 그림은 냄비를 사용하여 밥을 짓는 모습이다.

문제 해결 Tip
높은 산에 올라가서 밥을 지으면 기압이 낮아서 물의 끓는점이 낮아지기 때문에 밥이 설익어.

냄비 대신에 내부의 압력이 높은 압력 밥솥을 사용하면 좋은 점을 다음 용어를 모두 포함하여 서술하시오.

압력   끓는점   온도

7 그림은 철수가 엄마에게 시원한 커피를 만들어 드리려는 상황이다.

문제 해결 Tip

고체 물질은 용매의 온도가 높을수록 더 잘 녹아.

(1) 커피 가루가 잘 녹게 하려면 어떤 물을 사용해야 하는지 쓰시오.

(2) 커피 가루가 잘 녹아 있는 시원한 커피를 만드는 방법을 쓰시오.

8 잠수병은 잠수부가 물속 깊이 잠수했을 때 혈액 속에 녹아 있던 기체가 물 표면으로 급히 올라올 때 몸속에서 기포를 형성하여 생기는 병이다.

문제 해결 Tip

기체는 압력이 클수록 더 잘 녹아. 반대로 압력이 작아지면 녹아 있던 기체의 용해도가 작아지면서 기포가 생길 수 있어.

이와 관련 있는 물질의 특성을 다음에서 골라 쓰시오.

질량	부피	고체의 용해도	기체의 용해도	밀도

3주에는 무엇을 공부할까? ❷

● **끓는점과 녹는점**

나는 100 ℃에서 끓어.

나는 0 ℃에서 녹아.

Quiz 1

액체 물질이 끓어 기체로 상태가 변하는 동안 일정하게 유지되는 온도를 (   )이라고 한다.

Quiz 2

고체 물질이 녹아 액체로 상태가 변하는 동안 일정하게 유지되는 온도를 (   )이라고 한다.

● **밀도**

난 밀도가 작아.

난 밀도가 커.

사해는 소금이 많이 녹아 있어 쉽게 물에 뜰 수 있어.

둥둥

Quiz 3

단위 부피 당 물질의 질량을 (   )라고 한다.

Quiz 4

물에 소금을 녹일 경우 물에 녹인 소금의 양이 많을수록 소금물의 밀도가 (커진다 / 작아진다).

답 1. 끓는점 2. 녹는점 3. 밀도 4. 커진다

물의 이용

와~ 신기해. 지형이 한반도처럼 생겼어.

Quiz 5
강이 흐를 때 유속이 느린 안쪽에는 (퇴적 / 침식) 작용이 활발하게 일어난다.

흐르는 물이 땅을 깎기도 하고, 모래를 운반하여 쌓기도 해서 이런 모습으로 변한 거야.

물의 순환

난 친구들과 엉겨 붙어 땅으로 떨어져.

난 땅속, 몸속, 나무 속 등을 돌아다니다가 다시 하늘로 올라가 구름이 되지.

Quiz 7
물은 순환하지만 지구 전체 물의 양은 (변한다 / 변하지 않는다).

Quiz 6
물은 (   )가 변하면서 끊임없이 이동한다.

답 5. 퇴적 6. 상태 7. 변하지 않는다

혼합물의 분리(1)

주제 1 끓는점 차를 이용한 분리

물질들의 끓는점이 각각 다르다는 점을 이용하여 혼합물을 분리할 수 있다. 균일하게 섞여 있는 액체 혼합물을 가열하면 끓는점이 낮은 물질이 먼저 끓어 나오므로 기체로 나온 물질을 냉각하여 액화시키면 혼합물을 분리할 수 있다.

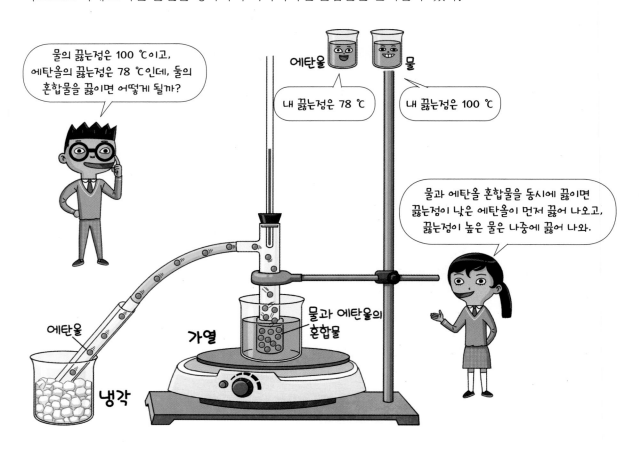

중요 개념

액체와 고체의 혼합물이나 서로 다른 액체의 혼합물을 분리할 수 있다.

● **증류** 액체 상태의 혼합물을 가열할 때 기화한 기체를 다시 ❶(ㄴㄱ)하여 순수한 액체 물질을 얻는 방법 **예** *탁주에서 소주 얻기, 바닷물에서 식수 얻기 등

● **물과 에탄올의 혼합물 분리** 물과 에탄올의 혼합물을 가열하면 끓는점이 낮은 에탄올이 먼저 끓어 나오고, 끓는점이 높은 ❷(ㅁ)이 나중에 끓어 나온다.

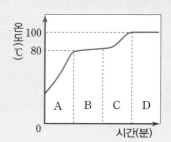

- A: 혼합물의 온도 상승
- B: 에탄올의 끓는점보다 약간 높은 온도에서 에탄올이 주로 끓어 나옴, 온도는 거의 일정 – 물도 일부 기화되어 나온다.
- C: 물의 온도 상승
- D: 물이 끓어 나옴, 온도 일정

Tip

물과 에탄올의 혼합물을 가열할 때 끓임쪽을 넣어야 하는 이유

➡ 액체를 끓일 때, 액체가 끓는점 이상으로 가열되어서 갑자기 끓어오르는 것을 막기 위해 돌이나 유리 조각을 넣는다.

답 ❶ 냉각 ❷ 물

개념 원리 확인

1-1

다음과 같은 혼합물의 분리 방법을 무엇이라고 하는지 쓰시오.

소금물을 증류하면 순수한 물을 얻을 수 있어.

> 액체 상태의 혼합물을 가열하여 끓어 나오는 기체를 다시 냉각하여 순수한 액체 물질을 얻는 방법으로, 액체와 고체의 혼합물이나 서로 다른 액체의 혼합물을 분리할 수 있다.

(   )

1-2

끓는점이 78 ℃인 에탄올은 끓는점이 100 ℃인 물에 비해 끓는점이 낮아서 먼저 기화되지!

그래프는 물과 에탄올 혼합물의 가열 곡선을 나타낸 것이다. (가) 구간에 대한 설명으로 옳은 것을 보기 에 모두 고르시오.

보기
ㄱ. 에탄올이 주로 끓어 나온다.
ㄴ. 혼합물에서 물이 주로 분리된다.
ㄷ. 혼합물의 온도는 거의 일정하다.

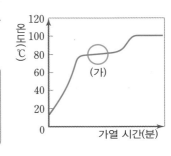

(   )

1-3

그림은 물과 에탄올 혼합물을 가열하여 분리하는 실험을 나타낸 것이다. 이에 대한 설명으로 옳은 것을 보기 에서 모두 고르시오.

보기
ㄱ. 에탄올이 모두 분리되면 물만 남은 삼각 플라스크의 온도가 다시 상승하기 시작한다.
ㄴ. 약 100 ℃가 되면 에탄올만 끓게 되어 그 증기가 관을 타고 비커 쪽으로 이동하여 액화된다.
ㄷ. 액체가 갑자기 끓어오르는 것을 막기 위해서 A를 넣는다.

얼음물

A

(   )

주제 2 | 끓는점 차를 이용한 분리의 예

일상에서 끓는점 차를 이용한 분리의 예를 많이 찾아볼 수 있다.

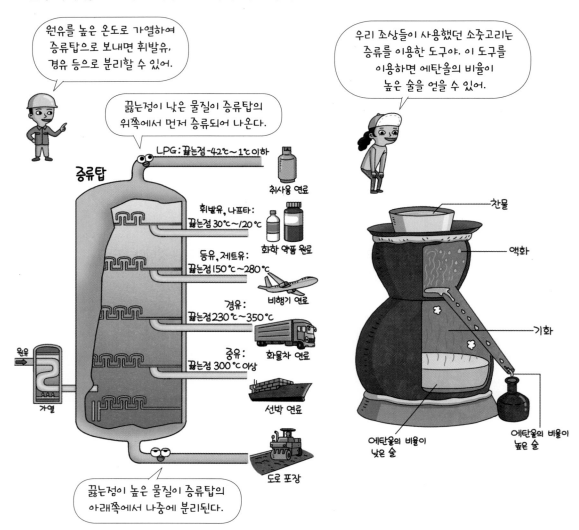

원유를 높은 온도로 가열하여 증류탑으로 보내면 휘발유, 경유 등으로 분리할 수 있어.

우리 조상들이 사용했던 소줏고리는 증류를 이용한 도구야. 이 도구를 이용하면 에탄올의 비율이 높은 술을 얻을 수 있어.

끓는점이 낮은 물질이 증류탑의 위쪽에서 먼저 증류되어 나온다.

증류탑

LPG : 끓는점 -42℃~-1℃ 이하
취사용 연료

휘발유, 나프타 :
끓는점 30℃~120℃
화학 약품 원료

등유, 제트유 :
끓는점 150℃~280℃
비행기 연료

경유 :
끓는점 230℃~350℃
화물차 연료

중유 :
끓는점 300℃ 이상
선박 연료

원유
가열
도로 포장

끓는점이 높은 물질이 증류탑의 아래쪽에서 나중에 분리된다.

찬물
액화
기화

에탄올의 비율이 낮은 술
에탄올의 비율이 높은 술

중요 개념

● **끓는점 차를 이용한 분리의 예** ── 원유는 가스, 등유, 경유, 아스팔트 등이 섞인 혼합물이다. 증류탑 안에서 증류가 여러 번 일어난다.

(1) *원유의 분리: 원유를 증류탑에 넣고 가열하면 끓는점이 낮은 물질이 위쪽에서 먼저 분리되고, 끓는점이 ❶(ㄴㅇ) 물질은 아래쪽에서 나중에 분리되어 나온다. ── 많은 양의 원유를 한꺼번에 분리할 수 있다.

(2) 소줏고리: 증류를 이용한 도구로, 에탄올의 비율이 낮은 술을 가열하면 끓는점이 ❷(ㄴ)은 에탄올이 주로 기화한다. 따라서 이 기체를 다시 액화하여 모으면 에탄올의 비율이 높은 술을 얻을 수 있다.

(3) 해수에서 생활용수 얻기: 바닷물(소금물)을 가열하여 발생한 수증기를 액화시켜 생활용수를 얻을 수 있다. 예 해수 담수화 장치

찬물
소줏고리
맑은 술 (소주)
탁주

Tip

해수에서 담수를 얻는 간단한 장치

액화한 물
기화한 수증기
소금물
순수한 물

답 ❶높은 ❷낮

개념 원리 확인

○정답과 해설 **17**쪽

2-1

그림은 바닷물에서 담수를 얻을 수 있는 간단한 증류 장치이다. 이에 대한 설명에 맞게 ( ) 안에서 알맞은 말을 고르시오.

> 그릇 속의 소금물을 끓이면 물이 ㉠(기화 / 액화)하고, 기화한 수증기는 다시 ㉡(기화 / 액화)하여 비닐에 물방울로 맺힌다. 물방울은 비닐의 가운데 부분에 모여 유리컵에 떨어진다.

―액화한 물
―기화한 수증기
―소금물
―순수한 물

2-2

그림은 원유를 분리하는 과정을 나타낸 것이다. A~F 중 끓는점이 가장 높은 물질은?

( )

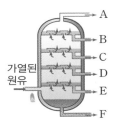

가열된 원유

증류탑에서 증류를 이용하여 원유를 분리하면 맨 위에서부터 끓는점이 낮은 물질들이 분리되어 나오게 되지.

2-3

그림은 물과 에탄올 등이 섞여 있는 탁주에서 맑은 술을 분리하는 소줏고리의 구조를 나타낸 것이다. 이 장치에서 이용한 분리 방법에 대한 설명으로 옳은 것은?

① 밀도 차를 이용한 분리 방법이다.
② 끓는점 차를 이용한 분리 방법이다.
③ 용해도 차를 이용한 분리 방법이다.
④ 자석에 붙는 성질을 이용한 분리 방법이다.
⑤ 알갱이의 크기 차를 이용한 분리 방법이다.

우리 조상들이 사용했던 소줏고리는 증류를 이용한 도구야.

찬물
―소줏고리
맑은 술
(소주)
탁주

용어 풀이
＊**원유**: 땅속 깊은 곳에서 얻어낸 탄화수소의 혼합물로서, 가공되지 않는 석유라는 뜻으로 '원유'라고 부른다.

대표 기출문제 주제 1 끓는점 차를 이용한 분리

1-1

그림과 같은 실험 장치를 이용하여 물과 에탄올의 혼합물을 분리하려고 한다. (단, 물의 끓는점은 100 ℃, 에탄올의 끓는점은 78 ℃이다.)

위 실험에 대한 설명으로 옳은 것은?

① 용해도 차를 이용한 분리 방법이다.
② 물은 100 ℃보다 낮은 온도에서 끓는다.
③ 끓는점이 높은 물질부터 먼저 분리되어 나온다.
④ 에탄올은 78 ℃보다 약간 높은 온도에서 끓어 나온다.
⑤ 물과 기름이 섞인 혼합물을 분리할 때도 이 방법을 주로 이용한다.

문제 해결 Point

가이드 액체 혼합물을 끓는점 차를 이용하여 분리하는 과정에 대해 알고, 끓는점이 높은 물질과 낮은 물질 중 먼저 분리되는 것을 구별할 수 있어야 한다.

해결 Point 증류가 가능한 혼합물은 물과 에탄올의 혼합물처럼 잘 섞여 있는 균일한 액체 혼합물이다. 이 액체 혼합물을 가열하게 되면 끓는점이 낮은 물질부터 먼저 기화되어 옆의 시험관에서 냉각되어 액체로 분리된다. 물의 끓는점은 100 ℃이고, 에탄올의 끓는점은 78 ℃이므로 끓는점이 낮은 에탄올이 먼저 기화되어 분리된다.

오개념 주의 물과 기름처럼 균일하게 섞이지 않는 액체 혼합물을 분리하는 방법으로 증류는 적합하지 않다.

1-2

물과 에탄올의 혼합물을 분리하는 방법에 대해 두 사람이 대화를 하고 있다. 가장 적합한 방법을 설명한 사람의 이름을 쓰시오.

1-3

그래프는 물과 에탄올 혼합물의 가열 곡선을 나타낸 것이다.

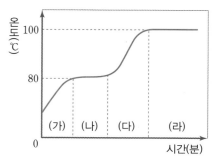

이에 대한 설명으로 옳은 것을 보기에서 모두 고른 것은?

보기

ㄱ. (가) 구간에서 물과 에탄올은 고체 상태이다.
ㄴ. (나) 구간에서는 주로 에탄올이, (라) 구간에서는 물이 분리된다.
ㄷ. 물질의 상태가 변하는 구간은 (가)와 (다)이다.

① ㄱ   ② ㄴ   ③ ㄷ
④ ㄱ, ㄴ   ⑤ ㄴ, ㄷ

Hint 가열 곡선 그래프에서 수평을 이루는 구간은 물질의 상태가 변하는 구간이다.

대표 기출문제 · 주제 2 끓는점 차를 이용한 분리의 예

2-1

그림은 원유를 분리할 때 이용하는 증류탑을 나타낸 것이다.

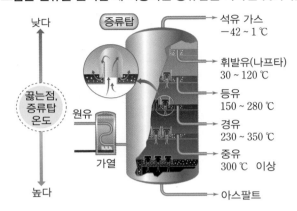

이에 대한 설명으로 옳지 <u>않은</u> 것은?

① 대량의 액체 혼합물을 분리한다.

② 끓는점 차를 이용한 혼합물의 분리 방법이다.

③ 증류탑의 위쪽으로 갈수록 온도가 높아진다.

④ 끓는점이 낮은 물질은 위쪽에서 분리되어 나온다.

⑤ 증류탑 내에서 원유 성분 물질이 기화와 액화를 반복하며 분리된다.

문제 해결 Point

가이드	증류탑의 구동 원리와 물질의 특성 중 어떤 점을 이용했는지 이해해야 한다.
해결 Point	증류탑은 물질의 끓는점을 이용하여 액체 혼합물인 원유를 분리하는 기계이다. 분별 증류를 이용하여 원유를 구성하는 액체 혼합물 중 끓는점이 낮은 물질부터 분리되기 시작하고 맨 위층부터 석유 가스, 나프타, 등유, 경유, 중유, 아스팔트 순으로 분리된다. 이렇게 분리된 여러 가지 물질들은 일상에서 목적에 맞게 활용된다.
오개념 주의	증류탑 안에서 증류가 여러 번 일어나며 원유가 분리된다는 사실에 주의하자.

2-2

그림은 식수가 부족한 아프리카 등에서 태양열로 바닷물을 가열하여 식수를 얻는 방법을 나타낸 것이다.

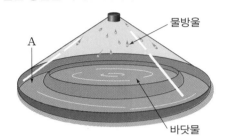

A에 모인 액체의 특징으로 옳은 것을 보기 에서 모두 고른 것은?

보기

ㄱ. 짠맛이 난다.

ㄴ. 다른 물질이 섞이지 않은 순수한 액체 물질이다.

ㄷ. 전기가 잘 통하지 않는다.

① ㄱ   ② ㄴ   ③ ㄷ

④ ㄱ, ㄴ   ⑤ ㄴ, ㄷ

Hint 물에서 전기가 통하는 것은 물속에 불순물이 들어 있기 때문이다. 순수한 물은 전기가 잘 통하지 않는다.

2-3

그림은 색이 불투명한 탁주에서 맑은 술을 얻기 위해 사용하는 소줏고리이다. 탁주와 맑은 술 중 에탄올의 비율이 더 높은 액체를 쓰시오.

주제 1 밀도 차를 이용한 분리

밀도 차를 이용하여 혼합물을 분리할 수 있다. 이때 밀도가 큰 물질은 가라앉고 밀도가 작은 물질은 위로 뜬다.

중요 개념

● 밀도 차를 이용한 분리

고체 혼합물의 분리	액체 혼합물의 분리
밀도가 다른 두 고체 혼합물은 고체를 녹이지 않고 밀도가 두 고체의 ❶(ㅈㄱ) 정도인 액체에 넣어 분리할 수 있다.	밀도가 다르고 서로 섞이지 않는 액체 혼합물은 ❷(ㅂㅂ) 깔때기를 이용하여 분리한다. 양이 적을 때는 스포이트를 이용

밀도가 작은 물질(A)
←액체
밀도가 큰 물질(B)

밀도 비교: A<액체<B

마개
밀도가 작은 – 예 식용유 물질(A)
밀도가 큰 – 예 물 물질(B)
꼭지

Tip

*분별 깔때기의 마개
➡ 마개를 열어야 대기압이 작용하여 꼭지를 열었을 때 밀도가 큰 액체가 아래로 내려갈 수 있다.

답 ❶ 중간 ❷ 분별

개념 원리 확인

○ 정답과 해설 **18**쪽

서로 섞이지 않는 액체 혼합물을 분리할 수 있는 간단한 방법은 밀도 차를 이용하는 것이야!

1-1

다음은 서로 섞이지 않는 혼합물의 분리 방법을 설명한 것이다. 빈칸에 알맞은 말을 쓰시오.

(1) 모래와 스타이로폼이 섞인 혼합물은 두 물질을 녹이지 않고, (   )가 두 물질의 중간 정도인 액체에 넣어 분리할 수 있다.

(2) 서로 섞이지 않는 액체 혼합물은 (   ) 차를 이용하여 쉽게 분리할 수 있다.

(3) 볍씨를 소금물에 넣으면 소금물보다 밀도가 (   ) 쭉정이는 소금물 위로 뜨므로 체로 걸러낼 수 있다.

밀도가 큰 물질은 밀도가 작은 물질보다 같은 부피일 때 더 무거워.

1-2

그림은 분별 깔때기를 이용하여 액체 혼합물을 분리하는 실험 장치이다. A와 B 중 밀도가 작은 물질을 쓰시오.

(   )

마개
A
B
꼭지

1-3

그림은 고체 A와 고체 C의 혼합물을 액체 B에 넣은 모습이다.

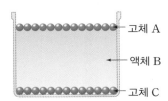

고체 A
액체 B
고체 C

A~C 중 밀도가 가장 큰 물질을 쓰시오. (단, 고체 A와 고체 C는 액체 B에 녹지 않는다.)

(   )

용어 풀이

* **분별 깔때기**: 밀도 차이가 많이 나 서로 섞이지 않는 두 종류의 액체를 분리하기 위해 사용하는 깔때기

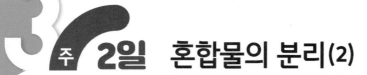

2일 혼합물의 분리(2)

주제 2 밀도 차를 이용한 분리의 예

일상에서 밀도 차를 이용하여 물질을 분리하는 예를 많이 찾아볼 수 있다.

중요 개념

● 밀도 차를 이용한 분리의 예

*사금 채취	사금이 섞인 모래를 그릇에 담고 물속에서 흔들면 ❶(ㅁㄷ)가 작은 모래는 물에 떠내려가고, 밀도가 큰 사금만 그릇에 남는다.
쭉정이 골라내기	볍씨를 소금물에 담그면 밀도가 작은 쭉정이는 위로 뜨고 속이 찬 볍씨는 밀도가 커서 아래로 가라앉는다.
혈액 분리	혈액을 원심 분리기에 넣고 분리하면 밀도가 ❷(ㅈㅇ) 혈장은 위로 뜨고 밀도가 큰 혈구는 가라앉는다.
바다에 유출된 기름 제거	바다에 유출된 기름은 바닷물보다 밀도가 작아 바닷물 위에 떠서 넓게 퍼지므로 기름막이를 설치하고 *흡착포를 사용하여 제거한다.

Tip

원심 분리기
➡ 원심력을 이용하여 성분이나 밀도가 다른 물질들을 분리할 수 있는 기계이다. 성분 헌혈을 통해 혈장을 분리하는 데 쓰이기도 한다.

🔒 ❶ 밀도 ❷ 작은

개념 원리 확인

좋은 볍씨는 속이 꽉 차
있어 밀도가 큰 반면에
쭉정이는 속이 비어 있어
밀도가 작아.

2-1

그림은 수확한 볍씨를 소금물에 넣어 쭉정이를 골라내는 모습이다. 좋은 볍씨와 쭉정이의 밀도를 비교하여 부등호로 표시하시오.

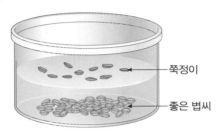

— 쭉정이

— 좋은 볍씨

(   )

2-2

밀도 차를 이용한 분리 방법의 예로 옳은 것을 보기 에서 모두 고른 것은?

보기
ㄱ. 탁주에서 청주 분리하기   ㄴ. 혈액 분리
ㄷ. 사금 채취하기   ㄹ. 증류탑에서 원유 분리하기

① ㄱ, ㄴ   ② ㄴ, ㄷ   ③ ㄷ, ㄹ
④ ㄱ, ㄴ, ㄷ   ⑤ ㄴ, ㄷ, ㄹ

밀도가 작은 물질은
위에 떠.

용어 풀이

＊**사금**(砂 모래, 金 쇠): 물가나 물
밑의 모래와 자갈 속에 섞인 금
알갱이
＊**흡착포**(吸 숨 들이쉴, 着 붙을, 布
베): 기름을 잘 빨아들이는 성질
의 천

2-3

그림은 소금물에 오래된 달걀과 신선한 달걀을 넣은 모습이다. 이에
대한 설명에 맞게 ( ) 안에서 알맞은 말을 고르시오.

— 오래된 달걀

— 신선한 달걀

(1) 오래된 달걀보다 소금물의 밀도가 더 (크다 / 작다).

(2) 신선한 달걀보다 소금물의 밀도가 더 (크다 / 작다).

(3) 오래된 달걀보다 신선한 달걀의 밀도가 더 (크다 / 작다).

대표 기출문제 | 주제 1 | 밀도 차를 이용한 분리

1-1

그림은 분별 깔때기를 사용하여 액체 혼합물을 분리하는 모습이다.

마개
밀도가 작은 물질(A)
밀도가 큰 물질(B)
꼭지

이에 대한 설명으로 옳은 것을 보기 에서 모두 고른 것은?

보기

ㄱ. A와 B는 서로 섞이지 않는 물질이다.

ㄴ. 혼합물을 밀도 차를 이용하여 분리하는 방법이다.

ㄷ. 꼭지를 열었을 때 먼저 비커로 나오는 물질은 A이다.

ㄹ. 분리된 후 분별 깔때기에 남아 있는 물질은 B이다.

① ㄱ, ㄴ   ② ㄴ, ㄷ   ③ ㄱ, ㄴ, ㄷ

④ ㄴ, ㄷ, ㄹ   ⑤ ㄱ, ㄴ, ㄷ, ㄹ

문제 해결 Point

가이드 | 서로 섞이지 않는 액체 혼합물은 밀도 차를 이용하여 분리할 수 있음을 알아야 한다.

해결 Point | 서로 섞이지 않는 액체 혼합물을 분별 깔때기에 넣고 가만히 두면 밀도가 큰 물질은 아래에, 밀도가 작은 물질은 위에 위치한다. 이후 마개를 열고 꼭지를 열면 밀도가 큰 물질(B)이 내려와 비커에 모이게 되고, 그 후에 꼭지를 잠그면 분별 깔때기에는 밀도가 작은 물질(A)만 남게 되어 혼합물을 분리할 수 있다.

오개념 주의 | 물을 분리한 후 분별 깔때기에 남아 있는 물질은 위에 위치했던 밀도가 작은 물질(A)이다.

1-2

그림은 서로 섞이지 않는 물질 A, B를 분별 깔때기에 넣은 모습이고, 표는 여러 가지 물질의 밀도를 나타낸 것이다.

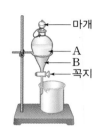

마개
A
B
꼭지

액체	수은	물	식용유
밀도(g/mL)	13.6	1	0.91

표의 액체를 분별 깔때기에 넣었을 때 A, B에 해당하는 물질을 옳게 짝 지은 것은? (단, 수은, 물, 식용유는 서로 섞이지 않는다.) (정답 2개)

	A	B
①	물	수은
②	수은	물
③	수은	식용유
④	식용유	물
⑤	물	식용유

1-3

액체에 녹지 않는 고체 A와 B의 혼합물을 분리하려 한다. A의 밀도가 0.7 g/cm³이고 B의 밀도가 1.5 g/cm³일 때, 혼합물 분리에 쓸 수 있는 액체의 밀도로 적절한 것은?

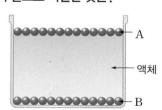

A
액체
B

① 0.3 g/cm³   ② 0.5 g/cm³   ③ 1 g/cm³

④ 1.7 g/cm³   ⑤ 2 g/cm³

Hint 고체 혼합물을 밀도 차로 분리하기 위해 쓸 수 있는 액체는 밀도가 두 고체의 중간 정도여야 한다.

대표 기출문제 **주제 2** 밀도 차를 이용한 분리의 예

2-1

다음은 강가의 모래에서 사금을 채취하는 모습이다.

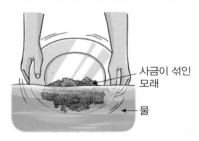

사금이 섞인 모래

물

위와 같은 원리를 이용하여 혼합물을 분리하는 예로 옳은 것은? (정답 2개)

① 바닷물에서 담수 채취

② 소줏고리로 청주 만들기

③ 혈액에서 혈장 분리하기

④ 볍씨에서 쭉정이 분리하기

⑤ 증류탑에서 원유 분리하기

2-2

그림과 같이 분별 깔때기로 혼합물을 분리할 때 이용되는 물질의 특성과 같은 원리를 이용하는 예를 바르게 짝 지은 것은?

마개

A
B
꼭지

① 끓는점 차 − 소줏고리

② 끓는점 차 − 볍씨 고르기

③ 밀도 차 − 원유 분리하기

④ 밀도 차 − 바닷물로 담수 만들기

⑤ 밀도 차 − 바다에 유출된 원유 제거

Hint 분별 깔때기는 서로 섞이지 않는 액체 혼합물을 밀도 차를 이용하여 분리하는 기구이다.

문제 해결 Point

가이드 일상에서 밀도 차를 이용해 혼합물을 분리하는 예를 알아 두어야 한다. 또한 다른 혼합물 분리 방법과 구분할 수 있어야 한다.

해결 Point 모래에서 사금을 채취하는 것은 밀도 차를 이용하여 혼합물을 분리하는 방법을 이용한 것이다. 바닷물에서 담수 만들기, 소줏고리로 맑은 술 만들기, 증류탑에서 원유 분리하기는 모두 물질의 끓는점 차를 이용하여 혼합물을 분리하는 예이다. 볍씨에서 쭉정이 분리하기는 쭉정이의 밀도가 작은 점을 이용한 것이고 혈액에서 혈장 분리하기는 혈구의 밀도가 큰 점을 이용한 것이다. 이는 모두 밀도를 이용하여 혼합물을 분리하는 예이다.

오개념 주의 혈액을 원심 분리기에 넣고 돌리면 혈장은 위로 뜨고 혈구는 가라앉는다. 이것은 원심력을 이용하여 혈구와 혈장을 밀도 차로 분리하는 것이다.

2-3

그림은 밀도 차를 이용하여 혼합물을 분리하는 방법에 대해 대화하는 학생들의 모습을 나타낸 것이다. 빈칸에 알맞은 말을 쓰시오.

오래된 달걀과 신선한 달걀을 소금물로 분리할 수 있는 원리가 뭐야?

밀도가 다르기 때문이야. 이때 소금물의 밀도는 오래된 달걀과 신선한 달걀의 (   ) 정도가 되어야 해.

준수   지나

3일 혼합물의 분리(3)

주제 1 용해도 차를 이용한 분리

용해도 차를 이용하여 혼합물을 분리할 수 있다. 이런 방법의 예로는 거름, 재결정 등이 있다.

중요 개념

● **용해도 차를 이용한 혼합물 분리** 아스피린이나 천일염의 정제 등에 이용된다.

거름	재결정
두 가지 고체 혼합물 중 한 가지 성분만 녹이는 ❶(ㅇㅁ)에 녹여 거름 장치로 걸러 분리하는 방법	고체 혼합물을 용매에 녹인 후에 다시 ❷(ㄴㄱ)시켜 순수한 결정을 석출하는 방법

용매에 녹지 않는 물질
용매에 녹는 물질

냉각
질산 이온
칼륨 이온
황산 이온
구리 이온
질산 칼륨 결정

Tip

용해도 차를 이용한 혼합물 분리

➡ 용해도 곡선에서 기울기가 큰 물질과 작은 물질의 혼합물을 용매에 녹인 후 냉각하면 기울기가 큰 물질이 석출되고 기울기가 작은 물질은 잘 석출되지 않는다.

답 ❶ 용매 ❷ 냉각

개념 원리 확인

○ 정답과 해설 19쪽

1-1

그림은 거름 장치를 이용하여 염화 나트륨과 모래의 혼합물을 물에 녹여 각 물질을 분리하는 실험 모습이다. A와 B에서 분리되는 물질은 무엇인지 쓰시오.

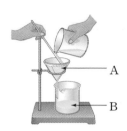

(   )

1-2

다음은 질산 칼륨과 황산 구리(Ⅱ)가 섞인 혼합물에서 질산 칼륨을 분리하는 방법에 대한 설명이다. 빈칸에 알맞은 말을 쓰시오.

고체는 대체로 용매의 온도가 내려갈수록 용해도가 감소하기 때문에 이를 이용해서 재결정을 할 수 있어.

> 질산 칼륨과 소량의 황산 구리(Ⅱ)가 섞인 혼합물을 물에 넣고 가열하여 모두 녹인 다음, 용액을 냉각하면 질산 칼륨의 흰색 결정이 석출된다. 이는 질산 칼륨이 황산 구리(Ⅱ)보다 온도에 따른 ⊙(   ) 차가 크기 때문인데, 이처럼 불순물을 제거하고 순수한 결정을 얻는 방법을 ⓒ(   )이라고 한다.

1-3

용해도 곡선의 기울기가 크다는 것은 온도에 따른 용해도 차가 크다는 뜻이야.

그림은 고체 물질의 용해도 곡선을 보고 두 친구가 나눈 대화이다. 빈칸에 알맞은 말을 쓰시오.

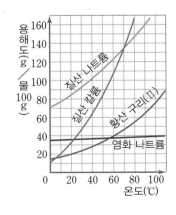

그래프에 나타난 물질 중 재결정으로 분리가 가장 잘 되는 혼합물은 무엇일까?

그건 그래프의 기울기가 가장 큰 질산 칼륨과 가장 작은 (   )이야!

준수   지나

용어 풀이

＊석출(析 가를, 出 날): 액체 속에서 고체가 생기거나 그런 현상

3주 3일 혼합물의 분리(3)

크로마토그래피

크로마토그래피를 이용하면 소량의 혼합물도 분리할 수 있다.

"이거 봐! 휴지에 사인펜으로 점을 찍고 물에 담갔더니 이렇게 변했어."

"사인펜 잉크에 들어 있는 색소가 물을 따라 이동하는데, 색소마다 이동하는 속도가 차이가 나서 그래."

거름종이
색소점
용매의 위치
파란색
보라색
노란색
용매의 위치

"이 혼합물의 분리 방법을 크로마토그래피라고 해."

"크로마토그래피는 운동선수들의 금지 약물 복용 여부를 검사하는 도핑 테스트에도 사용돼."

"크로마토그래피는 양이 적거나 특성이 비슷한 성분이 섞여 있는 혼합물도 분리할 수 있다는 장점이 있어."

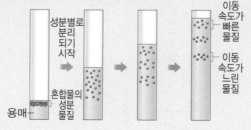

"힘이 넘친다."
크큭
"저기요~ 도핑 테스트 좀~"
"아주 조금 밖에 안 했어요."
크로마토그래피 장치
"금지 약물이 검출되었네요."

중요 개념

용매의 종류에 따라 분리되는 성분 물질의 수 또는 이동한 거리가 달라진다.

- **크로마토그래피** 혼합물을 이루는 각 물질이 ❶(ㅇㅁ)를 따라 이동하는 속도의 차를 이용하여 혼합물을 분리하는 방법
  예*도핑 테스트, 식품의 유해 성분 제거, 꽃잎의 색소 분리, 과학 수사 등

- **크로마토그래피의 특징**
  - 다른 분리 방법에 비해 간편하고, 여러 가지 성분을 한 번에 ❷(ㅂㄹ)할 수 있다.
  - 양이 적거나, 특성이 비슷한 성분이 섞여 있는 혼합물도 분리할 수 있다.

성분별로 분리되기 시작
혼합물의 성분 물질
용매
이동 속도가 빠른 물질
이동 속도가 느린 물질

Tip

크로마토그래피의 용매
➡ 크로마토그래피에 이용하는 용매는 성분 물질이 잘 녹는 물질로 사용해야 한다. 만약 성분 물질이 수용성이라면 물, 지용성이라면 에테르 등을 사용해야 한다.

답 ❶ 용매 ❷ 분리

개념 원리 확인

○정답과 해설 **19**쪽

크로마토그래피의 장점은 분리하기 힘든 소량의 성질이 비슷한 물질도 쉽게 분리할 수 있다는 점이지.

2-1

다음에서 공통으로 이용되는 혼합물의 분리 방법을 쓰시오.

• 도핑 테스트   • 꽃잎의 색소 분리 • 식품의 유해 성분 검출   • 과학수사

(   )

2-2

사실 검은색 잉크는 여러 색의 잉크들이 섞인 혼합물이었다는 사실!

그림은 수성 사인펜 잉크의 색소를 분리하는 모습이다.

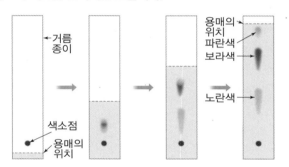

색소 중 이동 속도가 가장 빠른 색소와 가장 느린 색소를 쓰시오.

(1) 이동 속도가 가장 빠른 색소: (   )
(2) 이동 속도가 가장 느린 색소: (   )

2-3

크로마토그래피의 원리를 옳게 설명한 것은?

① 성분 물질의 무게 차이
② 성분 물질의 색깔 차이
③ 성분 물질의 밀도 차이
④ 성분 물질이 용매에 녹는 차이
⑤ 성분 물질이 용매를 따라 이동하는 속도 차이

용어 풀이

＊ **도핑 테스트**: 운동선수가 성적을 올리기 위하여 금지된 약물을 복용했는지 여부를 검사하는 것

3주 3일 기초 집중 연습

대표 기출문제 `주제 1` 용해도 차를 이용한 분리

1-1

그래프는 여러 가지 고체 물질의 물에 대한 용해도 곡선이다.

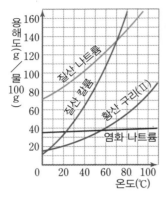

2가지 물질을 섞어 혼합물을 만들 경우 재결정을 통해 가장 효율적인 분리가 가능한 물질끼리 짝 지은 것은?

① 질산 칼륨 - 염화 칼륨

② 황산 구리(Ⅱ) - 질산 칼륨

③ 질산 나트륨 - 황산 구리(Ⅱ)

④ 염화 나트륨 - 황산 구리(Ⅱ)

⑤ 질산 칼륨 - 염화 나트륨

문제 해결 Point

가이드	용해도 차를 이용한 혼합물 분리에 가장 효율적인 혼합물 조합은 냉각 시에 석출이 가장 많이 되는 물질과 석출이 가장 적게 되는 물질을 혼합한 것임을 알아야 한다.
해결 Point	용해도 곡선의 기울기가 가장 큰 물질과 가장 작은 물질의 혼합물이 재결정을 이용하여 분리하기에 적합하다. 용해도 곡선의 기울기가 클 경우 재결정 과정에서 석출되는 양이 많고, 반대로 기울기가 작은 경우 재결정을 통해 석출되는 양이 적기 때문에 두 물질을 섞은 혼합물을 분리할 때 가장 효과적으로 분리가 가능하다.
오개념 주의	염화 나트륨의 용해도 곡선 기울기가 가장 작지만 경우에 따라서는 냉각 시에 소량의 염화 나트륨이 석출될 수도 있다는 점을 주의한다.

1-2

그래프는 염화 나트륨과 붕산의 용해도 곡선을 나타낸 것이다.

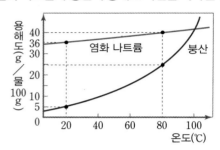

이에 대한 설명으로 옳은 것을 `보기`에서 모두 고른 것은?

`보기`

ㄱ. 80 ℃의 물 100 g에 최대로 녹일 수 있는 물질의 양은 염화 나트륨이 붕산보다 많다.

ㄴ. 염화 나트륨은 온도에 따른 용해도 차이가 붕산보다 작다.

ㄷ. 100 ℃의 물 100 g에 염화 나트륨과 붕산을 각각 35 g씩 넣어 녹인 후 20 ℃로 냉각시키면 붕산 25 g이 석출된다.

① ㄱ   ② ㄴ   ③ ㄷ

④ ㄱ, ㄴ   ⑤ ㄴ, ㄷ

Hint 용해도의 기울기가 급한 물질을 재결정했을 때 결정이 더 많이 석출된다.

1-3

용해도 차를 이용하여 분리하는 예를 `보기`에서 모두 고른 것은?

`보기`

ㄱ. 염전에서 얻은 소금 정제

ㄴ. 탁주를 청주로 만들기

ㄷ. 뜨거운 물에 티백으로 차 우리기

ㄹ. 사금 채취

① ㄱ, ㄴ   ② ㄱ, ㄷ   ③ ㄴ, ㄷ

④ ㄴ, ㄹ   ⑤ ㄷ, ㄹ

대표 기출문제 **주제 2** 크로마토그래피

2-1

그림과 같은 장치를 이용하여 혼합물을 분리하려고 한다.

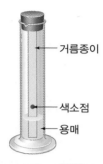

거름종이
색소점
용매

이에 대한 설명으로 옳은 것을 [보기]에서 모두 고르시오.

[보기]

ㄱ. 소량의 혼합물을 분리하는 데 효과적이다.

ㄴ. 색소 분리에 사용할 수 있다.

ㄷ. 끓는점 차를 이용한 분리 방법이다.

ㄹ. 혼합물을 녹일 수 있는 용매를 사용해야 한다.

① ㄱ, ㄴ   ② ㄴ, ㄷ   ③ ㄷ, ㄹ

④ ㄱ, ㄴ, ㄷ   ⑤ ㄱ, ㄴ, ㄹ

문제 해결 Point

가이드	크로마토그래피의 장점과 활용에 대해 이해할 수 있어야 하고, 실험시 주의할 점에 대해서도 알고 있어야 한다.
해결 Point	크로마토그래피는 <u>성질이 비슷한 소량의 혼합물을 분리하는 데 효과적인 방법이다.</u> 그래서 주로 색소를 분리하는 데 많이 활용되고 있다. 주의할 점은 <u>분리할 혼합물을 녹일 수 있는 용매를 사용해야 한다</u>는 점이다. 혼합물의 성질이 수용성인지 지용성인지 잘 파악한 후에 실험을 해야 한다.
오개념 주의	크로마토그래피는 혼합물을 이루는 각 물질이 용매를 따라 이동하는 속도의 차를 이용한 혼합물의 분리 방법이다.

2-2

그림은 A~E의 물질을 이용하여 크로마토그래피를 한 결과이다. (단, 용매로 물을 이용한다.)

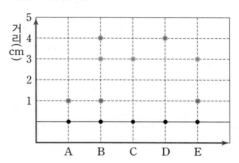

이에 대한 설명으로 옳지 <u>않은</u> 것은?

① A는 물에 녹는다.

② B는 적어도 3개의 성분을 포함한다.

③ C는 D 성분에 포함된다.

④ D의 성분은 A의 성분보다 이동 속도가 빠르다.

⑤ E는 혼합물이다.

Hint 물질의 종류에 따라 성분 물질이 올라간 높이와 용매가 올라간 높이의 비는 일정하다.

2-3

크로마토그래피로 분리할 수 있는 예로 옳은 것은? (정답 2개)

① 도핑 테스트

② 의약품 성분 분리

③ 소금물로 볍씨 고르기

④ 증류탑에서 원유 분리

⑤ 바닷물에서 식수 얻기

주제 1 수권의 분포

지구상에 물이 존재하는 영역인 수권에서 물의 양은 해수 > 빙하 > 지하수 > 하천수와 호수의 순으로 많이 분포한다.

중요 개념

● **해수** 바다에 분포하는 물
- 수권의 대부분인 약 97.47 %를 차지함
- 바닷물은 소금기가 있어 ❶(ㅉㅁ)이 남

● **담수** 소금기가 거의 없어 짠맛이 나지 않는 물
- *빙하: 전체 담수의 약 69.6 %를 차지함
- 지하수: 땅속의 지층이나 암석 사이의 틈을 채우고 있는 물로, 담수의 약 30 %를 차지함
- 하천수와 호수: ❷(ㅈㅍ)부근의 물로, 담수의 매우 적은 양을 차지함

하천수·호수 등 0.01 %
지하수 0.76 %
해수 97.47 %
담수 2.53 %
빙하 1.76 %

▲ 지구상의 물의 분포

Tip

사람들이 쉽게 이용할 수 있는 물
➡ 하천수와 호수로, 수권 전체에서 매우 적은 양을 차지하며, 담수의 약 0.4 %를 차지한다.

답 ❶ 짠맛 ❷ 지표

개념 원리 확인

○ 정답과 해설 **20쪽**

1-1

그림은 지구에 분포하는 물의 비율을 나타낸 것이다. 빈칸에 알맞은 말을 쓰시오.

담수 중에서 가장 많은 비율을 차지하는 것은 극지방이나 고산 지대에 있는 얼어 있는 빙하야.

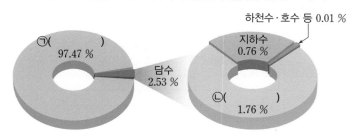

⊙(   )
97.47 %

담수
2.53 %

하천수·호수 등 0.01 %

지하수
0.76 %

ⓛ(   )
1.76 %

1-2

담수에 해당하는 것을 [보기]에서 모두 고르시오.   (   )

육지에 분포하는 물에는 소금기가 거의 없어서 짠맛이 나지 않아.

> **보기**
>
> ㄱ. 바닷물   ㄴ. 빙하
>
> ㄷ. 지하수   ㄹ. 하천수와 호수

1-3

다음은 육지의 물에 대한 설명이다. (가)와 (나)는 각각 무엇인지 쓰시오.   (   )

> (가) 땅속의 지층이나 암석 사이의 빈틈을 채우고 있다.
>
> (나) 극지방이나 고산 지대에 얼음 또는 눈의 형태로 존재한다.

용어 풀이

＊**빙하**(氷 얼음, 河 강물): 극지방이나 고산 지대에서 눈이 녹지 않고 굳어서 생긴 두꺼운 얼음덩어리

주제 2 수자원의 활용

수자원은 생물의 생명 유지에 필수적일 뿐 아니라 물건을 만들고 농사를 지을 때 등 다양하게 이용된다.

중요 개념

* **수자원의 용도** 농업용수, 생활용수, 유지용수, 공업용수 등
  * **❶(ㄴㅇㅇㅅ)**: 우리나라에서 가장 많이 이용하고 있는 수자원
  * **생활용수**: 일상 생활에서 먹거나 씻는 데 사용하는 물로, 최근 이용량이 빠르게 증가함
  * **유지용수**: 하천으로서의 기능을 유지하기 위해 필요한 물
  * **공업용수**: 공장에서 물건을 만들 때 이용하는 물
* **수자원의 가치**
  * 인구 증가와 산업 발달로 물 사용량 증가 추세
    ➡ 물 확보와 효율적 관리 필요
  * 수자원을 확보하는 데 **❷(ㅈㅎㅅ)** 개발은 매우 중요함
    ➡ 하천수에 비해 양이 풍부하고 간단한 정수 과정을 거쳐 바로 사용 가능함

Tip

생활용수 사용량이 최근 빠르게 증가하는 까닭
➡ 인구가 늘어나고 생활 수준이 향상되면서 씻고 마시는 등의 일상생활에 사용되는 물의 사용량이 증가했기 때문이다.

답 ❶ 농업용수 ❷ 지하수

개념 원리 확인

○ 정답과 해설 **20쪽**

수자원이란 사람에게 실질적으로 또는 잠재적으로 쓸모 있는 물의 원천을 말해.

2-1

그림은 우리나라의 용도별 수자원 이용 비율을 나타낸 것이다. 빈칸에 알맞은 수자원의 용도를 쓰시오.

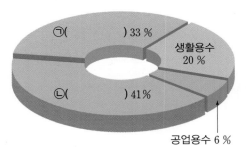

㉠( ) 33 %

생활용수 20 %

㉡( ) 41%

공업용수 6 %

2-2

쉽게 활용할 수 있는 물은 호수와 하천수, 지하수가 있어.

다음과 같이 수자원으로 활용되는 지구상의 물을 [보기]에서 골라 쓰시오. ( )

- 하천수에 비해 양이 풍부하다.
- 빗물이 스며들어 다시 채워지므로 수자원으로서의 활용 가치가 높다.
- 냉난방 등에도 활용할 수 있다.

[보기]

해수, 빙하, 지하수, 호수와 하천수

2-3

다음은 우리나라 수자원의 용도에 대해 두 학생이 나눈 대화이다. 빈칸에 알맞은 말을 쓰시오.

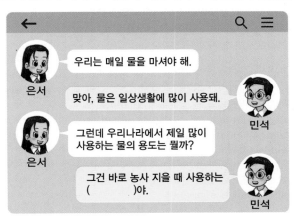

은서: 우리는 매일 물을 마셔야 해.

민석: 맞아, 물은 일상생활에 많이 사용돼.

은서: 그런데 우리나라에서 제일 많이 사용하는 물의 용도는 뭘까?

민석: 그건 바로 농사 지을 때 사용하는 ( )야.

용어 풀이

＊**수자원**(水 물, 資 재물, 源 근원): 여러 분야에서 자원으로 이용할 수 있는 물

3주

4일

대표 기출문제 | 주제 1 | 수권의 분포

1-1

그림은 수권을 구성하는 물의 부피비를 나타낸 것이다.

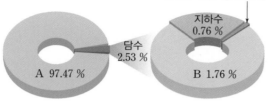

A와 B에 대한 설명으로 옳은 것을 보기 에서 모두 고른 것은?

보기
ㄱ. A는 지하수이다.
ㄴ. A는 소금기가 있어 짠맛이 난다.
ㄷ. B는 빙하이다.
ㄹ. B는 땅속에 존재한다.

① ㄱ, ㄹ   ② ㄴ, ㄷ   ③ ㄷ, ㄹ
④ ㄱ, ㄷ, ㄹ   ⑤ ㄴ, ㄷ, ㄹ

문제 해결 Point

가이드 지구에 분포하는 물의 부피비를 비교한 그림에서 가장 많은 비율을 차지하는 것이 무엇인지를 알고, 각 수권의 특성도 알고 있어야 한다.

해결 Point 지구에 분포하는 물 중에서 **해수**가 가장 많은 부피비를 차지하며, 소금기가 있어서 짠맛이 난다. **빙하**는 육지에 존재하는 물로, 두 번째로 많은 부피비를 차지하며, 소금기가 거의 없는 담수이다. 빙하는 대부분 극지방이나 고산 지대에 얼음 또는 눈의 형태로 존재한다.

오개념 주의 육지의 물 중에서 가장 많은 양을 차지하는 것은 지하수가 아니라 얼어 있는 빙하이다.

1-2

다음은 지구에 분포하는 물의 부피비에 대해 두 학생이 나눈 대화이다. 옳게 말한 학생을 쓰시오.

지구에 분포하는 물 중에서 가장 많은 부피비를 차지하는 것은 하천수와 호수의 물이야.

준수

바닷물이 지구 전체 물의 97%를 차지하고 있어.

지나

1-3

다음은 수권을 구성하는 물의 분포를 설명한 것이다.

보기
A. 대부분 극지방이나 고산 지대에 얼음의 형태로 존재한다.
B. 짠맛이 나며, 지구 전체 물의 대부분을 차지한다.
C. 소금기가 거의 없는 담수이며, 땅속을 흐른다.

해수, 빙하, 지하수에 해당하는 지구상의 물을 보기 에서 골라 쓰시오.

(1) 해수: (   )

(2) 빙하: (   )

(3) 지하수: (   )

Hint 해수는 짠맛이 나지만, 빙하와 지하수는 소금기가 거의 없는 담수이다.

대표 기출문제 **주제 2** 수자원의 활용

2-1

그림은 우리나라 수자원의 용도별 이용 현황이다.

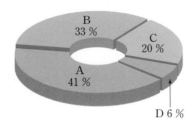

A~D에 대한 설명으로 옳은 것을 모두 고르면? (정답 2개)

① A는 일상생활을 하는 데 사용되는 물이다.

② B는 하천으로서의 기능을 유지하는 데 사용되는 물이다.

③ 물은 공업용수로 가장 많이 이용한다.

④ C는 인구의 증가와 산업의 발달로 그 사용량이 급격히 증가하였다.

⑤ D는 농사를 짓는 데 사용하는 물이다.

문제 해결 Point

가이드 우리나라에서 가장 많이 이용되는 수자원과 각 수자원의 이용 현황 비율을 알고 있어야 하고, 수자원별로 어떤 특징이 있는지를 알고 있어야 한다.

해결 Point 우리나라에서는 수자원을 **농업용수**로 가장 많이 이용하고 있다. 그 다음으로는 하천의 기능을 유지하기 위해 필요한 **유지용수**와 각 가정에서 일상생활을 하는 데 이용하는 **생활용수**로도 많이 이용한다.
물은 생명 유지에 필수적이며, 그 용도별로 농업용수, 유지용수, 생활용수, 공업용수로 사용한다.

오개념 주의 우리나라에서 가장 많이 이용하는 수자원의 용도는 농업용수이고, 최근 그 사용량이 급격히 증가한 수자원의 용도는 생활용수이다.

2-2

수자원에 대한 설명으로 옳은 것을 보기 에서 모두 고른 것은?

보기

ㄱ. 수자원의 양은 무한하다.

ㄴ. 생활에 주로 이용하는 물은 담수이다.

ㄷ. 사람이 살아가는 데 꼭 필요한 자원이다.

① ㄱ   ② ㄷ   ③ ㄱ, ㄴ

④ ㄴ, ㄷ   ⑤ ㄱ, ㄴ, ㄷ

2-3

그림은 우리나라 수자원의 이용 현황이다.

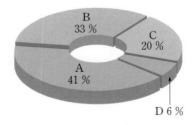

A~D 중 다음 설명에 해당하는 수자원은 무엇인지 기호와 종류를 쓰시오.

> 인구가 증가하고 산업 발달과 함께 생활 수준이 향상되면서 최근 그 이용량이 크게 증가하고 있다.

Hint 우리나라에서는 수자원을 농업용수, 유지용수, 생활용수, 공업용수 순으로 많이 이용한다.

주제 1 해수의 온도

해수는 깊이에 따른 수온 분포에 따라 혼합층, 수온 약층, 심해층으로 구분한다.

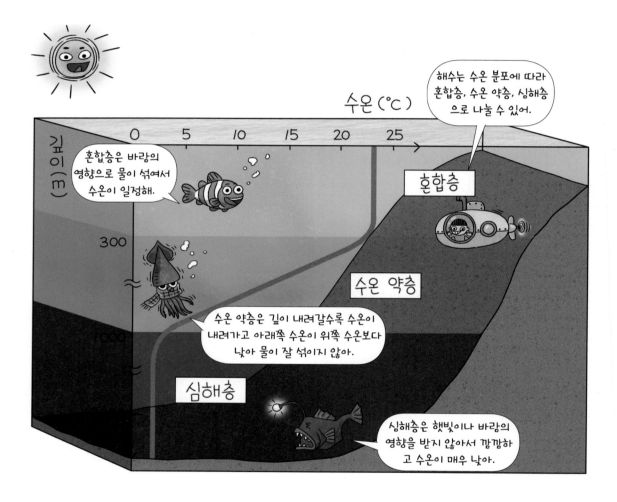

중요 개념

● **표층 해수의 온도** 저위도에서 고위도로 갈수록 낮아진다. ➡ 지구로 들어오는 태양 에너지는 적도 지방에서 가장 많고 고위도로 갈수록 줄어들기 때문

● **수온의 연직 분포**
  • 혼합층: 해수면 부근 수온이 일정한 층 ➡ ❶(ㅂㄹ)의 영향으로 해수가 잘 섞이기 때문
  • ❷(ㅅㅇㅇㅊ): 혼합층 아래의 깊이가 길어질수록 수온이 급격히 낮아지는 층
  • 심해층: *수온 약층 아래의 수온이 매우 낮고 변화가 없는 층

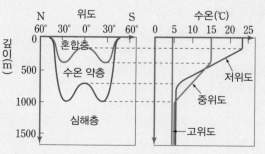

Tip

심해층의 수온이 매우 낮은 까닭
➡ 햇빛이 거의 도달하지 않기 때문이다.

답 ❶ 바람 ❷ 수온 약층

개념 원리 확인

지구로 들어오는 태양 에너지가 많으면 바닷물은 태양 에너지를 더 많이 흡수하게 되면서 수온이 높아지는 거야.

1-1

다음은 전 세계 바다의 표층 수온 분포를 보고 두 학생이 나눈 대화이다. 빈칸에 알맞은 말을 쓰시오.

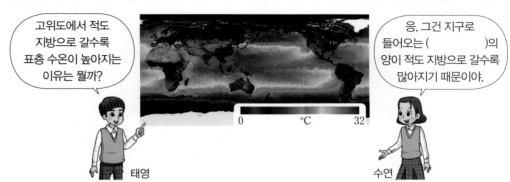

고위도에서 적도 지방으로 갈수록 표층 수온이 높아지는 이유는 뭘까?

태영

응, 그건 지구로 들어오는 (   )의 양이 적도 지방으로 갈수록 많아지기 때문이야.

수연

1-2

깊이에 따른 해수의 수온 분포는 도달하는 햇빛과 바람의 영향으로 달라져.

그림은 깊이에 따른 해수의 수온 분포를 나타낸 것이다. A~C층의 이름을 쓰시오.

(   )

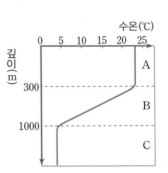

1-3

깊어질수록 수온이 낮아져서 해수가 잘 섞이지 않고 안정한 층의 이름을 쓰시오.

(   )

용어 풀이

＊**수온 약층**(水 물, 溫 온도, 躍 도약 하다, 層 층): 깊이가 깊어질수록 수온이 급격히 낮아지는 층이다.

해수의 특성

주제 2 해수의 염분

바닷물에는 염화 나트륨, 염화 마그네슘, 황산 마그네슘 등의 염류가 녹아 있어서 짠맛이 난다.

중요 개념

- **염류** 바닷물에 녹아 있는 여러 가지 물질
  - ❶(ㅇㅎㄴㅌㄹ): 가장 많은 양을 차지함
  - 염화 마그네슘: 두 번째로 많은 양을 차지함
- **염분** 바닷물 1 kg에 녹아 있는 염류의 g 수

$$염분(psu) = \frac{염류의\ 양(g)}{해수(물+염류)의\ 양(g)} \times 1000$$

- 단위: *psu(실용염분단위) ➡ 전 세계 해수의 평균 염분: 35 psu
- 염분이 높은 지역 ➡ 증발량이 많은 곳
- 염분이 낮은 지역 ➡ ❷(ㄱㅅㄹ)이 많은 곳, 강물이 유입되는 바다
- **염분비 일정 법칙** 바닷물에 녹아 있는 염류 사이의 비율은 거의 일정함

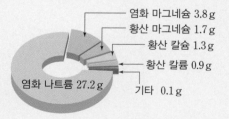

염화 마그네슘 3.8 g
황산 마그네슘 1.7 g
황산 칼슘 1.3 g
황산 칼륨 0.9 g
염화 나트륨 27.2 g
기타 0.1 g

▲ 35 psu인 해수의 염류의 양

Tip

바닷물의 염분비가 일정한 까닭
➡ 바닷물이 오랜 세월 동안 끊임없이 움직이면서 염류가 골고루 섞이기 때문이다.

답 ❶ 염화 나트륨 ❷ 강수량

개념 원리 확인

○ 정답과 해설 **21쪽**

바닷물이 짠 까닭은 소금이 녹아 있기 때문이야.

2-1

다음은 바닷물의 염류에 대해 두 학생이 나눈 대화이다. 빈칸에 알맞은 말을 쓰시오.

고은: 바닷물은 왜 짠맛이 날까?

경민: 소금이 녹아 있어서 그래.

고은: 우리 물을 바닷물처럼 만들어 볼까?

경민: ㉠(   ) 나트륨, ㉡(   ) 마그네슘, 황산 마그네슘을 넣어보자.

강수량보다 증발량이 더 많은 지역은 염분이 높아.

2-2

다음은 염류와 염분에 대한 설명이다. (   ) 안에서 알맞은 말을 고르시오.

(1) 해수에 녹아 있는 여러 가지 물질을 (염류 / 염분)(이)라고 한다.

(2) 염류 중에 가장 많은 양을 차지하는 물질은 (염화 나트륨 / 염화 마그네슘)이다.

(3) 염분이 높은 바다는 (강수량 / 증발량)이 많은 지역이다.

2-3

그림과 같이 바닷물 1000 g을 증발 접시에 담고 가열하여, 물을 완전히 증발시킨 후, 증발 접시에 남아 있는 염류의 양을 측정하였더니 35 g이었다. 이 바닷물의 염분은 몇 psu인지 쓰시오.

(   )

바닷물 1000 g

증발 접시

용어 풀이

＊psu(실용염분단위): 해수의 전기 전도도를 이용하여 측정하는 염분의 단위로, 전기가 잘 통하는 해수일수록 염류가 많이 녹아 있다.

대표 기출문제 | 주제 1 | 해수의 온도

1-1

그림은 깊이에 따른 해수의 수온 분포를 나타낸 것이다.

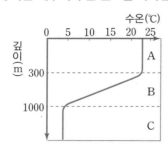

이에 대한 설명으로 옳은 것을 보기 에서 모두 고른 것은?

보기

ㄱ. A는 혼합층이다.
ㄴ. B는 바람에 의해 바닷물이 섞인다.
ㄷ. C는 수온이 매우 낮고 변화가 거의 없다.

① ㄱ   ② ㄴ   ③ ㄷ
④ ㄱ, ㄷ   ⑤ ㄴ, ㄷ

1-2

그림은 전 세계 바다의 표층 수온 분포를 나타낸 것이다.

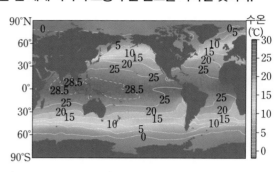

위 그림에 대한 설명으로 옳은 것을 보기 에서 모두 고른 것은?

보기

ㄱ. 고위도 지방으로 갈수록 표층 수온이 높다.
ㄴ. 바닷물은 태양 에너지를 흡수하여 따뜻해진다.
ㄷ. 적도 지방의 표층 수온이 고위도 지방보다 더 높다.

① ㄱ   ② ㄴ   ③ ㄷ
④ ㄱ, ㄷ   ⑤ ㄴ, ㄷ

문제 해결 Point

가이드   깊이에 따른 해수의 수온 분포에 따라 혼합층, 수온 약층, 심해층으로 구분됨과 각 층의 특징을 알고 있어야 한다.

해결 Point   **혼합층**은 해수면 부근의 층으로 바람의 영향으로 바닷물이 섞이게 되어 수온이 일정하다. 혼합층 아래에는 깊이에 따라 수온이 급격히 낮아지는 **수온 약층**이 있으며, 아래쪽 수온이 위쪽보다 낮아서 물이 잘 섞이지 않는다. **심해층**은 햇빛이 거의 도달하지 않으므로 연중 수온이 매우 낮고 변화가 거의 없다.

오개념 주의   바람의 의해서 수온이 일정한 층은 혼합층이고, 햇빛이 도달하지 않고 연중 매우 낮은 수온이 일정하게 나타나는 층은 심해층이다.

1-3

그림은 깊이에 따른 해수의 수온 분포를 나타낸 것이다.

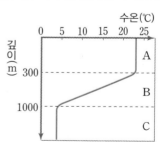

다음에서 설명하고 있는 층의 기호와 이름을 쓰시오.

- 태양 에너지를 흡수하여 온도가 높다.
- 바람의 영향으로 해수가 잘 섞여 수온이 일정하다.

Hint 바람의 영향을 받는 층은 해수면 부근의 혼합층이다.

대표 기출문제 주제 2 해수의 염분

2-1

그림은 35 psu인 어느 해수 1 kg 속에 녹아 있는 염류의 질량을 나타낸 것이다.

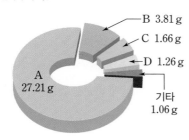

이에 대한 설명으로 옳은 것을 보기 에서 모두 고른 것은?

보기

ㄱ. A는 염화 마그네슘이고, B는 염화 나트륨이다.

ㄴ. A는 짠맛을 내고, B는 쓴맛을 낸다.

ㄷ. 해수에 녹아 있는 염류 A와 B의 질량비는 지역이나 계절에 상관없이 거의 일정하다.

① ㄱ ② ㄷ ③ ㄱ, ㄴ

④ ㄴ, ㄷ ⑤ ㄱ, ㄴ, ㄷ

문제 해결 Point

가이드
바닷물의 염분은 지역에 따라 다르지만, 해수에 녹아 있는 염류 사이의 비율은 항상 일정함을 이해해야 한다.

해결 Point
바닷물의 염분은 지역에 따라 다르게 나타난다. 바닷물의 염분에 상관없이 바닷물 속에 녹아 있는 각 염류가 차지하는 비율은 어느 바다나 거의 일정하다. 즉, 염화 나트륨이 가장 많은 비율을 차지하고 다음으로 염화 마그네슘, 황산 마그네슘, 황산 칼슘이 차지한다. 따라서 현재 바닷물의 염분이 35 psu여도, 이에 상관 없이 염류가 차지하는 비율은 염화 나트륨＞염화 마그네슘＞황산 마그네슘＞황산 칼슘의 순서로 차지한다.

2-2

다음 보기 에서 염분이 낮은 지역을 모두 골라 그 기호를 쓰시오.

보기

ㄱ. 강수량이 증발량보다 많은 지역

ㄴ. 증발량이 강수량보다 많은 지역

ㄷ. 강물이 흘러 들어오는 지역

ㄹ. 비가 많이 내리는 지역

2-3

표는 어느 바닷물 1 kg 속에 들어 있는 염류의 질량을 측정한 것이다.

염류	염화 나트륨	염화 마그네슘	기타
질량(g)	23.3	3.3	3.4

이 바닷물의 염분은 몇 psu인가?

① 29 ② 30 ③ 31

④ 33 ⑤ 34

Hint 염분은 바닷물 1 kg 속에 녹아 있는 염류의 총량을 g 수로 나타낸 것이다.

누구나 100점 테스트

끓는점 차를 이용한 분리 ▶ p.96

01 그래프는 물과 에탄올 혼합물의 가열 곡선을 나타낸 것이다.

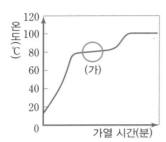

이 그래프에 대한 설명으로 옳은 것은?

① (가) 구간의 온도는 일정하다.

② 끓는점이 높은 물질이 먼저 끓는다.

③ 물보다 에탄올이 나중에 끓어 나온다.

④ (가) 구간에서 에탄올이 끓으면서 기화된다.

⑤ (가) 구간에서 주로 일어나는 상태 변화는 승화이다.

끓는점 차를 이용한 분리의 예 ▶ p.98

02 그림은 원유를 분리하는 과정을 나타낸 것이다. 이에 대한 설명으로 옳지 않은 것은?

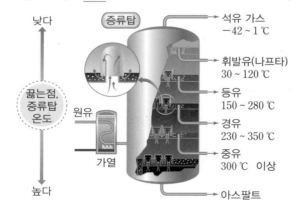

① 아스팔트의 끓는점이 가장 높다.

② 물질의 끓는점 차를 이용한 분리 방법이다.

③ 끓는점이 높은 물질이 가장 위에서 분리된다.

④ 분리된 물질마다 활용하는 분야가 각각 다르다.

⑤ 원유가 등유나 경유 등의 여러 물질로 분리된다.

밀도 차를 이용한 분리 ▶ p.102

03 그림은 고체 혼합물 A와 B를 액체에 넣은 모습이다. (단, 액체는 A, B를 녹이지 않는다.)

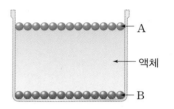

각 물질의 밀도를 옳게 비교한 것은?

① A<B<액체　　② A<액체<B

③ B<A<액체　　④ B<액체<A

⑤ A=B=액체

밀도 차를 이용한 분리의 예 ▶ p.104

04 밀도 차를 이용한 분리의 예로 옳은 것을 보기 에서 모두 고른 것은?

> **보기**
> ㄱ. 소금물을 이용하여 신선한 달걀과 오래된 달걀 분리하기
> ㄴ. 탁주에서 맑은 술만 뽑아내기
> ㄷ. 수확한 볍씨에서 알찬 볍씨만 골라내기

① ㄱ　　　　② ㄴ　　　　③ ㄷ

④ ㄱ, ㄷ　　　⑤ ㄴ, ㄷ

용해도 차를 이용한 분리 ▶ p.108

05 그림은 거름 장치를 나타낸 것이다. 이 장치를 이용하여 분리하기에 가장 적절한 혼합물은?

① 탁주　　　　② 물과 기름

③ 물과 에탄올　④ 모래와 소금

⑤ 사인펜의 색소

06 그림은 수성 사인펜 잉크를 크로마토그래피를 이용하여 분리한 모습이다. 이에 대한 설명으로 옳지 <u>않은</u> 것은?

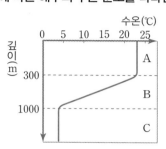

크로마토그래피 ▶ p.110

① 물을 용매로 사용한다.

② 소량의 혼합물도 분리할 수 있다.

③ 이 방법은 도핑 테스트, 꽃잎의 색소 분리 등에도 사용된다.

④ 파란색 색소가 노란색 색소보다 이동 속도가 더 느리다.

⑤ 용매에 따른 성분 물질의 이동 속도 차를 이용하여 분리하는 방법이다.

07 수권에 분포하는 물의 비율을 옳게 비교한 것은?

수권의 분포 ▶ p.114

① 하천수와 호수의 물 > 해수 > 빙하 > 지하수

② 하천수와 호수의 물 > 지하수 > 해수 > 빙하

③ 해수 > 빙하 > 하천수와 호수의 물 > 지하수

④ 해수 > 빙하 > 지하수 > 하천수와 호수의 물

⑤ 지하수 > 하천수와 호수의 물 > 해수 > 빙하

08 그림은 우리나라 수자원의 용도별 활용 현황이다. A~C에 대한 설명으로 옳은 것을 보기 에서 모두 고른 것은?

수자원의 활용 ▶ p.116

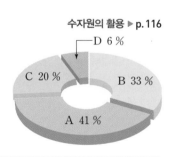

보기

ㄱ. A는 농사짓는 데 사용된다.

ㄴ. 마시거나 씻는 등의 일상생활에 사용되는 물은 B이다.

ㄷ. C는 하천의 기능을 유지하는 데 필요한 물이다.

ㄹ. D는 제품을 생산하는 데 필요한 유지용수이다.

① ㄱ   ② ㄴ   ③ ㄷ

④ ㄱ, ㄹ   ⑤ ㄴ, ㄷ

09 그림은 깊이에 따른 해수의 수온 분포를 나타낸 것이다.

해수의 온도 ▶ p.120

A~C에 대한 설명으로 옳은 것을 보기 에서 모두 고른 것은?

보기

ㄱ. A에서는 바람의 영향을 받아 물이 섞이면서 수온이 일정하다.

ㄴ. B는 연중 수온이 매우 낮고 변화가 거의 없다.

ㄷ. C는 깊어질수록 수온이 급격하게 낮아진다.

① ㄱ   ② ㄴ   ③ ㄷ

④ ㄱ, ㄴ   ⑤ ㄴ, ㄷ

10 해수의 염분에 대한 설명으로 옳은 것을 보기 에서 모두 고른 것은?

해수의 염분 ▶ p.122

보기

ㄱ. 강물 유입량이 많은 우리나라 황해는 동해보다 염분이 낮다.

ㄴ. 염분에 관계없이 염류 총량에 대한 각 염류의 구성 비율은 어느 바다나 거의 일정하다.

ㄷ. 강수량이 증발량보다 많은 적도 해역은 염분이 높다.

① ㄱ   ② ㄷ   ③ ㄱ, ㄴ

④ ㄴ, ㄷ   ⑤ ㄱ, ㄴ, ㄷ

✎ 3주에 배운 개념을 그림으로 저장

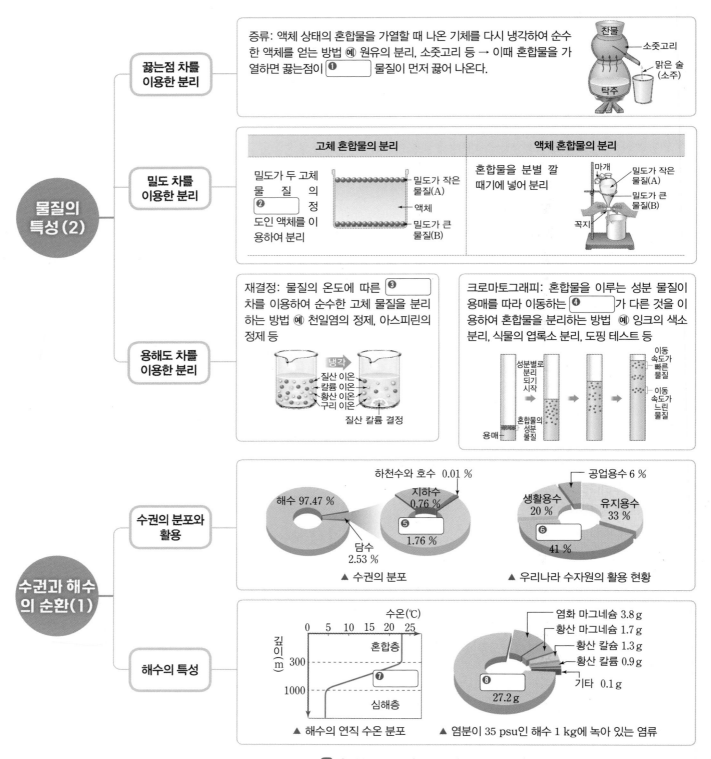

물질의 특성 (2)

끓는점 차를 이용한 분리

증류: 액체 상태의 혼합물을 가열할 때 나온 기체를 다시 냉각하여 순수한 액체를 얻는 방법 예 원유의 분리, 소줏고리 등 → 이때 혼합물을 가열하면 끓는점이 **❶** 물질이 먼저 끓어 나온다.

찬물
소줏고리
맑은 술 (소주)
탁주

밀도 차를 이용한 분리

고체 혼합물의 분리	액체 혼합물의 분리
밀도가 두 고체 물질의 **❷** 정도인 액체를 이용하여 분리	혼합물을 분별 깔때기에 넣어 분리

밀도가 작은 물질(A)
액체
밀도가 큰 물질(B)

마개
밀도가 작은 물질(A)
밀도가 큰 물질(B)
꼭지

용해도 차를 이용한 분리

재결정: 물질의 온도에 따른 **❸** 차를 이용하여 순수한 고체 물질을 분리하는 방법 예 천일염의 정제, 아스피린의 정제 등

냉각
질산 이온
칼륨 이온
황산 이온
구리 이온
질산 칼륨 결정

크로마토그래피: 혼합물을 이루는 성분 물질이 용매를 따라 이동하는 **❹** 가 다른 것을 이용하여 혼합물을 분리하는 방법 예 잉크의 색소 분리, 식물의 엽록소 분리, 도핑 테스트 등

성분별로 분리되기 시작
혼합물의 성분 물질
용매
이동 속도가 빠른 물질
이동 속도가 느린 물질

수권과 해수의 순환 (1)

수권의 분포와 활용

해수 97.47 %
하천수와 호수 0.01 %
지하수 0.76 %
담수 2.53 %
❺ 1.76 %
▲ 수권의 분포

공업용수 6 %
생활용수 20 %
유지용수 33 %
❻ 41 %
▲ 우리나라 수자원의 활용 현황

해수의 특성

수온(℃)
0 5 10 15 20 25
깊이(m)
300
1000
혼합층
심해층
❼
▲ 해수의 연직 수온 분포

염화 마그네슘 3.8 g
황산 마그네슘 1.7 g
황산 칼슘 1.3 g
황산 칼륨 0.9 g
기타 0.1 g
❽ 27.2 g
▲ 염분이 35 psu인 해수 1 kg에 녹아 있는 염류

답 ❶ 낮은 ❷ 중간 ❸ 용해도 ❹ 속도 ❺ 빙하 ❻ 농업용수 ❼ 수온 약층 ❽ 염화 나트륨

✎ 재미있는 개념 완성 퀴즈

다음은 갈매기가 이동하는 모습을 나타낸 것이다. 각 문제를 풀어 목적지에 도착하시오.

과학의 다양한 유형 문제를
해결하는 방법을 연습하면서
사고력을 기르자.

1 그림은 배를 타고 여행을 하던 두 사람이 기상 악화로 인해 표류하다 어떤 외딴섬에 도착하여 나눈 대화이다.

그림에서 제시된 물체를 이용하여 바닷물에서 순수한 물을 분리할 수 있는 간단한 증류 장치를 그려 보시오. (제시된 물체는 가스레인지, 투명 냄비, 유리컵, 돌, 비닐, 고무줄이다.)

문제 해결 Tip
바닷물은 염화 나트륨 등의 고체 물질이 물에 녹아 있는 혼합물이야. 증발이나 끓는점 차를 이용하면 물만 분리시킬 수 있을지도 몰라.

2 그림은 여러 가지 물질이 섞인 혼합물을 분리할 때 사용하는 실험 장치이다.

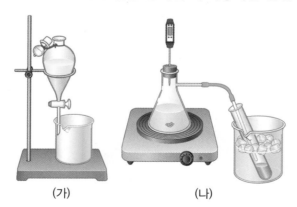

(가)   (나)

물, 식용유, 소금이 섞인 혼합물을 (가) 장치로 분리하여 비커에 담긴 용액을 (나)의 삼각플라스크에 넣고 남은 혼합물을 분리하였다. (나)의 삼각 플라스크에 분리되어 남는 것은 무엇인지 쓰시오.

문제 해결 Tip
(가)는 분별 깔때기이고, (나)는 증류 장치야.

3 그림은 혼합물을 분리하는 예이다.

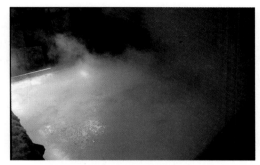

▲ 염전에서 얻은 소금을 끓여서 냉각하여
순수한 소금으로 정제

▲ 티백으로 차 우리기

문제 해결 **Tip**
순수한 소금을 만드는 방법은 재결정이고 티백으로 차를 우리는 것은 거름(추출)과 같은 원리야.

위 예에서 공통으로 이용한 혼합물을 분리하는 방법은 무엇인지 서술하시오.

4 그림은 수분이 많은 재료를 끓고 있는 기름에 넣었을 때 기름이 많이 튀는 모습이다.

문제 해결 **Tip**
물은 기름보다 밀도가 커서 아래에 위치해.

이런 현상이 일어나는 원리와 관계가 <u>없는</u> 것은?

① 물과 기름은 섞이지 않는다.
② 물은 기름보다 밀도가 크다.
③ 물의 끓는점이 기름보다 높다.
④ 물이 수증기가 되면 부피가 매우 커진다.
⑤ 물이 끓으면 기화하면서 공기 중으로 빠져나간다.

5 올림픽 경기를 시청하던 두 사람이 도핑 테스트에 대해 대화하는 모습이다. 빈칸에 들어갈 알맞은 말을 쓰시오.

선수들이 금지 약물을 복용했는지를 어떻게 알 수 있지?

준수

경기 후 선수들의 소변을 채취해서 (   )를 이용하면 약물을 분리시킬 수 있어!

지나

● 문제 해결 **Tip**
도핑 테스트는 소변에 섞여 있는 소량의 금지 약물을 검출하는 목적을 가지고 있어.

6 다음은 우리나라 수자원의 이용 현황에 대한 신문 기사의 일부이다.

○ ○ 일 보

우리는 매일 물을 마시고 음식을 만들거나 씻을 때 물을 사용한다. 그리고 농사를 지을 때나 공장에서 제품을 만들 때도 물을 사용한다. 이처럼 물은 다양하게 이용되며 꼭 필요한 자원이다.
이러한 수자원을 확보하기 위해서는 (   )의 개발이 매우 중요하다.

(1) 밑줄 친 내용과 가장 관계가 깊은 수자원의 용도는 무엇인지 쓰시오.

(2) 기사 내용에서 빈칸에 들어갈 수자원은 무엇인지 쓰시오.

● 문제 해결 **Tip**
지하수는 하천수에 비해 양이 풍부하며, 바닷물과는 다르게 간단한 정수 과정을 거쳐 바로 사용할 수 있어.

7 다음은 깊이에 따른 해수의 수온 분포를 나타낸 것이다.

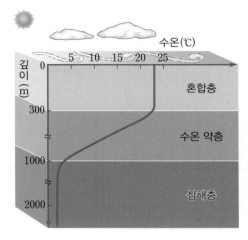

혼합층의 수온이 높고 일정한 까닭을 다음 단어를 포함하여 서술하시오.

태양 에너지,　　　바람

문제 해결 Tip
해수면 부근은 수면 위에서 바람이 불어 물이 섞이게 돼.

8 다음은 전 세계 바다의 표층 염분과 이를 분석하면서 두 학생이 나눈 대화이다.

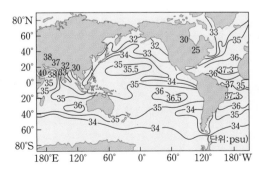

담희가 말한 내용에서 빈칸에 들어갈 말을 쓰시오.

문제 해결 Tip
적도 부근은 비가 많이 내리기 때문에 강수량이 증발량보다 많고, 중위도는 고기압이 발달하기 때문에 증발량이 강수량보다 많아.

배울 내용

1일	해수의 순환	**4일**	비열과 열팽창
2일	온도와 열의 이동	**5일**	재해·재난과 안전
3일	단열과 열평형		

4주에는 무엇을 공부할까? ❷

● 해수의 작용

Quiz 1
바위 가운데에 생긴 구멍은 바닷물의 (침식 / 퇴적) 작용으로 만들어진다.

Quiz 2
바닷가 지형은 (짧은 / 오랜) 시간에 걸쳐서 만들어진다.

울릉도 코끼리 바위야. 정말 코끼리처럼 생겼지?

바위에 구멍이 뚫린 게 마치 코끼리 코처럼 보이네.

● 열의 이동

열은 온도가 높은 물체에서 낮은 물체로 이동하니까 뜨거운 물에 담가 놓은 음식이 잠시 후 따뜻해질 거야.

생선이 차갑게 보관되는 것도 얼음에 열을 내놓기 때문이구나.

Quiz 3
열은 온도가 (높은 / 낮은) 물체에서 온도가 (높은 / 낮은) 물체로 이동한다.

🔺 답 1. 침식 2. 오랜 3. 높은, 낮은

고체에서의 열의 이동

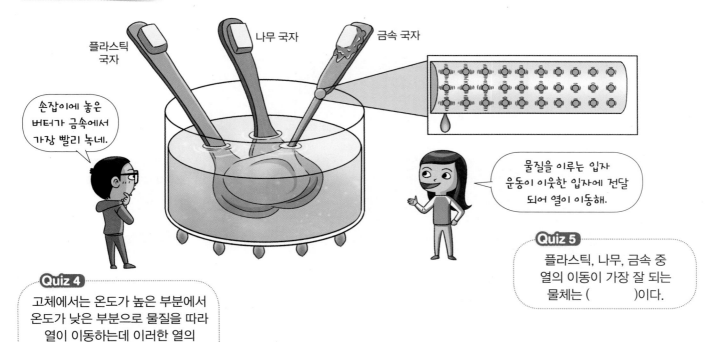

플라스틱 국자

나무 국자

금속 국자

손잡이에 놓은 버터가 금속에서 가장 빨리 녹네.

물질을 이루는 입자 운동이 이웃한 입자에 전달 되어 열이 이동해.

Quiz 4
고체에서는 온도가 높은 부분에서 온도가 낮은 부분으로 물질을 따라 열이 이동하는데 이러한 열의 이동을 (전도 / 대류)라고 한다.

Quiz 5
플라스틱, 나무, 금속 중 열의 이동이 가장 잘 되는 물체는 (   )이다.

Quiz 6
기체에서 열의 이동 방법은 (전도 / 대류) 이다. 따라서 냉방 기구는 (높은 / 낮은) 곳에 설치하고, 난방 기구는 (높은 / 낮은) 곳에 설치하는 것이 좋다.

기체에서의 열의 이동

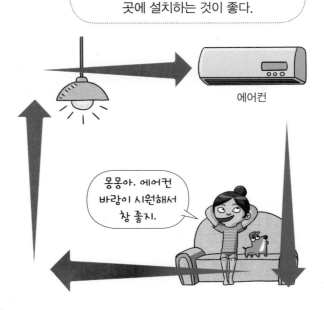

에어컨

따뜻하다! 난로의 열이 얼었던 마음까지 녹이는군.

몽몽아. 에어컨 바람이 시원해서 참 좋지.

전기난로

답 4. 전도 5. 금속 6. 대류, 높은, 낮은

4주 1일 해수의 순환

주제 1 **우리나라 주변 해류**

일정한 방향으로 지속적으로 움직이는 바닷물의 흐름을 해류라고 하며, 우리나라 주변에는 따뜻한 난류와 차가운 한류가 모두 흐르고 있다.

중요 개념

● **해류** 일정한 방향으로 흐르는 해수의 흐름
- 난류: 저위도에서 고위도로 흐르는 비교적 따뜻한 해류
- 한류: 고위도에서 저위도로 흐르는 비교적 차가운 해류

● **우리나라 주변의 해류** *쿠로시오 해류, 황해 난류, 동한 난류, 북한 한류
- 난류: 황해 난류, 동한 난류 ➡ ❶(ㅋㄹㅅㅇ) 해류에서 갈라져 나옴
- 한류: 북한 한류 ➡ ❷(ㅇㅎㅈ) 한류에서 갈라져 나옴
- 조경 수역: 난류와 한류가 만나는 곳 ➡ 동한 난류와 북한 한류가 만나는 동해에는 좋은 어장이 형성됨

Tip

조경 수역에서 좋은 어장이 형성되는 까닭
➡ 난류가 한류 위로 상승하면서 심층의 영양 염류도 함께 상승하여 플랑크톤이 풍부한 해역이 형성되기 때문이다.

답 ❶ 쿠로시오 ❷ 연해주

1-1

그림은 우리나라 주변을 흐르는 해류이다. 해류 A~C의 이름을 쓰시오.

황해 난류와 동한 난류는 따뜻한 해류이고, 북한 한류는 차가운 해류야.

- A: (   )
- B: (   )
- C: (   )

1-2

우리나라 주변을 흐르는 해류와 그 해류의 근원을 옳게 연결하시오.

우리나라 주변에는 난류와 한류가 모두 흘러.

(1) 북한 한류 ·

(2) 동한 난류 ·

(3) 황해 난류 ·

· ㉠ 쿠로시오 해류
· ㉡ 연해주 한류

1-3

다음 설명의 빈칸에 들어갈 알맞은 말을 쓰시오.

우리나라의 동해에는 ㉠(   )와 ㉡(   )가 만나서 생기는 ㉢(   )이 있다. 이곳에는 영양 염류와 플랑크톤이 풍부하고 난류성 어종과 한류성 어종이 분포하므로 좋은 어장이 형성된다.

용어 풀이

＊**쿠로시오 해류:** 북태평양의 서쪽 해역을 따라 북상하는 따뜻한 해류

주제 2 조석

조석은 바닷가에서 볼 수 있는 밀물과 썰물에 의해 해수면이 주기적으로 높아지고 낮아지는 현상이다. 밀물과 썰물로 나타나는 바닷물의 흐름을 조류라고 한다.

중요 개념

● **˚조석** 밀물과 썰물에 의해 해수면 높이가 주기적으로 높아지고 낮아지는 현상
- 조석 주기: 만조에서 다음 만조까지, 또는 간조에서 다음 간조까지 걸리는 시간
  ➡ 약 12시간 25분
● **조류**
- 밀물: 바닷물이 육지 쪽으로 밀려오는 흐름
- ❶(ㅆㅁ): 바닷물이 바다 쪽으로 빠져나가는 흐름
● **조차** 만조과 간조 때의 해수면 높이 차이
- 만조: 밀물로 해수면이 가장 높아졌을 때
- ❷(ㄱㅈ): 썰물로 해수면이 가장 낮아졌을 때
- 사리: 한 달 중 조차가 가장 크게 나타나는 시기
- 조금: 한 달 중 조차가 가장 작게 나타나는 시기

▲ 조석

Tip

조류와 해류
➡ 조류는 주기적으로 방향이 변하는 해수의 흐름이고, 해류는 일정한 방향으로 지속적으로 흐르는 해수의 흐름이다.

답 ❶ 썰물 ❷ 간조

개념 원리 확인

○ 정답과 해설 24쪽

2-1

조차가 가장 큰 사리와 가장 작은 조금은 한 달에 약 두 번씩 생겨.

다음은 조석에 대한 설명이다. ( ) 안에서 알맞은 말을 고르시오.

(1) 바닷물이 육지 쪽으로 밀려오는 흐름은 (밀물 / 썰물)이다.

(2) 썰물에 의해 해수면이 가장 낮아진 때는 (만조 / 간조)이다.

(3) 한 달 중 조차가 가장 크게 나타나는 시기는 (사리 / 조금)이다.

2-2

하루에 대략 2번의 만조와 2번의 간조가 생겨.

다음은 조석 현상에 대해 두 학생이 나눈 대화이다. 빈칸에 알맞은 말을 쓰시오.

예나: 조석은 해수면이 높아졌다 낮아졌다 하는 것을 말해.

태영: 해수면이 가장 높아진 때가 만조이고, 가장 낮아진 때가 간조야.

예나: 만조에서 다음 만조가 될 때까지는 얼마나 걸리는 걸까?

태영: 그 시간을 조석 주기라고 하는데, 약 ( )이 걸려.

2-3

그림은 바닷가에서 만조 때와 간조 때의 해수면을 나타낸 것이다.

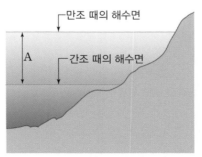

만조 때와 간조 때의 해수면의 높이 차이(A)를 무엇이라고 하는지 쓰시오.

( )

대표 기출문제 　주제 1　우리나라 주변 해류

1-1

그림은 우리나라 주변의 해류이다.

이에 대한 설명으로 옳은 것을 보기 에서 모두 고른 것은?

보기

ㄱ. A와 D는 한류이다.

ㄴ. B는 따뜻한 해류인 난류이다.

ㄷ. C는 B의 근원이 되는 해류로, 한류이다.

ㄹ. E는 우리나라 난류의 근원인 쿠로시오 해류이다.

① ㄱ, ㄹ　　　　② ㄴ, ㄷ　　　　③ ㄷ, ㄹ

④ ㄱ, ㄷ, ㄹ　　　⑤ ㄴ, ㄷ, ㄹ

문제 해결 Point

가이드 　우리나라 주변의 해류의 종류와 그 근원이 되는 해류의 특성을 잘 알고 있어야 한다.

해결 Point 　우리나라 주변에는 난류와 한류가 모두 흐르고 있다. 난류인 **동한 난류**와 **황해 난류**는 북상하는 쿠로시오 해류에서 갈라져 나온 따뜻한 난류이고, **북한 한류**는 연해주 한류에서 갈라져 나온 차가운 한류이다.

오개념 주의 　우리나라 주변의 한류와 난류의 근원이 되는 해류는 다르다.

1-2

다음은 우리나라 주변을 흐르는 난류와 한류의 근원에 대해 두 학생이 나눈 대화이다. 옳게 말한 학생을 쓰시오.

우리나라 주변을 흐르는 동한 난류와 황해 난류의 근원은 쿠로시오 해류야.

지나

우리나라 주변을 흐르는 북한 한류의 근원이 쿠로시오 해류야.

준수

1-3

그림은 우리나라 주변의 해류이다.

A~E 중에서 우리나라에 조경 수역을 형성하는 두 해류의 기호와 이름을 쓰시오.

Hint 난류와 한류가 만나는 곳이 조경 수역이며, 다양한 어종이 모여 들기 때문에 좋은 어장이 형성된다.

대표 기출문제 주제 **2** 조석

2-1

그래프는 어느 해안에서 하루 동안 측정한 해수면의 높이 변화를 나타낸 것이다.

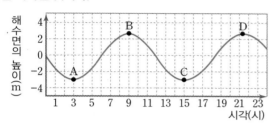

A~D에서 만조와 간조 때의 해수면 높이를 옳게 짝 지은 것은?

	만조일 때	간조일 때
①	A	B, C, D
②	B	A, C, D
③	B, C	A, D
④	B, D	A, C
⑤	C, D	A, B

문제 해결 Point

가이드 | 만조와 간조가 의미하는 것을 이해하고, 해수면의 높이 변화 그래프에서 해수면이 가장 높을 때와 해수면이 가장 낮을 때를 찾을 수 있어야 한다.

해결 Point | 해수면이 가장 높을 때가 **만조**이고, 해수면이 가장 낮을 때가 **간조**이므로, 해수면의 높이 변화 그래프에서 해수면이 가장 높을 때인 B와 D는 만조 때이고, 해수면이 가장 낮을 때인 A와 C는 간조 때이다. 하루 동안 대략 만조 2번, 간조 2번이 생긴다.

오개념 주의 | 만조와 간조는 해수면의 높이에 따른 분류이고, 밀물과 썰물은 바닷물의 흐름에 따른 분류이다.

2-2

그림 (가)는 해안가 지역에서 해수면이 가장 낮을 때를, 그림 (나)는 해수면이 가장 높을 때를 나타낸 것이다.

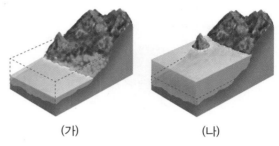

(가)   (나)

(가), (나)를 무엇이라고 하는지 옳게 짝 지은 것은?

	(가)	(나)
①	밀물	썰물
②	썰물	밀물
③	간조	만조
④	만조	간조
⑤	조차	조석

2-3

다음은 해안 지역에서 나타나는 조석에 대해 두 학생이 나눈 대화이다. 옳게 말한 학생을 쓰시오.

하루 동안에 대략 만조 1번 간조 3번이 생겨.

조석 주기는 약 12시간 25분이야.

태영   지나

Hint 조석 주기는 만조에서 다음 만조, 간조에서 다음 간조까지 걸린 시간으로 약 12시간 25분이다.

주제 1 온도와 입자 운동

온도는 물체의 차고 뜨거운 정도를 나타내는 것과 동시에, 그 물체를 이루는
입자 운동의 활발한 정도를 나타낸다.

온도가 다른 물에 잉크를 떨어뜨려 볼게.

어? 잉크가 다르게 퍼지네?

온도가 높을수록 입자 운동이 활발하니까 더 빨리 퍼지는 쪽 물의 온도가 더 높을 거야.

맞아. 물체의 온도는 입자 운동의 활발한 정도를 숫자로 나타내지.

입자 운동 둔함

입자 운동 활발함

차가운 물 온도 낮다

따뜻한 물 온도 높다

이게 무슨 냄새지? 너 방귀 뀌었지?

나. 아니야.

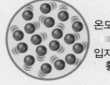

이크! 이렇게 빨리 퍼지다니!

중요 개념

● 온도
- 물체의 차갑고 뜨거운 정도를 숫자로 나타낸 것
- 물체를 이루는 입자 운동의 활발한 정도를 나타낸 것
- 단위: ℃(섭씨도)와 K(켈빈) 등을 사용
- 측정: 디지털 체온계, 알코올 온도계, 적외선 온도계 등의 온도계로 측정

● 온도와*입자 운동
- 물질의 상태와 관계없이 물체를 가열하면
  입자 운동이 ❶(ㅎㅂㅎ)지고, 반대로 냉각
  하면 입자 운동이 ❷(ㄴㄹ)진다.
- 온도가 높을수록 그 물체를 이루는 입자들
  의 운동이 활발해진다.

온도 상승

입자 운동 활발

온도 낮음   온도 높음

▲ 온도와 입자 운동

답 ❶ 활발해 ❷ 느려

개념 원리 확인

온도는 물질을 이루는 입자 운동이 활발한 정도를 숫자로 나타낸 값이야. 입자 운동이 활발할수록 그 물질의 온도는 높아.

1-1

다음은 온도와 입자 운동에 대한 설명이다. 빈칸에 알맞은 말을 쓰시오.

> • 모든 물질은 그 물질의 고유한 성질을 갖는 작은 ㉠(   )로 되어 있고, 이들은 끊임없이 스스로 움직이고 있다.
>
> • 물체의 차고 뜨거운 정도를 숫자로 나타내는 것을 ㉡(   )라고 하며, 또한 ㉢(   )는 물체를 이루는 입자 운동의 활발한 정도를 나타낸다.

1-2

다음은 온도에 따른 물체의 입자 운동에 대한 설명이다. ( ) 안에 알맞은 말을 고르시오.

(1) 입자의 운동이 활발할수록 그 물체의 온도가 ㉠(높고 / 낮고), 입자의 운동이 둔할수록 그 물체의 온도가 ㉡(높다 / 낮다).

(2) 물에 잉크를 떨어뜨렸을 때 ㉠(차가운 / 뜨거운) 물에서 더 빨리 퍼지는 까닭은 온도가 ㉡(높은 / 낮은) 물에서 입자 운동이 더 활발하기 때문이다.

1-3

물질의 종류 및 상태가 같을 때 온도가 높을수록 입자 운동이 활발해.

그림 (가), (나)는 물질을 구성하는 입자 운동을 각각 나타낸 것이다.

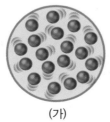
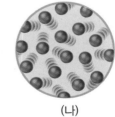

(가)   (나)

용어 풀이

＊**입자**(粒 알, 子 아들): 물질을 이루는 매우 작은 낱낱의 알갱이

(1) (가)와 (나) 두 물질 중 입자 운동이 더 활발한 것을 쓰시오.   (   )

(2) (가)와 (나) 두 물질 중 온도가 더 높은 것을 쓰시오.   (   )

2일 온도와 열의 이동

주제 2 열의 이동 방법

열은 온도가 높은 곳에서 낮은 곳으로 이동하는데, 열의 이동 방법에는 전도, 대류, 복사가 있다.

중요 개념

- **열** 온도가 서로 다른 두 물체가 접촉했을 때 온도가 ❶(ㄴㅇ) 물체에서 온도가 ❷(ㄴㅇ) 물체로 이동하는 에너지
- **열의 이동 방법** ┌ 예 뜨거운 물에 담긴 쇠 숟가락이 점점 뜨거워진다.
  - *전도: 고체에서 물체를 구성하는 입자의 운동이 이웃한 입자에 차례대로 전달되어 열이 이동하는 방법
  - 대류: 기체나 액체에서 물질을 구성하는 입자들이 직접 이동하면서 열이 이동하는 방법
  - 예 난로 근처의 따뜻한 공기가 위로 올라간다. – 에어컨에서 나온 찬 공기가 아래로 이동한다.
  - 복사: 열이 다른 물질을 거치지 않고 직접 이동하는 방법
  - 예 양지바른 곳은 그늘진 곳보다 따뜻하다.

▲ 열의 이동 방향

Tip

냄비에서 열의 전도를 이용하는 방법

➡ 냄비는 열이 잘 전도되는 금속으로 만들고, 손잡이는 열이 잘 전도되지 않는 플라스틱으로 만든다.

손잡이 (플라스틱)

냄비(금속)

답 ❶ 높은 ❷ 낮은

개념 원리 확인

물질의 종류에 따라 열이 전도되는 정도가 다르고 이러한 물질의 성질은 일상생활에서 다르게 이용된대.

2-1

그림은 금속을 가열하면 가열한 부분의 입자 운동이 활발해지고, 이 진동이 주변으로 전달되어 열이 이동하는 모습을 나타낸 것이다. 이와 같은 열의 이동 방법을 무엇이라고 하는지 쓰시오.

(   )

2-2

열의 이동 방법과 그에 따른 설명을 옳게 연결하시오.

(1) 전도 •

(2) 대류 •

(3) 복사 •

• ㉠ 열이 물질의 도움 없이 직접 이동하는 방법

• ㉡ 고체에서 물체를 구성하는 입자가 서로 충돌하면서 열이 이동하는 방법

• ㉢ 열을 받은 액체나 기체 상태의 입자가 직접 이동하면서 열이 이동하는 방법

2-3

그림은 열이 이동하는 모습을 나타낸 것이다. 각각에 해당하는 열의 이동 방법을 옳게 연결하시오.

(1)

•   • ㉠ 전도

(2)

•   • ㉡ 대류

(3)

•   • ㉢ 복사

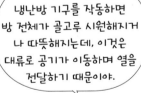

에어컨이나 난로 등 냉난방 기구를 작동하면 방 전체가 골고루 시원해지거나 따뜻해지는데, 이것은 대류로 공기가 이동하며 열을 전달하기 때문이야.

용어 풀이

* **전도**(傳 전할, 導 이끌 도): 열이나 전기가 물체의 한 부분에서 점차 다른 곳으로 옮겨가는 현상

대표 기출문제 주제 1 온도와 입자 운동

1-1

그림 (가), (나)는 두 개의 컵에 담긴 온도가 다른 물의 입자 운동을 각각 나타낸 것이다.

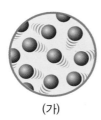 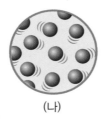

(가)　　　　　(나)

이에 대한 설명으로 옳은 것을 보기 에서 모두 고른 것은?

보기
ㄱ. (가)가 (나)보다 온도가 높다.
ㄴ. 열을 가하면 입자 운동이 느려진다.
ㄷ. 냉각시키면 입자 운동이 더 활발해진다.
ㄹ. 온도는 물체를 구성하는 입자의 운동이 활발한 정도를 나타낸다.

① ㄱ, ㄴ　　　② ㄱ, ㄹ　　　③ ㄴ, ㄷ
④ ㄴ, ㄹ　　　⑤ ㄷ, ㄹ

문제 해결 Point

가이드 온도가 높을수록 그 물체를 이루는 입자들의 운동이 활발하다. 온도는 물체의 차고 뜨거운 정도를 나타내는 것과 동시에, 그 물체를 이루는 입자 운동의 활발한 정도를 나타낸다.

해결 Point 물체를 구성하는 입자의 운동이 활발할수록 물체의 온도가 높고, 물체를 구성하는 입자의 운동이 둔할수록 물체의 온도가 낮다. 즉, 온도는 물체를 구성하는 입자의 운동이 활발한 정도를 나타낸다.
물이 뜨거울 때에는 물 입자가 활발하게 움직이고, 차가울 때에는 물 입자가 둔하게 움직인다. 따라서 가열하면 입자 운동이 활발해지고 냉각하면 입자 운동이 느려진다.

오개념 주의 물체를 구성하고 있는 입자는 정지해 있지 않고 끊임없이 운동한다. 이때 입자가 운동하는 정도는 물체의 상태와 온도에 따라 다른데, 온도가 높을수록 입자의 운동이 활발하다.

1-2

두 사람이 어떤 용어를 다음과 같이 설명하고 있다. 이에 해당하는 용어를 쓰시오.

물체의 차고 뜨거운 정도를 숫자로 나타낸 것이야.

물체를 이루는 입자 운동의 활발한 정도를 나타낸 것이기도 하지.

준수　　　　　지나

1-3

그림은 실온에 놓인 물의 입자 운동을 나타낸 것이다. 이 물을 (가) 가열했을 때와 (나) 냉각시켰을 때 달라진 입자 운동 모습을 옳게 짝 지은 것은?

①　(가)　(나)　　②　(가)　(나)

③　(가)　(나)　　④　(가)　(나)

⑤　(가)　(나)

Hint 모든 물질은 그 물질의 고유한 성질을 갖는 작은 입자로 되어 있으며, 이 입자들은 끊임없이 스스로 움직이고 있다. 이러한 입자 운동은 온도에 따라 달라진다.

대표 기출문제 · 주제 2 · 열의 이동 방법

2-1

다음은 일상생활에서 열의 이동을 이용하는 여러 상황을 나타낸 것이다.

(가)	(나)	(다)
프라이팬은 달걀을 익힌다.	토스터는 빵을 굽는다.	냄비 안에 담긴 물 전체가 뜨거워다.

(가)~(다)에서 주로 이용하는 열의 이동 방법을 옳게 짝 지은 것은?

	(가)	(나)	(다)
①	전도	대류	복사
②	전도	복사	대류
③	대류	복사	전도
④	복사	전도	대류
⑤	복사	대류	전도

문제 해결 Point

가이드 고체에서 열은 주로 전도의 방법으로 이동하며, 기체, 액체에서는 대류의 방법으로 이동한다. 복사는 열이 직접 이동하는 방법이다.

해결 Point <u>프라이팬의 아래쪽만 가열해도 전도에 의해 열이 전달되므로 전체가 뜨거워진다.</u> 따라서 프라이팬으로 달걀 요리를 할 수 있다. <u>토스터로 빵을 굽는 경우는 히터에서 열이 직접 이동하듯이 복사에 의해 열이 전달되는 것이다.</u> <u>물이 담긴 냄비의 아래쪽을 가열하면 대류에 의해 열이 이동하므로 물 전체가 뜨거워진다.</u>

오개념 주의 액체와 기체에서도 전도의 방법으로 열이 이동하기도 한다. 그러나 입자 사이의 거리가 상대적으로 멀어 충돌의 기회가 적기 때문에 전도를 통한 열의 이동 속도가 매우 느리다.

2-2

그림은 금속의 한쪽 끝을 가열할 때 다른 쪽으로 열이 이동하는 과정을 나타낸 것이다.

이에 대한 설명으로 옳지 <u>않은</u> 것은?

① 고체에서의 열의 이동 방법이다.
② 전도에 의한 열의 이동 방법이다.
③ 온도가 높아지면 입자의 운동이 활발해진다.
④ 입자가 서로 자리를 바꾸면서 열이 이동한다.
⑤ 뜨거운 국그릇에 넣어 둔 숟가락이 뜨거워지는 것도 이와 같은 방법으로 열이 이동해서이다.

2-3

전기난로나 벽난로 앞에 서서 손을 난로에 가까이하면 손이 곧 따뜻해지는데 이때 열의 이동에 대해 세 사람이 다음과 같이 말하고 있다. 옳게 말한 사람을 쓰시오.

Hint 추운 겨울날 난로 앞에 앉아 있으면 금방 따뜻해지지만 누군가 난로를 가리면 바로 따뜻함을 느끼지 못한다. 이것은 열이 다른 물질을 거치지 않고 직접 이동하는데 방해를 받으면 이동하지 못하기 때문이다.

4주 3일 단열과 열평형

주제 1 단열

물체 사이의 열의 이동을 막는 것을 단열이라고 한다. 보온·보냉 주머니나 주택의 단열재, 보온병 등은 효과적인 단열의 예이다.

중요 개념

● **＊단열** 물체 사이의 열의 이동을 막는 것 • 공기층을 이용해 전도에 의한 열의 이동을 막을 수 있다.
  • 진공 상태를 이용하여 ❶(ㅈㄷ)와 ❷(ㄷㄹ)에 의한 열의 이동을 막는다.
  • 얇은 금속판을 이용하여 복사에 의한 열의 이동을 막는다. ──── 보온병의 은도금: 복사 에너지를
  • 단열의 이용: 아이스박스, 보온병은 효과적인 단열 도구이다.   반사한다.
● **냉난방 기구의 효율적인 사용** 냉방기를 방의 위쪽에, 난방기를 방의 아래쪽에 설치한다.
  • 단열재: 단열에
    사용되는 재료

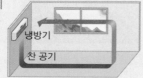

▲ 냉방기 설치

▲ 난방기 설치

  • 대류에 의해 냉방기의 찬공기는 아래로 난방기의 따뜻한 공기는 위로 올라가면서 방 안의 공기가 이동한다.

Tip

보온병을 이중벽으로 하는 까닭
➡ 벽 사이를 진공으로 만들어 전도와 대류에 의한 열의 이동을 막기 위해서이다.

답 ❶ 전도 ❷ 대류

개념 원리 확인

○ 정답과 해설 26쪽

공기에서는 열의 전도가 매우 느리게 일어나기 때문에 수건이나 스타이로폼, 솜과 같이 내부에 공기를 많이 포함한 물질은 전도로 일어나는 열의 전달을 막아.

1-1

다음은 효과적인 단열 방법에 대한 설명이다. 빈칸에 알맞은 말을 쓰시오.

> 공기층을 이용하면 ㉠(   )에 의한 열의 이동을 효과적으로 막을 수 있다. 진공은
> ㉡(   ) 및 ㉢(   )에 의한 열의 이동을 막는 데 효과적이며, 얇은 금속
> 판으로 열을 반사하는 장치를 만들면 ㉣(   )에 의한 열의 이동을 막을 수 있다.

냄비 손잡이는 열이 잘 전달되지 않는 고무나 플라스틱으로 만들어.

1-2

다음은 우리 생활에서 단열을 이용하는 것을 나타낸 것이다. 빈칸에 알맞은 말을 쓰시오.

부엌용 장갑은 뜨거운 냄비를 잡을 때 사용하며 냄비의 열이 손으로 ㉠(   )되는 것을 막는다.

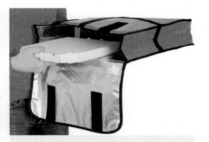

음식 배달 가방은 속이 알루미늄 소재로 되어 있어 ㉡(   )로 열이 빠져나가는 것을 막는다.

4주

3일

1-3

방 안에 냉방기와 난방기를 A, B 위치에 적절하게 설치하여 냉난방을 하고자 한다. 두 사람의 대화의 빈칸에 들어갈 알맞은 기호를 쓰시오.

냉방기에서 나오는 찬 공기는 아래쪽으로 이동하므로 방 안에서 냉방기는 (   )에 설치해야 해.

지나

맞아. 난방기에서 나온 따뜻한 공기는 위쪽으로 이동하므로 방 안의 (   )에 설치하는 것이 좋아.

준수

용어 풀이

＊단열(斷 끊을, 熱 더울): 열의 전도를 막음

주제 2 열평형

온도가 다른 두 물체가 접촉해 있으면 열이 이동하여 결국 온도가 같아지는 열평형에 이른다.

중요 개념

● **열평형** 온도가 높은 곳에서 온도가 낮은 곳으로 열이 이동해 두 물체의 온도가 같아진 상태

● **온도 변화 그래프와 입자 운동 변화** · 뜨거운 물에서 찬물로 열이 이동한다.

· 뜨거운 물의 입자 운동은 느려지고, 찬물의 입자 운동은 빨라진다.

· 온도가 높은 물체는 열을 ❶(○○) 입자 운동이 느려지고, 온도가 낮은 물체는 열을 ❷(○○) 입자 운동이 빨라진다.

· 어느 정도 시간이 지나면 두 물체의 온도가 같아진다.

> **Tip**
>
> **온도계로 온도를 측정할 수 있는 까닭**
> ➡ 온도계는 물체가 접촉하여 열평형 상태를 이루는 것을 이용하여 물체의 온도를 측정한다.

답 ❶ 잃어 ❷ 얻어

음료에서 냉장고의 찬 공기로 열이 이동하여 열평형에 도달하면 음료를 차갑게 할 수 있어.

2-1

다음과 같이 물체가 따뜻해지고 시원해지는 까닭을 설명할 수 있는 열현상을 쓰시오.

(   )

즉석 식품을 봉지째 뜨거운 물에 담그면 식품은 열을 얻어 주변 온도와 같아질 때까지 따뜻해지고 미지근한 음료수를 냉장고에 넣으면 주변 온도와 같아질 때까지 열을 잃어 시원해진다.

2-2

그림은 뜨거운 물이 든 비커를 찬물이 든 수조에 넣었을 때 온도 변화를 알아보기 위한 장치이다. (   ) 안에 알맞은 말을 고르시오.

(1) 열은 (찬물 / 뜨거운 물)에서 (찬물 / 뜨거운 물)로 이동한다.

(2) 시간이 지남에 따라 뜨거운 물의 입자 운동은 (느려 / 활발해)지고, 찬물의 입자 운동은 (느려 / 활발해)진다.

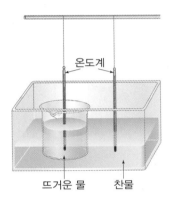

온도계

뜨거운 물   찬물

4
주

3일

2-3

뜨거운 물의 질량과 찬물의 질량이 같다면 뜨거운 물과 찬물의 온도는 얼마 후 서로 같아져.

그림은 온도가 다른 두 물체 A와 B가 접촉했을 때 열평형에 도달하는 과정을 시간—온도 그래프로 나타낸 것이다.

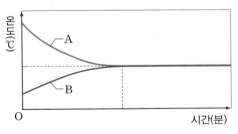

(1) A, B 두 물체 사이에 열이 이동하는 방향을 (   ) 안에 화살표로 나타내시오.

A (   ) B

(2) 시간이 어느 정도 지나 열평형 상태가 되었을 때 A, B 두 물체의 온도와 입자 운동의 활발한 정도를 <, =, >의 기호를 적절히 써서 (   ) 안에 나타내시오.

㉠ 온도: A (   ) B

㉡ 입자 운동의 활발한 정도: A (   ) B

용어 풀이

＊**열평형**(熱 더울, 平 평평할, 衡 저울): 온도가 다른 물질을 접촉시켰을 때 열이 이동하다가 두 물체의 온도가 같아지는 상태

대표 기출문제 주제 **1** 단열

1-1

그림과 같이 추운 겨울에는 옷 속에 솜털을 넣은 방한복을 입는다. 방한복을 만들 때 주로 솜털을 옷 속에 넣는 까닭에 대해 옳게 말하고 있는 사람을 쓰시오.

> 솜털은 가벼워 방한복 속에 많이 넣을 수 있기 때문이야.

준수

> 방한복의 솜털 속에는 공기층이 있어 몸의 열이 외부로 빠져나가는 것을 막아 주기 때문이야.

지나

1-2

그림은 뜨거운 냄비를 잡을 때 부엌용 장갑을 사용하는 모습이다. 부엌용 장갑을 사용하는 까닭에 대한 세 사람의 대화 중 옳게 말한 사람을 쓰시오.

> 부엌용 장갑은 냄비의 열이 손으로 전도되는 것을 막아 줘.

> 부엌용 장갑은 대류로 음식이 끓어 넘치는 것을 방지해.

> 부엌용 장갑은 냄비에서 복사에 의해 열이 전달되는 것을 방지해.

은별   준수   유진

> Hint 냄비의 손잡이는 열전도율이 낮은 플라스틱, 나무 등으로 되어 있어 열의 전도로 손잡이가 뜨거워지는 것을 막는다.

문제 해결 Point

가이드 **공기**는 열의 전도가 매우 느린 물질이기 때문에 내부에 공기를 많이 포함하는 물질일수록 단열에 효율적이다. 솜, 에어캡, 스타이로폼 등은 내부에 공기를 포함하는 공간이 많아 대표적인 단열재에 속한다.

해결 Point • 동물이 추운 겨울을 견딜 수 있는 까닭은 동물의 모피나 깃털이 단열재이기도 하지만 모피나 깃털 내부의 공간에 공기를 많이 포함하고 있어 체온을 빼앗기지 않도록 도와주기 때문이다.
• **방한복**의 섬유 속이나 솜털 속에는 **공기층**이 있어 몸의 열이 외부로 빠져나가는 것을 막아 준다.

오개념 주의 겨울철에는 두꺼운 옷을 한 벌 입는 것보다 얇은 옷을 여러 겹 입으면 단열 효과가 더 좋다. 얇은 옷을 여러 겹 입으면 옷 사이에 공기층이 만들어져서 전도로 이동하는 열을 막기 때문이다.

1-3

효율적인 냉난방 기구의 사용법에 대한 설명으로 옳은 것을 보기에서 모두 고른 것은?

> 보기
> ㄱ. 난로는 위쪽에 설치한다.
> ㄴ. 에어컨은 아래쪽에 설치한다.
> ㄷ. 난로 안쪽 면에는 반사판을 사용한다.
> ㄹ. 에어컨과 함께 선풍기를 동시에 사용한다.

① ㄱ, ㄴ   ② ㄱ, ㄷ   ③ ㄱ, ㄹ
④ ㄴ, ㄷ   ⑤ ㄷ, ㄹ

대표 기출문제 주제2 열평형

2-1

그림은 뜨거운 물이 들어 있는 비커를 찬물이 들어 있는 수조 속에 넣었을 때 시간에 따른 물의 온도 변화를 나타낸 것이다.

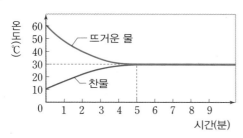

이에 대한 설명 중 옳지 <u>않은</u> 것은?

① 열평형 온도는 30 ℃이다.

② 뜨거운 물에서 찬물로 열이 이동하였다.

③ 찬물이 뜨거운 물보다 더 빨리 열평형에 도달한다.

④ 5 분 후 두 물의 입자 운동의 활발한 정도는 같아진다.

⑤ 0~5 초 구간에서 뜨거운 물의 온도는 낮아지고 찬물의 온도는 높아진다.

문제 해결 Point

가이드 찬물이 담긴 수조 안에 뜨거운 물이 담긴 비커를 넣으면 열이 뜨거운 물에서 찬물로 이동하므로 뜨거운 물은 온도가 낮아지고, 찬물은 온도가 높아진다. 이후 어느 정도 시간이 지나면 두 물의 온도가 같아져 더 이상 온도가 변하지 않는다.

해결 Point <u>열은 온도가 높은 뜨거운 물에서 온도가 낮은 찬물로 이동한다. 따라서 뜨거운 물은 열을 잃어 온도가 낮아지고, 찬물은 열을 얻어 온도가 높아진다.</u> 약 5 분 후에 뜨거운 물과 찬물은 온도가 같아지는 열평형 상태에 동시에 도달한다. **열평형** 상태의 온도는 30 ℃이며, 열평형 상태가 되면 뜨거운 물과 찬물의 <u>입자 운동의 활발한 정도는 같아진다.</u>

오개념 주의 찬물과 뜨거운 물의 온도가 같아지는 데 걸리는 시간은 5 분으로 같다. 따라서 찬물과 뜨거운 물이 열평형에 도달하는 데 걸리는 시간도 같다. 뜨거운 물의 온도 변화가 찬물보다 큰 것은 뜨거운 물의 양이 작기 때문이다.

2-2

그림은 온도가 다른 물체 A, B의 입자 운동 모습을 나타낸 것이다.

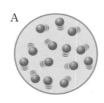   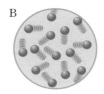

A와 B를 접촉시켰을 때 A, B의 입자 운동에 대한 설명으로 옳은 것을 보기 에서 모두 고른 것은?

보기
ㄱ. A의 입자 운동은 빨라진다.
ㄴ. B의 입자 운동은 느려진다.
ㄷ. 어느 정도 시간이 지나면 A와 B의 입자 운동의 활발한 정도는 서로 같아진다.

① ㄷ   ② ㄱ, ㄴ   ③ ㄱ, ㄷ
④ ㄴ, ㄷ   ⑤ ㄱ, ㄴ, ㄷ

2-3

그림 (가)와 같이 뜨거운 물이 담긴 비커를 찬물이 담긴 수조에 넣으면 (나)와 같이 두 물의 온도가 같아져 더는 온도 변화가 없는 상태가 된다.

   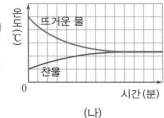

(가)   (나)

이러한 현상으로 설명할 수 있는 것을 모두 고르면? (정답 2개)

① 갓 삶은 달걀을 찬물에 넣어 식힌다.

② 고구마를 알루미늄 포일로 싸서 굽는다.

③ 즉석 식품을 뜨거운 물에 넣어서 데운다.

④ 음식 배달 가방 속을 알루미늄 소재로 만든다.

⑤ 보온병 뚜껑을 이중 마개로 하면 뜨거움이 오래 유지된다.

Hint 고구마를 알루미늄 포일로 싸서 구우면 전도가 잘 일어나 고르게 익으며, 음식 배달 가방 속을 알루미늄 소재로 만들면 복사로 열이 빠져나가는 것을 막을 수 있다.

주 4일 비열과 열팽창

비열

비열이 큰 물질일수록 같은 온도를 높이는 데 더 많은 열량이 필요하다. 따라서 같은 열량을 가했을 때 비열이 큰 물질은 비열이 작은 물질에 비해 온도 변화가 작다.

중요 개념

┌ 물체로 이동한 열의 양
- **비열** 어떤 물질 1 kg의 온도를 1 ℃ 높이는 데 필요한 열량
  - 비열의 단위: kcal/(kg·℃) 또는 cal/(g·℃) 등을 사용
  - 1 kcal: 물 1 kg의 온도를 1 ℃ 높이는 데 필요한 열량
- **비열의 특징** 비열은 물질을 구분하는 특성이므로 물질의 종류에 따라 다르다.
  - 비열과 온도 변화: 질량이 같은 두 물질을 같은 시간 동안 가열할 때 비열이 작은 물질은 온도 변화가 ❶(ㅋㄱ), 비열이 큰 물질은 온도 변화가 ❷(ㅈㄷ).
- **비열의 활용** 바닷가 근처 해안 지방은 내륙 지방에 비해 *일교차가 작다.
  - 뚝배기는 비열이 커서 온도가 천천히 올라가고, 천천히 식는다.
  - 물의 비열이 모래의 비열보다 커서 한낮의 해변가 모래사장은 뜨거워도 바닷물은 시원하다.

Tip

냉각수로 물을 사용하는 까닭
➡ 물은 다른 물질에 비해 비열이 매우 크므로 온도 변화가 작다. 따라서 기계의 냉각수로 이용된다.

답 ❶ 크고 ❷ 작다

개념 원리 확인

○정답과 해설 **28쪽**

1-1

다음은 비열에 대한 설명이다. 빈칸에 알맞은 말을 쓰시오.

(1) 어떤 물질 ㉠(）의 온도를 ㉡(） 높이는 데 필요한 열량을 비열이라고 한다.

(2) 비열이 ㉠(） 물질일수록 온도를 높이는 데 필요한 열량이 많으므로 같은 양의 열을 가해도 온도 변화가 ㉡(）, 비열이 ㉢(） 물질일수록 온도 변화가 ㉣(）.

1-2

물과 식용유를 같은 시간 동안 같은 세기로 가열하면 물과 식용유가 받는 열량은 같아.

그림 (가)와 같이 장치하고 같은 양의 물과 식용유를 같은 시간 동안 가열하였더니 (나)와 같이 온도 변화가 다르게 나타났다. (   ) 안에 알맞은 말을 고르시오.

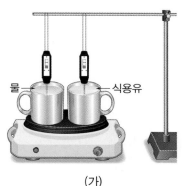

(가)

(나)

(1) 질량이 같은 물과 식용유를 같은 시간 동안 가열하였을 때 (물 / 식용유)의 온도가 더 크게 올라간다.

(2) 질량이 같은 물과 식용유의 온도를 1 ℃ 높이는 데 필요한 열량 즉, 비열은 (물 / 식용유)(이)가 더 크다.

1-3

보일러 배관이나 찜질 팩 속에 물을 넣어 이용하는 것은 물은 비열이 커서 오랫동안 온도가 쉽게 변하지 않기 때문이야.

다음은 일상생활에서 비열을 이용하는 예이다. 빈칸에 알맞은 말을 쓰시오.

(1) 물은 다른 물질에 비하여 (   )이 매우 크기 때문에 과열된 기계의 온도를 낮추는 냉각수로 이용되거나 찜질 팩, 난방용 보일러 등에 이용된다.

(2) 해안 지방이 내륙 지방보다 일교차가 적은 것도 ㉠(） 의 비열이 ㉡(） 때문에 나타나는 현상이다.

용어 풀이

＊**일교차**(日 해, 較 견주다, 差 어긋나다): 기온·기압·습도 등이 하룻동안에 변화하는 차이

주제 2 열팽창

온도가 높아질 때 물체의 길이나 부피가 늘어나는 현상을 열팽창이라고 한다.
열팽창은 액체뿐 아니라 고체나 기체에서도 나타난다.

중요 개념

- **열팽창** 온도에 따라 물체의 ❶(ㄱㅇ)나 ❷(ㅂㅍ)가 변하는 현상
  - 고체나 액체는 물질의 종류에 따라 열팽창 하는 정도가 서로 다르다.
- **물체가 열팽창 하는 까닭** 열을 받아 온도가 높아지면 입자 운동이 활발해져 입자들 사이의
  거리가 멀어지기 때문이다.
- **열팽창의 활용**
  - 다리의 중간에 다리 이음매를 설치한다.
  - 기차 선로의 중간중간에 약간의 틈을 만든다.
  - 가스관을 설치할 때에는 중간에 구부러진 부분을 만든다.
  - 치아 충전재는 치아와 열팽창 정도가 비슷한 물질을 사용한다.
  - 철근과 콘크리트의 열팽창 정도는 거의 비슷하므로 건축자재로 사용한다.

Tip

기체의 열팽창
➡ 열팽창은 고체나 액체
뿐만 아니라 기체에서도
일어난다. 기체는 고체나
액체보다 열팽창 정도가
매우 크며, 물질의 종류에
관계없이 열팽창 정도가
모두 같다.

🔑 ❶ 길이 ❷ 부피

개념 원리 확인

○ 정답과 해설 **28쪽**

온도가 높아질 때 물체의 길이나 부피가 늘어나는 것을 열팽창이라고 해. 열팽창은 고체나 액체뿐만 아니라 기체에서도 일어나.

2-1

다음은 열팽창에 대한 설명이다. 빈칸에 알맞은 말을 쓰시오.

(1) 온도가 높아질 때 물체의 ㉠(   )나 ㉡(   )가 늘어나는 현상을 열팽창이라고 한다.

(2) 열팽창은 액체뿐 아니라 고체나 ㉠(   )에서도 나타난다. ㉡(   )와 ㉢(   )는 물질의 종류에 따라 열팽창 정도가 다르다.

2-2

다음은 물체가 열팽창 하는 까닭을 설명한 것이다. (   ) 안에 알맞은 말을 고르시오.

 가열 ⟹ 입자 운동 활발해짐.

(1) 물체가 열을 받아 온도가 높아지면 입자 운동이 ㉠(활발해져 / 활발하지 않아) 입자들 사이의 거리가 ㉡(가까워 / 멀어)진다.

(2) 입자 운동이 활발해지면 입자들이 차지하는 공간이 ㉠(줄어들어 / 늘어나) 물체의 길이나 부피가 ㉡(수축 / 팽창)한다.

4주
4일

2-3

알코올 온도계는 온도에 따라 알코올의 부피가 일정하게 팽창하는 성질을 이용하여 온도를 측정해.

일상생활에서 비열과 열팽창을 이용하는 예를 보기 와 같이 나열하였다. 각각에 해당하는 예를 옳게 고르시오.

보기

▲ 알코올 온도계   ▲ 찜질 팩   ▲ 다리의 이음새   ▲ 양은 냄비

(1) 비열을 이용하는 예: (   )

(2) 열팽창을 이용하는 예: (   )

용어 풀이

* **팽창**(膨 부풀, 脹 배부를): 온도가 오름에 따라 물질의 길이나 부피가 늘어나는 현상

4주 4일 기초 집중 연습

1-1

그림 (가)와 같이 같은 양의 물과 콩기름을 가열하였을 때 시간에 따른 온도 변화 그래프는 (나)와 같았다.

(가)

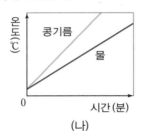

(나)

이에 대한 설명으로 옳은 것을 보기 에서 모두 고른 것은?

> **보기**
> ㄱ. 물의 비열이 콩기름의 비열보다 크다.
> ㄴ. 물과 콩기름 중 같은 시간 동안 온도 변화가 큰 것은 콩기름이다.
> ㄷ. 같은 시간 동안 콩기름이 받은 열량이 물이 받은 열량보다 더 많다.

① ㄱ   ② ㄷ   ③ ㄱ, ㄴ
④ ㄴ, ㄷ   ⑤ ㄱ, ㄴ, ㄷ

문제 해결 Point

가이드	질량이 같은 물과 콩기름에 같은 열량을 공급하면 콩기름의 온도가 물보다 빨리 높아진다. 이는 물질의 종류에 따라 온도를 높이는 데 필요한 열량이 다르기 때문이다.
해결 Point	• 같은 시간 동안 가열한 열량이 같으므로 시간─온도 그래프에서 기울기가 클수록 온도 변화가 크다. 따라서 같은 시간 동안 온도 변화가 큰 것은 콩기름이다. • 질량이 같고 가열 시간이 같을 때 비열이 클수록 온도 변화가 작으므로 기울기가 완만한 물이 기울기가 급한 콩기름보다 비열이 크다. • 실험에서 같은 시간 동안 물과 콩기름이 받는 열량은 같다.
오개념 주의	두 물질의 질량이 같다면 온도 변화가 크다고 열량을 많이 받은 것은 아니다. 질량이 같을 때 온도 변화 차이는 비열에 따른 현상이다.

1-2

그림은 질량이 같은 액체 A, B를 같은 열량으로 가열하면서 온도를 측정하여 얻은 그래프이다. 이에 대한 설명으로 옳은 것을 보기 에서 모두 고른 것은?

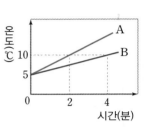

> **보기**
> ㄱ. A는 B보다 비열이 더 크다.
> ㄴ. A와 B는 서로 다른 물질이다.
> ㄷ. 2분 동안 A와 B가 받은 열량은 같다.
> ㄹ. 같은 시간 동안 온도 변화가 큰 물질은 A이다.

① ㄱ, ㄷ   ② ㄱ, ㄹ   ③ ㄴ, ㄷ
④ ㄱ, ㄴ, ㄹ   ⑤ ㄴ, ㄷ, ㄹ

Hint 질량이 같고 가한 열량도 같지만 온도 변화가 다른 까닭은 비열이 다르기 때문이다. 즉 비열이 클수록 온도 변화가 작으므로 그래프의 기울기는 완만하고, 비열이 작을수록 온도 변화는 크므로 그래프의 기울기는 급해진다.

1-3

돌솥 비빔밥과 산채 비빔밥을 시켰더니 돌솥에 담긴 밥은 더 오랫동안 따뜻했다.

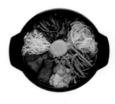

돌솥이 금속 그릇에 비해 밥이 오랫동안 식지 않은 까닭으로 옳은 것은?

① 돌솥이 금속 그릇에 비해 비열이 크기 때문이다.
② 돌솥과 금속 그릇의 열팽창이 다르기 때문이다.
③ 돌솥이 금속 그릇보다 단열이 잘 되기 때문이다.
④ 돌솥과 금속 그릇의 입자 운동이 다르기 때문이다.
⑤ 돌솥과 금속 그릇의 열전달 방법이 다르기 때문이다.

Hint 비열이 큰 물질일수록 천천히 데워지고 천천히 식는다.

대표 기출문제 주제 2 열팽창

2-1

그림과 같이 둥근 금속 고리에 꽉 끼어 들어가지 않던 금속 구가 있다.

금속 구
금속 고리

금속 구가 금속 고리를 통과할 수 있는 방법을 보기 에서 모두 고른 것은?

보기
ㄱ. 금속 구를 가열한다.
ㄴ. 금속 구를 냉각시킨다.
ㄷ. 금속 고리를 가열한다.
ㄹ. 금속 고리를 냉각시킨다.
ㅁ. 금속 구와 금속 고리를 모두 가열한다.

① ㄱ, ㄷ   ② ㄱ, ㄹ   ③ ㄴ, ㄷ
④ ㄴ, ㄹ   ⑤ ㄱ, ㄷ, ㅁ

문제 해결 Point

가이드
물질의 온도가 높아지면 물질을 구성하는 입자 운동이 활발해진다. 이때 입자 사이의 거리가 멀어져 입자가 차지하는 부피가 커지므로 물질의 부피가 팽창한다.

해결 Point
• 둥근 금속 고리를 가열하면 열팽창 하여 둥근 금속 고리 구멍의 크기도 커지므로 금속 구가 둥근 금속 고리를 통과하게 된다.
• 금속을 가열하면 입자 운동이 활발해지므로 부피가 팽창하고 금속을 냉각시키면 입자 운동이 둔해져 부피가 수축한다.

오개념 주의
고체에 열을 가해 온도가 높아지면 입자의 운동이 활발해져서 입자 사이의 거리가 멀어지므로 부피가 팽창한다. 이때 길이가 팽창되는 정도는 부피가 팽창되는 정도보다 작다.

2-2

그림은 일상생활에서 물질의 특성을 이용하는 여러 가지 예이다.

▲ 기차 선로의 틈   ▲ 다리 이음새   ▲ 굽은 가스관

이는 물질의 특성 중 무엇을 이용하는가?

① 대류   ② 단열   ③ 비열
④ 열평형   ⑤ 열팽창

Hint 물체가 열팽창 하는 까닭은 물체가 열을 받아 온도가 높아지면 입자 운동이 활발해져 입자들 사이의 거리가 멀어지고, 이에 따라 입자들이 차지하는 공간이 늘어나기 때문이다.

2-3

금속으로 만든 병뚜껑이 잘 열리지 않을 때 뚜껑 부분에 뜨거운 물을 부어주면 뚜껑을 쉽게 열 수 있다.

이에 대한 설명으로 옳은 것을 보기 에서 모두 고른 것은?

보기
ㄱ. 뚜껑의 부피가 늘어나기 때문이다.
ㄴ. 뚜껑을 구성하는 입자의 운동이 활발해진다.
ㄷ. 유리병을 구성하는 입자의 운동이 둔해져 부피가 작아진다.

① ㄱ   ② ㄷ   ③ ㄱ, ㄴ
④ ㄴ, ㄷ   ⑤ ㄱ, ㄴ, ㄷ

Hint 같은 열량을 가하더라도 물질에 따라 늘어난 부피는 다르다. 즉 고체나 액체는 물질의 종류에 따라 열팽창 하는 정도가 서로 다르다.

9주

4일

주제 1 재해·재난

우리 주위에서 발생하는 여러 사건 중에서 인간의 생명과 재산에 피해를 주거나 줄 수 있는 것을 재해·재난이라고 한다.

건물도 무너지고, 사람도 다쳤어. 어떡하지?

지진 때문에 인명과 재산 모두 큰 피해를 입었어.

중요 개념

● 재해 · 재난
 • 자연 재해·재난: ❶(ㅈㅇㅎㅅ)으로 인해 발생한 재해·재난
  예 태풍, 홍수, 호우, 폭풍, 해일, 폭설, 가뭄, 지진, 황사, 적조, 낙뢰, 화산 활동 등
 • 사회 재해·재난: 인간 활동으로 인해 발생한 재해·재난
  예 화재, 붕괴, 폭발, 교통사고, 환경 오염 사고 등
● 재해 · 재난의 피해
 • 기상 재해: 태풍, 폭설, 황사 등과 같은 기상 현상이 원인이 되어 발생함
  예 산사태, 해일, 건물 파손, 호흡기 질환 유발 등
 • ❷(ㄱㅇㅂ) 확산: 병원체가 동물이나 인간에게 침입하여 발생하는 질병으로, 지구적인 규모로 확산하여 큰 피해를 줌 예 코로나바이러스감염증−19(COVID−19), 중동호흡기증후군(MERS), 조류 독감 등
 • 화학 물질 유출: 화학 물질이 유출되어 짧은 시간 동안 큰 피해를 줌

Tip

재해·재난이라고 함께 불리는 까닭
➡ 자연 현상이나 인간의 부주의 등으로 인명과 재산에 발생한 피해를 재해라 하고, 한파, 가뭄, 화학 물질 유출 등 국민과 국가에 피해를 주는 것은 재난이라고 하는데, 서로 연관되어 있기 때문이다.

답 ❶ 자연 현상 ❷ 감염병

개념 원리 확인

○ 정답과 해설 **29**쪽

1-1

다음은 재해·재난에 대해 두 학생이 나눈 대화이다. 빈칸에 알맞은 말을 쓰시오.

재해·재난에는 자연 재해·재난과 사회 재해·재난이 있어.

태풍, 홍수, 해일, 낙뢰, 황사, 교통사고, 화산 활동은 모두 자연 재해·재난이지?

그 중에서 (   )는 인간의 부주의에서 생겨난 사회 재해·재난이야.

1-2

사회 재해·재난은 인간의 부주의나 기술상의 문제로 발생해.

다음 보기 는 재해·재난의 사례를 나타낸 것이다.

보기

ㄱ. 폭설	ㄴ. 화재	ㄷ. 교통사고	ㄹ. 태풍
ㅁ. 황사	ㅂ. 폭발	ㅅ. 화산 활동	ㅇ. 해일
ㅈ. 화학 물질 유출	ㅊ. 건물 또는 시설물 붕괴		

ㄱ~ㅊ을 자연 재해·재난과 사회 재해·재난으로 분류하여 그 기호를 쓰시오.

(1) 자연 재해·재난: (   )

(2) 사회 재해·재난: (   )

용어 풀이

＊**황사**(黃 누렇다, 砂 모래): 바람에 의해 하늘 높이 올라간 미세한 모래 먼지가 대기 중에 퍼져 있다가 서서히 떨어지는 현상

＊**병원체**: 바이러스나 세균 등 질병을 일으키는 원인이 되는 미생물

1-3

다음 설명에 해당하는 재해·재난의 종류를 쓰시오.   (   )

콜레라와 같은 병원체가 동물이나 인간에게 침입하여 발생하는 질병

주제 2 재해·재난의 대처 방안

재해·재난의 발생 원인과 특징을 과학적으로 이해한다면, 대비책을 세우거나
사전에 경보를 발령하여 인명이나 재산 피해를 줄일 수 있다.

중요 개념

● 재해·재난의 대처 방안
• 재해·재난의 발생 원인과 특징을 ❶(ㄱㅎㅈ)으로 이해
 ➡ 대비책을 세우거나 사전에 경보를 발령하여 인명이나 재산 피해를 줄임
● 과학적 원리를 이용한 대처 방안
• 화학 물질 유출: 유독 가스는 대부분 공기보다 밀도가 크므로 높은 곳으로 대피하거나 유
독 가스가 불어오는 바람과 수직인 방향으로 대비
• *감염병 확산: 흐르는 물에 비누를 사용하여 자주 손 씻기, 마스크 착용
• 지진: 건물 설계 시 ❷(ㄴㅈ) 설계
• 교통 사고: 자동 긴급 제동 장치는 충돌이 예상될 때 브레이크를 작동하여 사고를 방지

Tip

지진이 발생했을 때 대피
요령
➡ 건물 밖으로 나갈 때는
엘리베이터 대신 계단을
이용하고, 건물 밖에서는
낙하물에 주의하면서 최
대한 멀리 떨어진 곳으로
대피한다.

답 ❶ 과학적 ❷ 내진

개념 원리 확인

○ 정답과 해설 **29쪽**

감염병 확산을 막기 위해서는 마스크를 착용하고, 손을 자주 씻어야 해.

2-1

다음은 재해·재난의 대처 방안에 대해 두 학생이 나눈 대화이다. 옳게 말한 학생을 쓰시오.

(   )

화학 유독 가스가 유출되면 최대한 가까이 가서 유독 가스를 처리해야 해. — 예나

감염병이 확산되지 않게 하려면 손을 깨끗이 자주 씻고 마스크를 착용해야 해. — 태성

황사는 미세한 모래 먼지가 대기 중에 퍼져 있는 것으로, 호흡기 질환을 일으켜.

2-2

다음은 재해·재난의 대처 방법에 대한 설명이다. (   ) 안에서 알맞은 말을 고르시오.

(1) (기상 재해 / 감염병 확산)(이)가 예상될 때, 기상청에서는 기상 특보를 발표한다.

(2) (지진 / 황사)(이)가 발생하면 빠르게 건물 밖으로 대피한다. 이때, 엘리베이터 대신 계단을 이용한다.

(3) 화학 물질이 유출되면 유독 가스는 대부분 공기보다 밀도가 크므로 (높은 / 낮은) 곳으로 대피한다.

4주

5일

2-3

다음은 지진이 발생했을 때의 행동 요령에 대해 두 학생이 나눈 대화이다. 빈칸에 알맞은 말을 쓰시오.

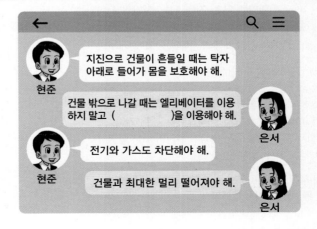

현준: 지진으로 건물이 흔들일 때는 탁자 아래로 들어가 몸을 보호해야 해.

은서: 건물 밖으로 나갈 때는 엘리베이터를 이용하지 말고 (   )을 이용해야 해.

현준: 전기와 가스도 차단해야 해.

은서: 건물과 최대한 멀리 떨어져야 해.

용어 풀이

＊ **감염병**(感 느끼다, 染 물들이다, 炳 병): 병원체 등이 몸 안에 침입하여 증식하거나 퍼져 생기는 병

4주 5일 기초 집중 연습

대표 기출문제 | **주제 1** 재해 · 재난

1-1

다음 보기 는 재해 · 재난의 사례를 나타낸 것이다.

보기
ㄱ. 태풍	ㄴ. 화재	ㄷ. 폭발
ㄹ. 폭설	ㅁ. 황사	ㅂ. 감염병
ㅅ. 지진	ㅇ. 해일	ㅈ. 화산 활동

기상 재해에 해당하는 것을 보기 에서 모두 고른 것은?

① ㄱ, ㄹ, ㅁ
② ㄱ, ㅁ, ㅂ
③ ㄴ, ㄷ, ㅂ
④ ㄷ, ㄹ, ㅇ, ㅈ
⑤ ㄴ, ㄷ, ㄹ, ㅁ, ㅇ

문제 해결 Point

가이드 재해 · 재난의 의미를 알고, 자연 재해 · 재난과 사회 재해 · 재난을 구분할 수 있어야 한다. 또한, 자연 재해 · 재난 중에서 기상 재해의 종류를 알고 있어야 한다.

해결 Point 태풍, 홍수, 호우, 폭풍, 해일, 폭설, 가뭄, 지진, 황사, 적조, 낙뢰, 화산 활동 등과 같은 자연 현상으로 인한 자연 재해 · 재난 중에서 호우, 태풍, 홍수, 가뭄, 폭설, 황사 등과 같은 기상 현상이 원인이 되어 발생하는 재해를 **기상 재해**라고 한다.

오개념 주의 자연 재해 · 재난이 모두 기상 재해는 아니다. 날씨와 관련된 재해만 기상 재해이다.

1-2

다음은 자연 재해 · 재난과 사회 재해 · 재난에 대해 두 학생이 나눈 대화이다. 옳게 말한 학생을 쓰시오.

자연 재해 · 재난은 태풍, 홍수, 해일, 화산 활동 등 자연 현상으로 인한 피해를 뜻해.

제나

인간의 활동으로 인한 사회 재해 · 재난은 재산에는 피해를 주지만, 인명에는 피해가 없어.

윤재

1-3

다음 보기 는 재해 · 재난의 특성을 설명한 것이다.

보기
(가) 자연 현상으로 인해 생긴 재해 · 재난
(나) 인간의 부주의와 기술상의 오류로 인해 생긴 재해 · 재난

(가), (나)에 해당하는 재해 · 재난의 사례가 옳게 짝 지어진 것은?

	(가)	(나)
①	화재	지진
②	붕괴	폭발
③	지진	화산 활동
④	폭발	감염병
⑤	폭설	환경 오염

Hint 자연 재해 · 재난은 자연 현상으로 인한 것이고, 사회 재해 · 재난은 인간의 활동으로 인한 것이다.

대표 기출문제 주제 **2** 재해·재난의 대처 방안

2-1

그림 (가), (나), (다)의 세 장소에 있을 때 지진이 발생하였다.

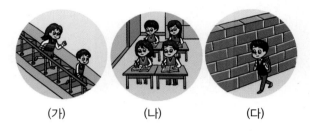

(가)　　　　　(나)　　　　　(다)

(가), (나), (다)에서의 대처 방법으로 옳은 것을 보기 에서 모두 고른 것은?

보기

ㄱ. (가)에서는 엘리베이터를 타고 신속하게 내려온다.

ㄴ. (나)에서는 탁자나 책상 아래로 들어가 몸을 보호한다.

ㄷ. (다)에서는 건물과 떨어져 운동장이나 넓은 공간으로 대피한다.

① ㄱ　　　　　② ㄴ　　　　　③ ㄷ
④ ㄱ, ㄴ　　　　⑤ ㄴ, ㄷ

문제 해결 Point

가이드 ┃ 지진 발생 상황에서 건물 안에 있을 때와 건물 밖에 있을 때, 흔들림이 있을 때와 없을 때 등의 각 상황별 대처 방법을 구분해서 알고 있어야 한다.

해결 Point ┃ 지진이 발생했을 때 흔들리는 동안은 탁자 아래로 들어가 몸을 보호하고, 탁자 다리를 꼭 잡는다. 흔들림이 멈추면 전기와 가스를 차단하고, 건물 밖으로 나갈 때에는 엘리베이터를 사용하지 말고 계단을 이용한다. 건물 밖에서는 가방이나 손으로 머리를 보호하며, 떨어지는 물건에 유의하며 건물과 떨어져 운동장이나 공원 등 넓은 공간으로 대피한다.

오개념 주의 ┃ 건물 밖으로 나오면 떨어지는 물건이 없는 넓은 공간으로 대피한다.

2-2

다음은 재해·재난에 대한 대처 방법을 나타낸 것이다.

• 직접 피부에 닿지 않게 하고, 손수건이나 옷으로 코와 입을 감싸고 최대한 멀리 대피한다.
• 유독 가스의 경우 대부분 공기보다 무거우므로 높은 곳으로 대피한다.

어떤 재해·재난에 대한 대처 방법인가?

① 지진　　　　　　　② 폭설
③ 감염병 확산　　　　④ 화학 물질 유출
⑤ 운송 수단 사고

2-3

재해·재난에 대한 대처 방법을 나타낸 보기 의 설명 중 옳은 것을 모두 고른 것은?

보기

ㄱ. 감염병을 예방하기 위해 손을 자주 씻고 마스크를 착용한다.

ㄴ. 운동장에 있을 때, 지진이 발생하면 무조건 건물 안으로 들어간다.

ㄷ. 건물 안에 있을 때 지진이 발생하면 계단을 이용하여 건물 밖으로 나간다.

ㄹ. 유독 가스가 유출되면 옷이나 손수건 등으로 코와 입을 감싸고 높은 곳으로 피한다.

① ㄱ, ㄷ　　　　② ㄴ, ㄹ　　　　③ ㄱ, ㄷ, ㄹ
④ ㄴ, ㄷ, ㄹ　　　⑤ ㄱ, ㄴ, ㄷ, ㄹ

Hint 지진이 발생하면 최대한 건물로부터 떨어져서 운동장과 같이 넓은 공간으로 대피한다.

누구나 100점 테스트

우리나라 주변 해류 ▶ p. 138

01 그림은 우리나라 주변의 해류를 나타낸 것이다.

해류 A~E의 이름을 옳게 연결한 것은?

① A – 북한 난류　　　② B – 동한 난류

③ C – 황해 난류　　　④ D – 연해주 한류

⑤ E – 쿠로시오 해류

조석 ▶ p. 140

02 그림은 어느 바닷가에서의 만조와 간조 때의 모습이다.

(가)　　　　　　　　　(나)

이에 대한 설명으로 옳은 것을 보기 에서 모두 고르시오.

보기
　ㄱ. (가)는 밀물에 의해 해수면이 가장 높아진 때이다.
　ㄴ. (나)는 썰물에 의해 해수면이 가장 낮아진 때이다.
　ㄷ. 하루 동안 만조 한 번, 간조 한 번씩 일어난다.

온도와 입자 운동 ▶ p. 144

03 그림 (가)~(다)는 온도가 다른 물의 입자 운동을 모형으로 나타낸 것이다.

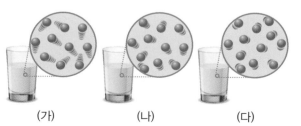

(가)　　　　　(나)　　　　　(다)

온도와 입자 운동의 관계를 옳게 말하고 있는 사람을 쓰시오.

열의 이동 방법 ▶ p. 146

04 그림 (가)~(다)는 얼음 위에 놓인 생선, 얼음 속에 넣은 주스, 냄비 위에 놓인 언 고기를 나타낸 것이다.

(가)　　　　　(나)　　　　　(다)

이에 대한 설명 중 옳은 것은?

① (가)에서 열이 가장 많이 이동한다.

② (가), (나), (다) 모두 전도로 열이 이동한다.

③ (가)에서는 얼음에서 생선으로 열이 이동한다.

④ (나)에서는 얼음에서 주스로 열이 이동한다.

⑤ (다)에서는 언 고기에서 냄비로 열이 이동한다.

열의 이동 방법 ▶ p. 146

05 그림과 같은 열의 사용에서 ㉠~㉢에 알맞은 열의 이동 방법을 쓰시오.

06 찬물이 든 열량계 안에 뜨거운 물이 든 알루미늄 컵을 넣고 충분한 시간이 지났을 때 찬물(A)과 뜨거운 물(B)의 온도와 입자 운동의 활발한 정도를 옳게 비교한 것은?

열평형 ▶ p. 152

	온도	입자 운동		온도	입자 운동
①	A=B	A=B	②	A>B	A>B
③	A<B	A<B	④	A=B	A>B
⑤	A<B	A=B			

07 그림과 같이 온도계로 비커 속 물의 온도를 측정한다. 이와 같은 현상으로 설명할 수 있는 예가 <u>아닌</u> 것은?

열평형 ▶ p. 152

① 뜨거운 차가 식는다.
② 냉방기는 위쪽에 설치한다.
③ 얼음이 담긴 통에 음료수 병을 넣어둔다.
④ 계곡물에 수박을 담가 놓으면 시원해진다.
⑤ 한약을 데울 때 한약 봉지를 뜨거운 물에 담가 둔다.

08 뚝배기와 금속 냄비에 찌개를 끓였을 때, 금속 냄비보다 뚝배기에 담긴 찌개가 오랫동안 따뜻한 상태를 유지한다.

비열 ▶ p. 156

이와 같은 현상으로 설명할 수 있는 것은?

① 난로의 안쪽 면에 반사판을 설치한다.
② 열기구 속 공기를 가열하면 떠오른다.
③ 음료수를 냉장고에 넣어 두면 시원해진다.
④ 코코아 가루는 뜨거운 물에서 빨리 녹는다.
⑤ 한낮에 바닷가의 모래가 물보다 온도가 더 높다.

09 그림과 같이 물, 콩기름, 에탄올을 같은 양만큼 유리병에 넣고 입구를 막은 후 뜨거운 물이 담긴 수조에 넣었더니 각 액체의 부피가 달라졌다.

열평형 ▶ p. 152

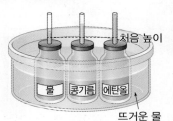

이에 대한 설명으로 옳은 것을 [보기]에서 모두 고른 것은?

> **보기**
> ㄱ. 열팽창 정도가 가장 큰 것은 에탄올이다.
> ㄴ. 액체의 종류에 따라 열팽창 정도가 다르다.
> ㄷ. 액체를 가열하면 입자 사이의 거리가 멀어진다.

① ㄱ   ② ㄴ   ③ ㄱ, ㄷ
④ ㄴ, ㄷ   ⑤ ㄱ, ㄴ, ㄷ

10 그림은 다리를 설치할 때 다리의 이음매 부분에 틈을 만든 모습을 나타낸 것이다. 이에 대한 세 사람의 대화에서 다리에 틈을 만든 까닭을 옳게 설명한 사람을 쓰시오.

열팽창 ▶ p. 158

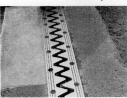

자동차의 과속을 방지하기 위한 장치야.

비가 올 때 물이 잘 빠지도록 하기 위해서야.

열팽창으로 다리가 파손되는 것을 방지하기 위해서야.

준수   지나   진호

특강 | 창의·융합·코딩

✏️ **4주에 배운 개념을 그림으로 저장**

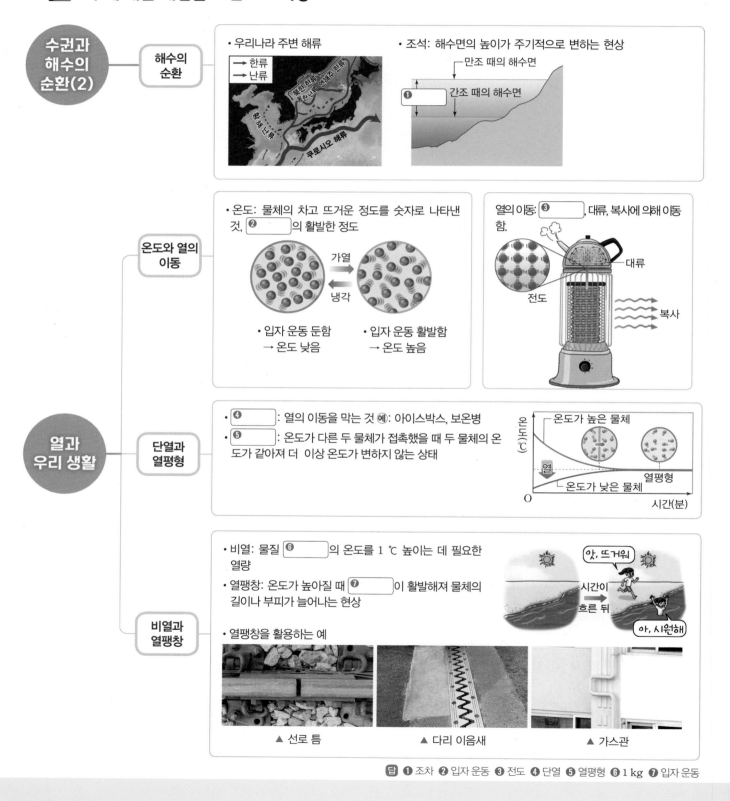

수권과 해수의 순환(2)

해수의 순환

• 우리나라 주변 해류
→ 한류
→ 난류

• 조석: 해수면의 높이가 주기적으로 변하는 현상
만조 때의 해수면
❶ [   ] 간조 때의 해수면

온도와 열의 이동

• 온도: 물체의 차고 뜨거운 정도를 숫자로 나타낸 것, ❷ [   ]의 활발한 정도

가열 ⇄ 냉각

• 입자 운동 둔함 → 온도 낮음
• 입자 운동 활발함 → 온도 높음

열의 이동: ❸ [   ], 대류, 복사에 의해 이동함.
대류
전도
복사

열과 우리 생활

단열과 열평형

• ❹ [   ]: 열의 이동을 막는 것 ⑩: 아이스박스, 보온병
• ❺ [   ]: 온도가 다른 두 물체가 접촉했을 때 두 물체의 온도가 같아져 더 이상 온도가 변하지 않는 상태

온도(℃)
온도가 높은 물체
열
온도가 낮은 물체
열평형
O   시간(분)

비열과 열팽창

• 비열: 물질 ❻ [   ]의 온도를 1 ℃ 높이는 데 필요한 열량
• 열팽창: 온도가 높아질 때 ❼ [   ]이 활발해져 물체의 길이나 부피가 늘어나는 현상

아, 뜨거워
시간이 흐른 뒤
아, 시원해

• 열팽창을 활용하는 예

▲ 선로 틈   ▲ 다리 이음새   ▲ 가스관

답 ❶ 조차 ❷ 입자 운동 ❸ 전도 ❹ 단열 ❺ 열평형 ❻ 1 kg ❼ 입자 운동

✏️ 재미있는 **개념 완성** 퀴즈

다음 ○× 문제를 풀고 밀림에서 위험한 동물을 피해 안전한 차량에 도착하시오.

❶ 만조에서 다음 만조까지 약 12시간 25분이 걸린다.

❷ 온도가 낮을수록 물질을 구성하는 입자 운동이 활발하다.

❸ 냉장고는 대류에 의한 열의 이동이 활발하도록 음식물을 가득 채우면 안된다.

❹ 그늘에 들어가면 시원한 까닭은 복사에 의한 열을 차단하기 때문이다.

❺ 음료수를 냉장고에 넣으면 열팽창에 의해 음료수가 시원해진다.

❻ 치아 충전재는 치아와 열팽창 정도가 다른 물질을 사용한다.

답 ❶ ○ ❷ × ❸ ○ ❹ ○ ❺ × ❻ ×

과학의 다양한 유형 문제를
해결하는 방법을 연습하면서
사고력을 기르자.

1 다음은 우리나라 주변 해류에 관한 신문 기사의 일부이다.

> ○ ○ 일 보
>
> 서울과 강릉은 비슷한 위도에 있지만 겨울철에 강릉이 서울보다
> 따뜻하다. 그 이유 중 하나는 해안 가까이 위치한 강릉이 저위도에
> 서 고위도로 흐르는 (   ) 난류의 영향을 받기 때문이다.

(1) 빈칸에 들어갈 말을 쓰시오.

(2) 위도에 따른 해수의 표층 수온 분포를 다음 단어를 모두 포함하여 서술하시오.

| 고위도 | 저위도 | 태양 복사 에너지 | 표층 수온 |

● 문제 해결 Tip
난류는 해안 지역의 기온
을 높아지게 하고, 한류는
해안 지역의 기온을 낮아
지게 해.

2 그래프는 하룻동안 서해안에서 측정한 해수면이 높이 변화를 나타낸 것이다.

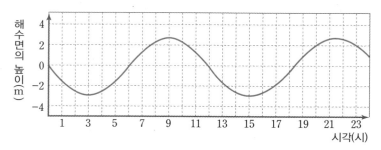

● 문제 해결 Tip
해수면의 높이를 이용하
여 만조와 간조를 찾을 수
있어.

하룻동안 만조와 간조는 각각 몇 번씩 있었는지 쓰고, 그렇게 판단한 이유를 위 그
래프를 이용하여 서술하시오.

3 그림은 물이 든 비커에 파란 잉크를 한 방울씩 떨어뜨렸을 때 잉크가 물속에서 퍼져 나가는 모습을 나타낸 것이다.

(가)   (나)

(1) (가), (나) 중 온도가 더 높은 물이 담긴 비커는 무엇인지 쓰시오.

(2) (1)과 같이 답한 까닭을 다음 단어를 모두 포함하여 서술하시오.

온도	입자 운동	잉크	비커	물

문제 해결 Tip

모든 물질은 그 물질의 고유한 성질을 갖는 작은 입자로 되어 있으며, 이 입자들은 끊임없이 스스로 움직이고 있어. 그리고 온도는 물체를 이루는 입자 운동의 활발한 정도를 나타내지.

4 그림은 다양한 열의 이동 방법을 나타낸 것이다.

㉠ 주전자 속 물 전체가 데워진다.

㉡ 주전자 손잡이가 뜨거워진다.

㉢ 모닥불 옆에 있으면 손이 바로 따뜻해진다.

(1) ㉠~㉢에서 열의 이동 방법을 각각 쓰시오.

(2) 세 사람이 말하는 열에 관한 내용을 ㉠~㉢의 열의 이동 방법과 연결하시오.

따뜻한 차가 든 잔을 손으로 감싸면 손이 점점 따뜻해져.

전기난로에 손을 가까이하면 손이 곧 따뜻해져.

프라이팬 위에 고기를 놓고 구우면 고기 안쪽까지 익어.

유미   동영   은혜

문제 해결 Tip

고체에서는 전도, 액체나 기체에서는 대류를 통해 열이 전달돼. 중간에 다른 물질의 도움 없이 직접 열이 전달되는 방법을 복사라고 해.

특강 | 창의·융합·코딩 **173**

5 다음은 생수통 속에 넣은 물이 처음 온도를 오랫동안 유지할 수 있는 가장 효율적인 방법을 찾는 실험 과정과 결과를 나타낸 것이다.

[실험 과정]
❶ 생수통 5개를 준비하여 그중 4개를 각각 비닐랩, 종이, 손수건, 알루미늄 포일로 통 전체를 감싼다.
❷ 생수통에 4 ℃ 정도의 찬물을 가득 넣고, 디지털 온도계로 20분 동안 온도 변화를 관찰한다.

[실험 결과]
❶ 알루미늄 포일로 감싼 생수통의 온도 변화가 가장 작다.
❷ 알루미늄 포일은 ㉠(   )로 일어나는 ㉡(   )의 전달을 막는 데 효과적이므로 온도 변화가 가장 작다. 따라서 ㉢(   )이 잘되어 온도 변화가 작게 나타났다.

위 실험 결과의 빈칸에 알맞은 말을 쓰시오.

문제 해결 **Tip**
이 실험의 목표는 "열이 이동하는 원리를 이용하여 효과적인 단열 방법을 찾을 수 있다."야.

6 그림과 같이 갓 삶은 달걀을 차가운 물에 넣어 식혔다.

(1) 이에 대한 설명에서 (   ) 안에 알맞은 말을 고르시오.
① 열은 ㉠(뜨거운 달걀 / 차가운 물)에서 ㉡(뜨거운 달걀 / 차가운 물)로 이동한다.
② 달걀은 열을 ㉠(얻어 / 잃어) 입자 운동이 ㉡(빨라지고 / 느려지고) 온도가 ㉢(높아진다 / 낮아진다).
③ 물은 열을 ㉠(얻어 / 잃어) 입자 운동이 ㉡(빨라지고 / 느려지고) 온도가 ㉢(높아진다 / 낮아진다).

(2) 이처럼 온도가 다른 두 물체를 접촉시켰을 때 어느 정도 시간이 지나 두 물체의 온도가 더는 변하지 않고 일정해지는 것을 무엇이라고 하는지 쓰시오.

문제 해결 **Tip**
즉석식품을 뜨거운 물에 넣으면 음식물은 열을 얻어 주변 온도와 같아질 때까지 온도가 올라가고, 미지근한 음료수를 냉장고에 넣으면 주변 온도와 같아질 때까지 열을 잃어 시원해져.

7 그림은 일상생활에서 비열이 큰 물질과 작은 물질을 이용하는 예이다.

빨리 끓어라.

밥을 다 먹을 때까지 따뜻했으면 좋겠어.

(1) 위 상황에 대한 설명에서 빈칸에 알맞은 말을 쓰시오.

스테인리스 주전자는 비열이 ㉠(   ) 때문에 온도가 **빨리** 변하므로 물을 **빨리** 끓일 수 있다. 반면에 뚝배기는 비열이 ㉡(   ) 때문에 온도가 천천히 변하므로 뚝배기 안의 음식은 천천히 식어 따뜻한 음식을 오랫동안 먹을 수 있다.

(2) 일상생활에서 비열을 이용하는 다른 예를 한 가지만 서술하시오.

8 그림은 음료수를 고르면서 유리와 석호가 나눈 대화이다.

이 과자 먹자.

우리 음료수도 마시자.

뭘 마실래?

어! 병에 음료수가 가득 채워 있지 않네.

(1) 다음은 위 대화와 관련된 현상이다. 빈칸에 알맞은 말을 쓰시오.

물과 에탄올을 유리관이 꽂힌 삼각 플라스크에 넣고 뜨거운 물이 들어 있는 수조에 담그면 ㉠(   )가 늘어나 유리관 속 액체의 높이가 높아진다. 이처럼 온도가 높아질 때 물체의 길이나 부피가 늘어나는 현상을 ㉡(   )이라고 한다.

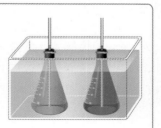

(2) 위 대화에서 병에 음료수를 가득 채워 넣지 않은 까닭을 서술하시오.

9주

Memo

미래를 바꾸는
긍정의 한마디

나는 똑똑한 것이 아니라
단지 문제를 더 오래 연구할 뿐이다.

알베르트 아인슈타인(Albert Einstein)

어떤 목표를 이루려 할 때 가장 중요한 것은 무엇이라고 생각하나요?

천부적인 재능, 타이밍, 조력자의 도움… 다양한 것들이 있지만 가장 중요한 것은

바로 '노력'입니다. 우리가 흔히 천재라고 생각하는 아인슈타인과 에디슨, 빌 게이츠와

같은 사람들도 수많은 실수를 하였지만 포기하지 않고 끊임없이 노력한 끝에 목표를

이룰 수 있었단 것을 잊지 마세요.

포기하지 않는 마음, 성취의 첫걸음입니다.

시작해 봐, 하루시리즈로!

#기초력_쌓고!
#공부습관_만들고!

시작은 하루 중학 국어

- 시
- 소설(개념)
- 소설(작품)
- 문법
- 비문학
- 수필

이 교재도 추천해요!

- 중학 국어 DNA 깨우기 시리즈 (비문학 독해 / 문법 / 어휘)

시작은 하루 중학 수학

- 1-1, 1-2
- 2-1, 2-2
- 3-1, 3-2

이 교재도 추천해요!

- 해결의 법칙 (개념 / 유형)
- 빅터연산

천재교육

정답과 해설

중학 ★ 바탕 학습
과학 2-2

시작은
하루
과학

정답과 해설
포인트

▶ 혼자서도 쉽게 이해할 수 있는 친절한 해설

▶ 오답을 피하는 방법 수록

▶ 해설을 보면서 다시 한번 개념 확인

2-2

하루과학

정답과 해설

정답과 해설

1주

1일 생물의 구성 단계와 영양소

개념 원리 확인			p. 13, 15
1-1 (가) 조직 (나) 기관	**1-2** 조직계	**1-3** 기관계	
2-1 (1) ⓛ (2) ⓒ (3) ⓐ	**2-2** ⑤	**2-3** 황적색	

해설

1-1 동물의 몸은 세포 → (가) 조직 → (나) 기관 → 기관계 → 개체의 단계를 거쳐 이루어진다. 세포가 모여 조직을 이루고, 조직이 모여 기관을 이룬다. 기관 중에서 서로 연관된 기능을 수행하는 기관이 모여 기관계를 이루고, 여러 기관계가 모여 독립된 개체를 이룬다.

1-2 식물에는 조직계가 있고, 기관계는 없다. 동물에는 기관계가 있고, 조직계는 없다.

1-3 간, 쓸개, 위, 소장, 대장은 소화를 담당하는 기관으로, 이러한 기관의 모임을 기관계(소화계)라고 한다.

2-1 빵, 고구마, 국수 등에는 탄수화물이, 닭고기, 계란, 생선, 두부 등에는 단백질이, 버터, 땅콩, 기름 등에는 지방이 주로 들어 있다.

2-2 괴혈병은 바이타민 C가 부족할 때 걸리는 병으로, 레몬즙 속에는 바이타민 C가 풍부해 괴혈병 환자를 회복시키는 데 도움이 된다.

2-3 포도당 용액에 베네딕트 용액을 넣고 가열하면 황적색으로 변한다.

1일 기초 집중 연습			p. 16~17
1-1 ④	**1-2** 은혜	**1-3** ④	**2-1** ②
2-2 ③	**2-3** ①		

해설

1-1 (가)는 세포, (나)는 조직, (다)는 기관, (라)는 기관계, (마)는 개체 단계이다. 세포는 생물을 구성하는 기본 단위이고, 모양과 기능이 비슷한 세포가 모여 조직을 이룬다. 여러 조직이 모여 고유한 모양과 기능을 갖춘 기관을 구성하고, 연관된 기능을 하는 기관이 모여 기관계를 이룬다. 여러 기관계가 모여 독립된 생물체인 개체를 이룬다.

오답 풀이 ④ 기관계(라)는 동물에서만 발견되는 구성 단계로, 식물의 구성 단계에는 없다. 식물은 조직이 모여 조직계를 이루고 조직계가 모여 기관을 형성한다.

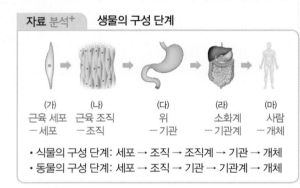

자료 분석⁺ 생물의 구성 단계

(가)	(나)	(다)	(라)	(마)
근육 세포	근육 조직	위	소화계	사람
─세포	─조직	─기관	─기관계	─개체

- 식물의 구성 단계: 세포 → 조직 → 조직계 → 기관 → 개체
- 동물의 구성 단계: 세포 → 조직 → 기관 → 기관계 → 개체

1-2 동물의 몸은 세포 → 조직 → 기관 → 기관계 → 개체의 단계로 구성된다.

1-3 오답 풀이 ㄷ. 동물의 구성 단계에서 연관된 기능을 가진 기관들이 모여 기관계를 형성한다. 기관계를 통해 동물은 소화, 순환, 호흡, 배설 등의 다양한 생명 활동을 수행하며 독립적인 생활이 가능한 개체가 된다.

2-1 (가)는 단백질로, 단백질은 탄수화물, 지방과 함께 3대 영양소에 속하며 에너지원으로 쓰인다. 단백질은 살코기, 생선, 콩, 달걀 등에 많이 들어 있으며 근육, 머리카락 등 몸을 구성하는 주요 성분으로 성장기인 청소년에게 특히 많이 필요하다. 단백질이 들어 있는 용액에 뷰렛 용액을 떨어뜨리면 보라색을 나타내므로 단백질을 검출할 때 뷰렛 용액이 사용된다.

오답 풀이 ② 단백질은 탄수화물과 함께 1 g 당 4 kcal의 열량을 낸다. 지방은 1 g 당 9 kcal의 열량을 내므로 1 g 당 열량이 가장 높은 것은 단백질이 아니라 지방이다.

2-2 ③ 몸의 구성 성분 중 가장 많은 비율을 차지하는 것은 물이다.

2-3 미음에 아이오딘−아이오딘화 칼륨 용액을 떨어뜨렸을 때 청람색으로 변한 것으로 보아 미음 속에 녹말이 들어 있음을 알 수 있다.

개념 체크+ **영양소 검출**

검출 반응	검출 시약	검출 영양소	반응 색
아이오딘 반응	아이오딘−아이오딘화 칼륨 용액 (연한 갈색)	녹말	청람색
베네딕트 반응	베네딕트 용액(청색) + 가열	당분(엿당, 포도당 등)	황적색
뷰렛 반응	뷰렛 용액(5 % 수산화 나트륨 수용액+1 % 황산 구리 수용액(청색))	단백질	보라색
수단 Ⅲ 반응	수단 Ⅲ 용액(붉은색)	지방	선홍색

2일 소화

개념 원리 확인   p. 19, 21

1-1 (1) A: 입, B: 식도, C: 간, D: 위, E: 소장, F: 대장

(2) C, 간   **1-2** 영웅

2-1 (가) 기계적 소화, (나) 화학적 소화   **2-2** 서율

2-3 소화 효소

해설

1-1 소화관과 연결되어 소화액을 분비하는 기관을 소화샘이라고 한다. 간(C)은 소화샘으로 지방의 소화를 돕는 쓸개즙을 생성한다.

1-2 소장은 길고 가는 관으로 위에서 온 음식물을 소화액과 섞어주고, 영양소가 최종 산물로 소화되어 흡수되는 소화 기관이다.

2-1 (가)는 녹말의 성분이 변하지 않고 크기만 작아졌으므로 기계적 소화, (나)는 녹말이 엿당으로 성분이 변했으므로 화학적 소화라고 한다.

2-2 각각의 소화 효소는 한 종류의 영양소만 분해한다. 즉, 녹말을 분해하는 소화 효소는 단백질이나 지방은 분해하지 못한다.

2-3 소화 효소는 소화액에 들어 있는 물질로, 크기가 큰 영양소를 크기가 작은 영양소로 분해한다.

2일 기초 집중 연습   p. 22~23

1-1 ②   **1-2** ③   **1-3** ⑤   **2-1** ①

2-2 준상   **2-3** ③

해설

1-1 섭취한 음식물 속의 영양소를 체내에 흡수될 수 있도록 작게 분해하여 체내로 흡수하는 기관계는 소화계이다. 소화계는 음식물이 직접 이동하는 소화관과 소화액을 분비하는 소화샘으로 구성된다.

오답 풀이 ㄴ. 영양소, 산소와 같이 세포가 필요로 하는 물질을 운반하는 역할을 담당하는 기관계는 소화계가 아니고 순환계이다.

ㄷ. 간, 쓸개, 이자와 같은 소화샘은 소화관에 연결되어 소화액을 분비하는 곳으로, 음식물이 직접 통과하지 않는다.

1-2 음식물은 입 − 식도 − 위 − 소장 − 대장 − 항문으로 연결된 소화관을 따라 이동한다. 간, 쓸개, 이자에는 음식물이 직접 지나가지 않는다.

1-3 간, 쓸개, 침샘, 이자는 소화관에 연결되어 소화액을 분비하는 소화샘이다. 위, 소장, 대장, 식도는 음식물이 직접 지나는 소화관이다.

2-1 시험관 A에서 아이오딘 반응이 나타나지 않은 것으로 보아 녹말은 셀로판 주머니(반투과성 막)를 통과하지 않았음을 알 수 있다. 시험관 B에서 베네딕트 반응이 나타난 것으로 보아 포도당은 셀로판 주머니를 통과했음을 알 수 있다. 즉, 녹말은 포도당처럼 작은 분자로 분해되어야 체내로 흡수될 수 있으므로 소화 과정이 필요함을 확인할 수 있다.

정답과 해설

(오답 풀이) ① 녹말은 셀로판 주머니를 통과하지 못하므로 시험관 A에는 녹말이 들어 있지 않다. 따라서 시험관 A는 아이오딘 반응을 나타내지 않는다.

2-2 소화는 음식물 속의 큰 영양소를 소장의 세포막을 통과할 수 있을 정도로 작게 분해하는 과정이다.

2-3 (오답 풀이) ③ 소화 효소는 체온 범위에서 활발하게 작용한다. 온도가 너무 높거나 낮을 경우 소화 효소의 기능이 떨어진다.

3일 소화와 흡수

개념 원리 확인 　　　　　　p. 25, 27

1-1 A: 아밀레이스, B: 펩신, C: 라이페이스
1-2 (1) ⓒ (2) ⓐ (3) ⓑ　　**1-3** 염산
2-1 A: 모세 혈관, B: 암죽관　**2-2** ②, ④　**2-3** 소장

해설

1-1 녹말은 침 속에 들어 있는 소화 효소인 아밀레이스(A)에 의해 엿당으로 분해된다. 단백질은 위의 위액에 들어 있는 소화 효소인 펩신(B)에 의해 분해된다. 지방은 이자액에 들어 있는 소화 효소인 라이페이스(C)에 의해 지방산과 모노글리세리드로 분해된다.

1-2 소화 과정 결과 녹말은 포도당으로, 단백질은 아미노산으로, 지방은 지방산과 모노글리세리드로 최종 분해된다.

1-3 염산은 위액에 들어 있는 물질로, 펩신을 활성화시켜 단백질의 소화를 돕는다.

2-1 소장 융털 내부의 가운데에 암죽관(B)이 있고, 그 주변을 모세 혈관(A)이 둘러싸고 있다.

2-2 지방산, 모노글리세리드는 지용성 영양소이므로 융털 내부의 암죽관으로 흡수된다. 단백질은 분해된 최종 산물이 아니므로 융털 내부로 흡수되지 않는다.

2-3 최종적으로 소화된 영양소는 소장의 융털 내부로 흡수된 후 심장을 거쳐 온몸의 세포로 전달된다.

3일 기초 집중 연습 　　　　　　p. 28~29

1-1 ②　　**1-2** (1) A (2) B (3) 아밀레이스　　**1-3** ④
2-1 ④　　**2-2** ①, ⑤　　**2-3** ①

해설

1-1 A는 입, B는 간, C는 위, D는 이자, E는 소장이다. 입에서 녹말이, 위에서 단백질이, 소장에서 지방이 최초로 분해된다. 위액에는 펩신과 함께 염산이 있어서 강한 산성을 나타낸다. 이자에서는 3대 영양소를 분해하는 소화 효소(아밀레이스, 트립신, 라이페이스)가 분비된다. 소장에서 영양소는 최종 산물로 분해가 완료되어 체내로 흡수된다.

(오답 풀이) ② 쓸개즙은 소화 효소가 없으며 라이페이스가 작용할 수 있도록 지방의 소화를 돕는 역할을 한다.

자료 분석⁺　　소화

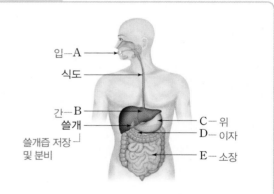

- 입(A): 탄수화물(녹말)이 처음 소화된다.
- 간(B): 쓸개즙이 생성된다.
- 위(C): 펩신이 염산의 도움을 받아 단백질을 처음으로 분해한다.
- 이자(D): 이자액에는 녹말을 분해하는 아밀레이스, 단백질을 분해하는 트립신, 지방을 분해하는 라이페이스가 모두 들어 있다.
- 소장(E): 녹말은 포도당으로, 단백질은 아미노산으로, 지방은 지방산과 모노글리세리드로 최종 분해되어 흡수된다.

1-2 시험관 A에서는 처음에 넣어 준 녹말이 그대로 있기 때문에 아이오딘 반응 결과 색깔이 청람색으로 변한다. 시험관 B에서는 침 속의 아밀레이스에 의해 녹말이 엿당(당분)으로 분해되기 때문에 베네딕트 반응 결과 색깔이 황적색으로 변한다.

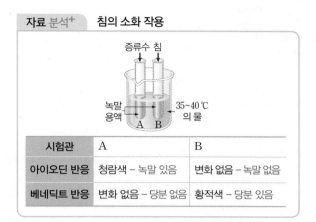

| 자료 분석⁺ | 침의 소화 작용 |

시험관	A	B
아이오딘 반응	청람색 – 녹말 있음	변화 없음 – 녹말 없음
베네딕트 반응	변화 없음 – 당분 없음	황적색 – 당분 있음

1-3 A는 간, B는 쓸개, C는 소장, D는 위, E는 이자이다. 위에서 펩신은 염산의 도움을 받아 단백질을 분해한다.

2-1 (가)는 융털, A는 모세 혈관, B는 암죽관이다. 소장 안쪽 벽의 주름과 융털 구조는 표면적을 넓혀 주어 영양소를 효율적으로 흡수할 수 있게 한다. 융털 내부는 가운데에 암죽관(B)이 있고, 그 주변을 모세 혈관(A)이 둘러싸고 있다.

[오답 풀이] ㄴ. 융털의 모세 혈관(A)으로 포도당, 아미노산과 같은 수용성 영양소가 흡수되고, 암죽관(B)으로 지방산, 모노글리세리드와 같은 지용성 영양소가 흡수된다.

| 자료 분석⁺ | 영양소의 흡수 |

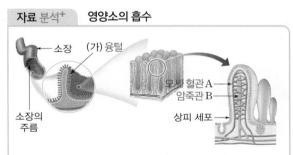

- 소장의 안쪽 벽에는 주름이 많고 주름의 표면에는 융털(가)이라는 수많은 돌기가 있다. 이는 소장 내부의 표면적을 넓혀주어 분해된 영양소를 효율적으로 흡수할 수 있게 한다.
- 모세 혈관(A): 포도당, 아미노산, 무기 염류와 같은 수용성 영양소가 흡수된다.
- 암죽관(B): 지방산, 모노글리세리드와 같은 지용성 영양소가 흡수된다.

2-2 A는 모세 혈관으로 포도당, 아미노산, 무기 염류 등의 수용성 영양소가 흡수된다. 지방산, 모노글리세리드는 지용성 영양소로 암죽관으로 흡수된다.

2-3 최종 소화된 영양소는 소장 융털의 모세 혈관과 암죽관으로 흡수되어 심장으로 이동한 후 온몸의 세포로 운반되어 우리 몸을 구성하는 성분이 되거나 몸의 기능을 조절하는 데 이용되며, 생명 활동에 필요한 에너지원이 되기도 한다.

4일 순환 (1)

| 개념 원리 확인 | p. 31, 33 |

1-1 (1) A: 우심방, B: 우심실, C: 좌심방, D: 좌심실
(2) E, 판막 (3) ㉠ 우심방 ㉡ 좌심실 　　**1-2** 심장
2-1 (1) A: 동맥, B: 모세 혈관, C: 정맥 (2) →, →
2-2 (1) ㉡ (2) ㉠ (3) ㉢

해설

1-1 (1) 온몸을 지나온 혈액을 받아들이는 우심방(A)에는 대정맥이, 폐를 지나온 혈액을 받아들이는 좌심방(C)에는 폐정맥이 연결되어 있다. 온몸으로 혈액을 내보내는 좌심실(D)에는 대동맥이, 폐로 혈액을 내보내는 우심실(B)에는 폐동맥이 연결되어 있다.
(2) 우심방과 우심실 사이, 좌심방과 좌심실 사이, 우심실과 폐동맥 사이, 좌심실과 대동맥 사이에는 판막이 있어서 심장이 수축, 이완할 때 혈액이 거꾸로 흐르는 것을 방지한다.
(3) 심장에서 혈액은 대정맥 → ㉠ 우심방 → 우심실 → 폐동맥 / 폐정맥 → 좌심방 → ㉡ 좌심실 → 대동맥으로 흐른다.

1-2 사람의 심장은 2심방 2심실로 이루어져 있다.

2-1 (1) C에 판막이 있는 것으로 보아 정맥임을 알 수 있다. B는 동맥과 정맥을 연결하는 모세 혈관이다.
(2) 심장에서 나온 혈액은 동맥(A) → 모세 혈관(B) → 정맥(C)을 거쳐 다시 심장으로 들어온다.

2-2 혈압이 높은 동맥은 피부 근처보다 주로 몸속 깊은 곳에 분포한다. 피부 표면에 위치하며 푸르게 보이는 혈관은 대부분 정맥이다. 모세 혈관 벽은 매우 얇아 모세

정답과 해설

혈관을 지나는 혈액과 주변 조직 세포 사이에서 물질 교환이 일어난다. 혈액이 온몸의 모세 혈관을 지나는 동안 조직 세포에 산소와 영양소를 공급하고, 조직 세포에서 이산화 탄소와 노폐물을 받는다.

<table>
<tr><td>4일</td><td>기초 집중 연습</td><td colspan="2">p.34~35</td></tr>
<tr><td>1-1 ①</td><td>1-2 ②</td><td>1-3 ③</td><td>2-1 ①</td></tr>
<tr><td>2-2 ④</td><td colspan="3">2-3 은혜, 서연</td></tr>
</table>

해설

1-1 A는 우심방, B는 좌심방, C는 폐동맥, D는 폐정맥이다.

（오답 풀이） ㄷ. 폐동맥(C)은 우심실과 연결되며 심장에서 폐로 나가는 혈액이 흐르는 혈관으로 동맥이다. 폐정맥(D)은 좌심방과 연결되며 폐에서 심장으로 들어오는 혈액이 흐르는 혈관으로 정맥이다.
ㄹ. 심방과 심실 사이, 심실과 동맥 사이에 판막이 있어서 심장 박동 시 수축이 일어날 때 혈액이 거꾸로 흐르는 것을 방지해 준다.

1-2 대정맥은 우심방과 연결되어 있다. 대정맥을 통해 심장으로 들어온 혈액은 우심방을 거쳐 우심실로 이동한다. 혈액은 우심실에서 폐동맥을 거쳐 폐로 이동한다.

1-3 심장에서 혈액은 대정맥 → 우심방 → 우심실 → 폐동맥, 폐정맥 → 좌심방 → 좌심실 → 대동맥으로 흐른다.

（오답 풀이） ③ 혈액은 우심방에서 우심실 방향으로 흐른다.

2-1 A는 동맥, B는 모세 혈관, C는 정맥이다. 동맥(A)은 혈관 벽이 두껍고 탄력성이 강하여 심실에서 나온 혈액의 높은 압력을 견딜 수 있다. 모세 혈관(B)은 혈관 벽이 매우 얇고 혈액이 흐르는 속도가 느려 조직 세포와 물질 교환이 일어나기에 유리하다.

（오답 풀이） ㄷ. 정맥(C)은 혈압이 매우 낮아 혈액이 거꾸로 흐를 수 있으므로 혈관 곳곳에 판막이 있어 이를 방지한다.
ㄹ. 혈액이 흐르는 방향은 동맥(A) → 모세 혈관(B) → 정맥(C)이다.

자료 분석⁺ 혈관

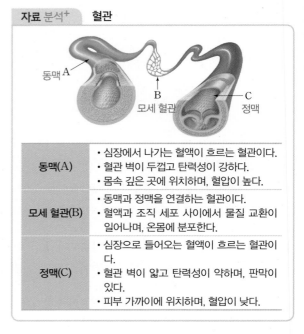

<table>
<tr><td>동맥(A)</td><td>• 심장에서 나가는 혈액이 흐르는 혈관이다.
• 혈관 벽이 두껍고 탄력성이 강하다.
• 몸속 깊은 곳에 위치하며, 혈압이 높다.</td></tr>
<tr><td>모세 혈관(B)</td><td>• 동맥과 정맥을 연결하는 혈관이다.
• 혈액과 조직 세포 사이에서 물질 교환이 일어나며, 온몸에 분포한다.</td></tr>
<tr><td>정맥(C)</td><td>• 심장으로 들어오는 혈액이 흐르는 혈관이다.
• 혈관 벽이 얇고 탄력성이 약하며, 판막이 있다.
• 피부 가까이에 위치하며, 혈압이 낮다.</td></tr>
</table>

2-2 A는 판막, (가)는 정맥이다. 정맥은 혈압이 낮아서 혈액이 거꾸로 흐를 수 있기 때문에 군데군데 판막이 있어서 혈액이 거꾸로 흐르는 것을 방지한다.

2-3 모세 혈관은 가늘고 혈액이 흐르는 속도도 느리지만 혈압은 정맥보다 높다.

5일 순환 (2)

<table>
<tr><td>개념 원리 확인</td><td>p. 37, 39</td></tr>
</table>

1-1 A: 적혈구, B: 백혈구, C: 혈장, D: 혈소판
1-2 헤모글로빈   1-3 (가) 백혈구, (나): 적혈구, (다): 혈소판
2-1 (가) 온몸 순환, (나) 폐순환   2-2 (나)
2-3 (1) ⓒ (2) ⑤

해설

1-1 핵이 없고 가운데가 오목한 원반 모양인 세포가 적혈구(A), 핵이 있으며 모양이 불규칙한 세포가 백혈구(B), 혈구를 제외한 나머지 액체 성분이 혈장(C), 핵이 없이 불규칙한 모양의 세포 조각이 혈소판(D)이다.

1-2 헤모글로빈은 산소를 운반하는 색소 단백질로, 철 이온을 포함하고 있어서 붉은색을 띤다. 적혈구는 산소와 결합하면 선홍색을, 산소를 떨어뜨리고 나면 암적색을 띤다.

1-3 혈구 중 백혈구에만 핵이 있다. 적혈구는 붉은색을 띠는 색소 단백질인 헤모글로빈을 가지므로 붉은색을 띤다.

2-1 온몸의 조직 세포에 산소와 영양소를 운반하고 노폐물과 이산화 탄소를 거둬오는 순환을 온몸 순환이라고 하고, 폐로 가서 산소를 받고 이산화 탄소를 방출하는 순환을 폐순환이라고 한다.

2-2 폐에서 기체 교환을 하여 산소가 풍부해진 혈액은 좌심방, 좌심실을 거쳐 대동맥을 통해 온몸으로 나간다.

2-3
- 폐순환: 우심방으로 들어온 혈액은 우심실로 이동한 다음 폐동맥을 거쳐 폐의 모세 혈관으로 이동한다. 폐에서 혈액은 이산화 탄소를 내보내고 산소를 받아 폐정맥을 거쳐 좌심방으로 들어온다. ➡ 정맥혈이 동맥혈로 바뀐다.
- 온몸 순환: 좌심방의 혈액은 좌심실로 이동한 다음 대동맥을 거쳐 온몸의 모세 혈관으로 이동한다. 혈액은 온몸의 모세 혈관을 지나는 동안 조직 세포에 산소와 영양소를 공급하고, 이산화 탄소와 노폐물을 받아 대정맥을 거쳐 우심방으로 들어온다. ➡ 동맥혈이 정맥혈로 바뀐다.

<table>
<tr><td>**5일**</td><td>**기초 집중 연습**</td><td></td><td>p. 40~41</td></tr>
<tr><td>1-1 ③</td><td>1-2 ①</td><td>1-3 ③</td><td>2-1 ③</td></tr>
<tr><td>2-2 ④</td><td>2-3 ⑤</td><td></td><td></td></tr>
</table>

해설

1-1 A는 백혈구, B는 적혈구, C는 혈소판, D는 혈장이다. 백혈구(A)는 모양이 불규칙하고 핵이 존재하며, 몸속에 침입한 세균 등을 잡아먹는 식균 작용을 한다. 혈장(D)은 혈액의 액체 성분으로, 영양소와 노폐물 등을 녹여 운반한다.

오답 풀이 ㄴ. 적혈구(B)는 붉은색 색소 단백질인 헤모글로빈이 있어 붉은색을 띠며, 헤모글로빈의 작용으로 온몸의 조직 세포에 산소를 운반하는 역할을 한다.
ㄷ. 혈소판(C)은 상처 부위의 혈액을 응고시킨다.

자료 분석⁺ **혈액의 구성과 특징**

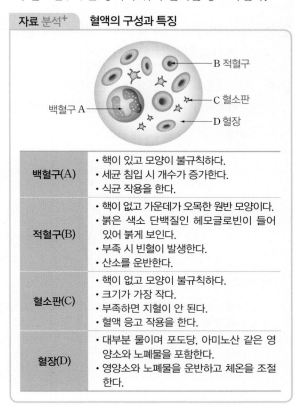

백혈구(A)	• 핵이 있고 모양이 불규칙하다. • 세균 침입 시 개수가 증가한다. • 식균 작용을 한다.
적혈구(B)	• 핵이 없고 가운데가 오목한 원반 모양이다. • 붉은 색소 단백질인 헤모글로빈이 들어 있어 붉게 보인다. • 부족 시 빈혈이 발생한다. • 산소를 운반한다.
혈소판(C)	• 핵이 없고 모양이 불규칙하다. • 크기가 가장 작다. • 부족하면 지혈이 안 된다. • 혈액 응고 작용을 한다.
혈장(D)	• 대부분 물이며 포도당, 아미노산 같은 영양소와 노폐물을 포함한다. • 영양소와 노폐물을 운반하고 체온을 조절한다.

1-2 (가)는 혈장, (나)는 혈구이다. 혈장은 대부분이 물이며, 영양소를 조직 세포로 운반하고 조직 세포에서 생긴 이산화 탄소와 노폐물을 받아서 운반한다. 혈구에는 적혈구, 백혈구, 혈소판이 있다.

1-3 염색된 부분은 핵으로, 핵을 가지는 혈구는 백혈구(A)이다.

2-1 A는 폐동맥, B는 대정맥, C는 폐정맥, D는 대동맥이다. 동맥은 심장에서 나오는 혈액이 흐르는 혈관이고, 정맥은 심장으로 들어가는 혈액이 흐르는 혈관이다. 따라서 A, D는 동맥, B, C는 정맥이다. 온몸을 지나온 혈액이 대정맥(B) → 우심방 → 우심실 → 폐동맥(A)으로 이동하므로, 대정맥(B)과 폐동맥(A)에는 정맥혈이 흐른다. 폐를 지나온 혈액이 폐정맥(C)을 통해 좌심방으로 이동하므로, 폐정맥에는 동맥혈이 흐른다.

정답과 해설

오답 풀이 ㄴ. 폐동맥(A), 대정맥(B)에는 산소 농도가 낮은 정맥혈이 흐른다.
ㄷ. 폐정맥(C), 대동맥(D)에는 산소 농도가 높은 동맥혈이 흐른다.

2-2 폐순환은 우심실 → 폐동맥 → 폐의 모세 혈관 → 폐정맥 → 좌심방의 경로를 따라 일어난다.

2-3 A는 폐동맥, B는 우심방, C는 대정맥, D는 우심실, E는 폐정맥, F는 좌심방, G는 대동맥, H는 좌심실이다.

자료 분석⁺ 혈액 순환 경로

폐의 모세 혈관
폐동맥 A — — E 폐정맥
우심방 B — — F 좌심방
대정맥 C — D 우심실 H 좌심실 — G 대동맥
온몸의 모세 혈관

• 폐순환 경로: 우심실(D) → 폐동맥(A) → 폐의 모세 혈관 → 폐정맥(E) → 좌심방(F)
• 온몸 순환 경로: 좌심실(H) → 대동맥(G) → 온몸의 모세 혈관 → 대정맥(C) → 우심방(B)

누구나 100점 테스트
p.42~43

01 ③	02 ②	03 ②	04 ③
05 아밀레이스	06 ④	07 ③	08 하율
09 ⑤	10 ③		

해설

01 동물의 몸은 세포(A) → 조직(B) → 기관(C) → 기관계(D) → 개체(E)의 단계를 거쳐 이루어진다.

오답 풀이 ③ 기관(C)은 여러 조직(B)이 모여 이루어진다.

02 오답 풀이 ㄴ. 단위 질량당 열량이 가장 높은 영양소는 지방으로 지방은 1 g당 9 kcal의 에너지를 내고, 탄수화물은 1 g당 4 kcal의 에너지를 낸다.
ㄹ. 우리 몸의 구성 성분 중 가장 많은 양을 차지하는 것은 물이다.

03 녹말은 아이오딘-아이오딘화 칼륨 용액과 만나 청람색을, 단백질은 뷰렛 용액과 만나 보라색을, 지방은 수단 Ⅲ 용액과 만나 선홍색을 나타낸다.

04 A는 입, B는 간, C는 위, D는 이자, E는 소장이다. 단백질이 처음 소화되는 기관은 위(C)이다.

05 침 속에는 아밀레이스가 들어 있어서 녹말을 엿당(당분)으로 분해한다.

06 각각의 소화 효소는 특정 영양소만 분해한다. 아밀레이스는 녹말을, 트립신은 단백질을, 라이페이스는 지방을 분해한다. 쓸개즙은 소화 효소는 없지만 지방 덩어리를 작은 알갱이로 만들어 지방이 잘 소화되도록 돕는다.

07 오답 풀이 ③ 혈액이 거꾸로 흐르는 것을 방지하는 것은 판막이다.

08 심장에서 나온 혈액은 동맥, 모세 혈관, 정맥을 거쳐 다시 심장으로 돌아온다.

09 A는 백혈구, B는 적혈구, C는 혈장, D는 혈소판이다.

모범 답안 ㄱ. 헤모글로빈은 적혈구(B)에 있다.
ㄴ. 적혈구(B)에는 핵이 없다. 백혈구(A)의 핵은 김사액으로 염색된다.

10 A는 폐동맥, B는 폐정맥, C는 대정맥, D는 대동맥이다. 폐동맥(A)과 대정맥(C)에는 정맥혈이, 폐정맥(B)과 대동맥(D)에는 동맥혈이 흐른다. 폐정맥(B)에는 폐에서 기체 교환을 하고 난 이후 산소 농도가 가장 높은 혈액이 흐른다. 정맥은 혈압이 매우 낮아 혈액이 거꾸로 흐를 수 있기 때문에 판막이 있다.

오답 풀이 ① A는 폐동맥이다.
② 폐정맥(B), 대동맥(D)에는 동맥혈이 흐른다.
④ 대동맥(D)에는 판막이 없다.
⑤ 심장은 2심방 2심실이다.

특강 | 창의, 융합, 코딩

1 기관계 **2** (1) 탄수화물, 단백질, 지방 (2) 해설 참조

3 해설 참조 **4** (1) 쇠고기 (2) 펩신, 염산

5 (1) (나) (2) 소장 융털의 세포막 (3) ㉠ 큰 ㉡ 작은

6 (1) 백혈구의 핵 (2) 적혈구

7 (1) 판막 (2) (가) → 모세 혈관 → (나) **8** 해설 참조

해설

1 동물은 세포 → 조직 → 기관 → 기관계의 단계를 거쳐서 독립된 생명 활동을 영위하는 개체가 된다.

2 (1) 탄수화물, 단백질, 지방은 에너지원으로 쓰이는 3대 영양소이므로 열량을 내는 데 관여한다.

(2) 녹말은 아이오딘-아이오딘화 칼륨 용액과 반응하여 청람색을 나타낸다.

모범 답안 아이오딘-아이오딘화 칼륨 용액을 떨어뜨린 후 청람색이 나타나는지 확인한다.

3 침 속에 들어 있는 효소인 아밀레이스는 녹말을 엿당으로 분해한다. 녹말은 단맛이 나지 않지만 엿당은 단맛이 난다.

모범 답안 침 속에는 아밀레이스라는 소화 효소가 있어서 녹말을 단맛이 나는 엿당으로 분해하기 때문이야.

4 (1) 위에서는 단백질이 소화된다.

(2) 펩신은 단백질을 분해하고, 염산은 펩신의 작용을 도와준다.

5 (1) 녹말은 입자의 크기가 커서 셀로판 주머니(반투과성 막)를 통과하지 못하며, 포도당은 입자의 크기가 작아서 셀로판 주머니(반투과성 막)를 통과할 수 있다. 그러므로 비커 (나)의 용액이 베네딕트 반응에 의해 황적색으로 변한다.

(2) 녹말이 포도당으로 최종 분해되면 소장 융털의 세포막을 통과하여 체내로 흡수된다.

(3) 비커 (나)에서 베네딕트 반응이 일어난 것으로 보아 크기가 큰 영양소는 작은 영양소로 분해되어야 소장 융털의 세포막을 통과하여 몸속으로 흡수될 수 있다는 것을 알 수 있다.

6 (1) 김사액은 핵을 염색하는 염색액이다. 혈구 중에서 백혈구만 핵을 가지고 있어서 보라색으로 염색이 된 백혈구의 핵을 관찰할 수 있다.

(2) 적혈구는 가운데가 오목한 원반 모양으로, 산소를 운반하며 헤모글로빈이 들어 있어 붉은색을 띤다.

7 (1) 혈압이 낮은 정맥에는 판막이 있어서 혈액이 거꾸로 흐르는 것을 방지한다.

(2) 심장에서 나온 혈액은 동맥(가) → 모세 혈관 → 정맥(나)을 거쳐 다시 심장으로 돌아온다.

8 폐동맥은 심장에서 나와 폐로 들어가는 혈액이 흐르는 혈관으로, 산소 농도가 낮은 혈액이 흐른다. 폐에서 기체 교환을 한 후 산소 농도가 높은 혈액이 흐르는 혈관은 폐정맥이다.

모범 답안 승준, 폐정맥은 폐를 지나온 혈액이 흐르기 때문에 산소의 농도가 높아.

1일 호흡

개념 원리 확인	p. 55, 57

1-1 (1) A: 기관, B: 폐 (2) 가로막

1-2 A: 산소, B: 이산화 탄소   **1-3** 은설

2-1 (1) ㉡ (2) ㉢ (3) ㉠   **2-2** (가) 들숨, (나) 날숨

2-3 들숨

해설

1-1 코로 들어간 공기는 기관(A), 기관지를 거쳐 폐(B)에 다다른다. 폐의 아래쪽에는 가로막(C)이 존재한다.

1-2 호흡계에서는 우리 몸의 생명 활동을 유지하기 위해 공기 중의 산소를 받아들이고 몸 안에서 생긴 이산화 탄소를 내보낸다. 따라서 들숨보다 날숨에서 산소의 비율은 감소하고 이산화 탄소의 비율은 증가한다.

1-3 폐는 한 겹의 얇은 세포층으로 이루어진 수많은 폐포(A)로 이루어져 있으며, 폐포와 폐포를 둘러싼 모세 혈관(B) 사이에서 산소와 이산화 탄소의 기체 교환이 일어난다.

2-1 호흡 운동 모형에서 빨대는 기관에, 고무막은 가로막에, 고무풍선은 폐에 해당한다.

2-2

자료 분석⁺   **호흡 운동**

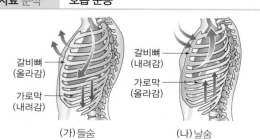

(가) 들숨   (나) 날숨

• 들숨(가): 갈비뼈가 올라가고, 가로막이 내려간다. → 흉강의 부피가 커지고 압력이 낮아진다. → 폐의 부피가 커지고 폐 내부 압력이 외부보다 낮아진다. → 밖에서 폐 안으로 공기가 들어온다.
• 날숨(나): 갈비뼈가 내려가고, 가로막이 올라간다. → 흉강의 부피가 작아지고 압력이 높아진다. → 폐의 부피가 작아지고 폐 내부 압력이 외부보다 높아진다. → 폐 안에서 밖으로 공기가 나간다.

2-3 호흡 운동 모형과 우리 몸을 비교하면 작은 고무풍선은 폐, 빨대는 기관, 고무막은 가로막, 병속 공간은 흉강에 해당한다. 들숨 때는 갈비뼈가 위로 올라가고 가로막이 아래로 내려간다. 이때 흉강의 부피가 커지므로 흉강의 압력이 외부보다 낮아져 공기가 폐로 들어온다. 이는 호흡 운동 모형에서 고무막을 아래로 잡아당겼을 때에 해당한다.

개념 체크⁺   **호흡 운동 모형**

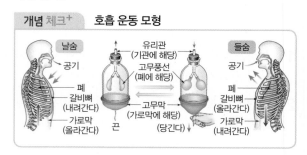

2일 기초 집중 연습	p. 58~59

1-1 ②   **1-2** ④   **1-3** 은수   **2-1** ①

2-2 ①   **2-3** (가)

해설

1-1 A는 기관, B는 폐, C는 폐포, D는 모세 혈관이다. 기관(A)은 목구멍에서 폐로 이어지는 관으로, 공기가 출입하는 통로가 된다. 폐(B)는 한 겹의 얇은 세포층으로 이루어진 수많은 폐포(C)로 이루어져 있어 공기와 닿는 표면적을 넓혀 주어 폐포와 폐포를 둘러싼 모세 혈관(D) 사이에서 산소와 이산화 탄소의 기체 교환이 효율적으로 일어나게 한다.

오답 풀이 ㄴ. 폐(B)는 근육층이 없어서 스스로 수축·이완 운동을 할 수 없다.
ㄹ. 모세 혈관(D)은 한 층의 세포로 이루어진 혈관 벽을 가지고 있어서 폐포와 물질 교환이 활발하게 일어날 수 있다.

1-2 이산화 탄소(A)의 농도는 폐포보다 모세 혈관에서 더 높으므로 모세 혈관에서 폐포로 확산된다. 산소(B)의 농도는 모세 혈관보다 폐포에서 더 높으므로 폐포에서 모세 혈관으로 확산된다.

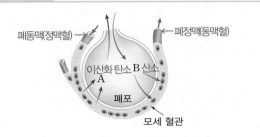

자료 분석⁺ **폐포와 모세 혈관에서의 기체 교환**

이산화 탄소(A)는 모세 혈관에서 폐포로, 산소(B)는 폐포에서 모세 혈관으로 이동한다.

1-3 폐는 수많은 폐포로 이루어져 있어 공기와 닿는 표면적이 매우 넓기 때문에 기체 교환이 효율적으로 일어날 수 있다.

2-1 호흡 운동 모형의 고무막을 아래로 당겼을 때 공기는 압력이 상대적으로 높은 바깥쪽에서 유리관을 통해 고무풍선으로 들어와 고무풍선은 부풀게 된다. 고무막은 우리 몸의 가로막에 해당하는 것으로, 고무막을 아래로 당긴 것은 들숨에서 가로막이 아래로 내려가는 것을 모방한 것이다.

[오답 풀이] ㄷ, ㄹ. 고무막을 아래로 당기면 유리병 내부의 부피가 커지므로 압력은 낮아진다. 이때 고무풍선 내부의 압력도 낮아져 바깥의 공기가 유리관을 통해 고무풍선으로 들어오게 되는 것이다.

2-2 날숨에서는 갈비뼈가 내려가고 가로막이 올라가 흉강의 부피가 줄어들고 압력이 증가한다. 폐의 내부 압력도 올라가 상대적으로 압력이 낮은 바깥으로 공기가 빠져나가게 된다.

2-3 (가)는 갈비뼈가 올라가고 가로막이 내려가므로 외부에서 폐로 공기가 들어오는 들숨에 해당한다. (나)는 갈비뼈가 내려가고 가로막이 올라가므로 폐에서 외부로 공기가 빠져나가는 날숨에 해당한다. 호흡 운동 모형에서 고무막을 아래로 잡아당기는 것은 사람의 호흡 운동에서 들숨(가)에 해당한다.

2일 배설

개념 원리 확인   p. 61, 63

1-1 A, 콩팥   **1-2** A, 사구체

1-3 (가) 요소, (나) 이산화 탄소

2-1 (가) 여과, (나) 재흡수, (다) 분비   **2-2** 범우

2-3 ㉠ 사구체 ㉡ 세뇨관

해설

1-1 A는 콩팥, B는 오줌관, C는 방광, D는 요도이다. 오줌은 콩팥(A)에서 생성된다.

자료 분석⁺ **배설계**

┌ 콩팥: 혈액 속의 노폐물을 걸러 오
A 줌을 생성

┌ B─오줌관: 콩팥과 방광을 연결하는
긴 관

┌ 방광: 콩팥에서 만들어진 오줌을
C 일시적으로 저장

└ D─요도: 방광에 모인 오줌이 몸 밖으로 배출되는 통로

1-2 네프론은 사구체(A), 보먼주머니(B), 세뇨관(C)으로 구성된다. 사구체를 지나던 혈액은 여과되어 모세 혈관과 물질 교환을 거친 후 오줌이 된다.

1-3 단백질이 분해될 때 만들어지는 암모니아는 간에서 독성이 약한 요소(가)로 바뀐 후 콩팥에서 오줌으로 나간다. 이산화 탄소와 물은 탄수화물, 지방, 단백질이 분해될 때 공통으로 만들어지는 노폐물로, 이산화 탄소(나)는 폐에서 날숨으로 나가고, 물은 폐에서 날숨으로 나가거나 콩팥에서 오줌으로 나간다.

2-1 (가)는 여과, (나)는 재흡수, (다)는 분비이다. 여과는 크기가 작은 물질이 사구체에서 보먼주머니로 이동하는 과정이다. 재흡수는 몸에 필요한 물질이 세뇨관에서 모세 혈관으로 이동하는 과정이다. 분비는 여과되지 않고 혈액에 남아 있는 노폐물이 모세 혈관에서 세뇨관으로 이동하는 과정이다.

2-2 물질의 크기에 따라 사구체에서 보먼주머니로 여과되는 물질과 여과되지 않는 물질이 있다. 대부분의 영양소와 노폐물은 여과되지만 크기가 큰 단백질, 혈구 등은 여과되지 않는다.

정답과 해설

2-3 오줌의 배설 경로는 콩팥 동맥 → 사구체 → 보먼주머니 → 세뇨관 → 콩팥 깔때기 → 오줌관 → 방광 → 몸 밖이다.

<table>
<tr><td>**2일**</td><td>**기초 집중 연습**</td><td>p.64~65</td></tr>
</table>

1-1 ④   **1**-2 (1) 이산화 탄소 (2) ㉡ 암모니아 ㉢ 요소
1-3 ②   **2**-1 ②, ④   **2**-2 ①
2-3 A: 소화계, B: 순환계, C: 호흡계, D: 배설계

해설

1-1 A는 콩팥, B는 오줌관, C는 방광이다. 네프론은 오줌을 생성하는 콩팥(A)의 기본 단위로 콩팥에 존재한다. 오줌은 콩팥에서 생성된 뒤 방광(C)에 일시적으로 저장되었다가 요도를 통해 몸 밖으로 배출된다.

   오답 풀이 ㄱ. 암모니아는 소화계에 해당하는 간에서 요소로 전환된다.
   ㄷ. 오줌관(B)은 콩팥(A)에서 생성된 오줌이 방광으로 이동하는 통로이다. 모세 혈관과 물질 교환이 일어나는 곳은 콩팥의 네프론을 구성하는 세뇨관이다.

1-2 우리 몸의 세포에서는 생명 활동에 필요한 에너지를 얻기 위해 영양소를 분해하는데 이때 노폐물이 발생한다. 탄수화물, 지방, 단백질이 분해될 때 공통적으로 발생하는 것은 이산화 탄소와 물이다. 암모니아는 단백질이 분해될 때 생성되며, 독성이 강하기 때문에 간으로 가서 독성이 약한 요소로 전환된다.

1-3 콩팥의 네프론에서 혈액은 사구체에서 보먼주머니로 여과된다.

2-1 A는 사구체이고, B는 보먼주머니이다. 콩팥 동맥을 통해 콩팥으로 들어온 혈액이 사구체를 지나는 동안 크기가 작은 물질이 보먼주머니로 빠져나가는 여과가 일어난다. 이때 사구체는 혈액을 거르는 체와 같은 역할을 하는데, 혈액이 걸러질 때 분자의 크기가 큰 단백질, 혈구는 여과되지 못한다. 따라서 단백질과 혈구는 여과액에서 발견되지 않는다. 여과될 때에는 요소 외에도 포도당, 아미노산과 같은 영양소도 함께 여과되지만 포도당, 아미노산과 대부분의 물은 세뇨관에서 모세 혈관으로 재흡수된다.

2-2 건강한 사람의 경우 포도당, 아미노산과 같은 영양소는 재흡수 과정을 거쳐 모세 혈관으로 100 % 흡수되고, 단백질은 여과액에 들어 있지 않다. 무기 염류는 체내 혈액의 농도에 따라 재흡수 양이 달라질 수 있다. 요소는 A에서보다 B에서 농도가 크게 높아지는데 이는 대부분의 물이 세뇨관에서 모세 혈관으로 재흡수되기 때문이다.

2-3 영양소의 흡수는 소화계(A)에서, 물질의 이동은 순환계(B)에서, 기체 교환은 호흡계(C)에서, 노폐물의 배설은 배설계(D)에서 일어난다.

3일 **물질의 특성(1)**

<table>
<tr><td>**개념 원리 확인**</td><td>p.67, 69</td></tr>
</table>

1-1 혼합물   **1**-2 (1) ㉡, ㉣ (2) ㉠, ㉢   **1**-3 ㉠ 혼합물
㉡ 변하기   **2**-1 (1) ○ (2) × (3) ×   **2**-2 B, C
2-3 녹는점

해설

1-1 다른 물질이 섞여 있지 않고 한 종류만으로 이루어진 물질을 순물질이라고 하고, 두 가지 이상의 순물질이 섞여 있는 물질을 혼합물이라고 한다.

1-2 순물질은 한 가지 물질로만 이루어진 것으로 금, 소금, 물 등이 있고, 혼합물은 두 가지 이상의 순물질이 섞여 있는 것으로 우유, 공기, 흙탕물 등이 있다.

1-3 순물질은 끓는점이 일정하지만 혼합물은 끓는점이 일정하지 않다.

2-1 끓는점, 녹는점, 어는점은 물질의 특성이다. 물질의 특성은 같은 물질에서 양에 관계없이 일정하고 물질의 종류에 따라 다르다.

2-2 A, B, C는 액체이므로 그래프에서 온도가 일정해지는 때의 온도는 그 물질의 끓는점이다. B와 C의 끓는점이 같으므로 두 물질은 물질의 양이 다르지만 같은 물질이다.

2-3 우리는 필요에 따라 녹는점을 고려하여 이용할 물질의 종류를 결정하기도 한다. 주조법에서 틀을 구성하는 물질이 액체 상태의 금속 재료보다 녹는점이 낮으면 틀이 녹아서 사용할 수 없다.

3일 **기초 집중 연습**   p.70~71

1-1 ①   **1-2** 재은   **1-3** ③   **2-1** ③

2-2 ③   **2-3** ②

해설

1-1 한 가지 물질로 이루어진 물질은 순물질이고, 두 가지 이상의 물질이 섞여 있는 물질은 혼합물이다. 설탕물과 같이 성분 물질이 고르게 섞여 있는 혼합물을 균일 혼합물, 암석과 같이 물질이 고르지 않게 섞여 있는 혼합물을 불균일 혼합물이라고 한다.

   (오답 풀이) ㄷ. 암석은 성분 물질이 고르지 않게 섞여 있는 불균일 혼합물이다.
   ㄹ. 설탕물은 성분 물질이 고르게 섞여 있는 균일 혼합물이지만 끓는점이 일정하지 않다.

1-2 구리와 물은 한 가지 물질로 이루어진 순물질이고, B는 두 가지 이상의 물질이 섞인 혼합물이다. 구리는 한 가지 물질로 이루어진 홑원소 물질이고, 물은 두 가지 이상의 원소가 결합하여 이루어진 화합물이다.

1-3 순물질인 물(B)은 100 ℃에서 끓기 시작하고 끓는 동안 100 ℃를 계속 유지한다. 하지만 혼합물인 소금물(A)은 100 ℃보다 더 높은 온도에서 끓기 시작하고 끓는 동안 온도가 계속 상승한다.

2-1 B와 D는 끓는점이 같으므로 같은 물질이다. D가 B보다 끓는점에 더 빨리 도달했으므로 D는 B보다 물질의 양이 적다. 그래프에서 가장 빨리 온도가 일정해지는 것은 D이므로 D가 가장 먼저 끓기 시작한다. 온도가 일정하게 유지되는 구간이 B보다 C가 높으므로 C는 B보다 끓는점이 높고, A는 아직 끓는점에 도달하지 않았다.

2-2 끓는점은 물질의 특징이고, 세 물질의 끓는점이 모두 같으므로 A, B, C는 모두 같은 물질이다. 끓는점에 도

달하는 데 걸린 시간이 다른 이유는 세 물질의 양이 모두 다르기 때문이다. 질량이 클수록 끓는점에 도달하는 데 시간이 오래 걸린다.

2-3 물질의 종류는 같지만 양이 다른 경우에는 온도가 녹는점까지 도달하는 데 걸린 시간이 다르다. 하지만 물질이 녹기 시작하는 온도(녹는점)는 같다.

4일 물질의 특성(2)

개념 원리 확인   p.73, 75

1-1 (1) ㉡, ㉣ (2) ㉠, ㉢   **1-2** (1) 다른 (2) 없다

1-3 2 mL   **2-1** ⑤   **2-2** (1) 같은 (2) 같은 (3) 다른

2-3 작기

해설

1-1 부피는 물체가 차지하는 공간의 크기를 의미하며 단위로는 mL 또는 cm^3를 사용한다. 질량은 물체가 갖는 고유의 양을 의미하며 단위로는 g 또는 kg을 사용한다.

1-2 부피와 질량은 물질의 종류가 달라도 그 값이 같을 수 있기 때문에 물질의 특성이 아니다.

1-3 밑넓이와 높이를 측정하기 어려운 고체의 부피를 측정할 때는 고체를 물과 같은 액체에 넣고 늘어난 물의 부피를 측정한다.

2-1 소금물보다 밀도가 작은 물질일수록 가벼워서 위로 뜨고, 밀도가 큰 물질일수록 무거워서 아래로 가라앉는다.

2-2 밀도 구하는 공식을 이용하면 A와 B의 밀도는 모두 0.5 g/cm^3로 같으므로 종류가 같은 물질이다. C의 밀도는 3 g/cm^3이다.

2-3 나무의 밀도가 물의 밀도보다 상대적으로 작기 때문에 나무를 물에 띄우면 물 위로 뜬다.

4일 **기초 집중 연습**   p.76~77

1-1 ②   **1-2** ③   **1-3** 지나   **2-1** ②

2-2 A와 C   **2-3** ②

1-1 제시된 돌의 경우에는 공식을 통해 부피를 구할 수 없으므로 눈금실린더에 물을 넣고 부피를 측정한 다음 돌을 넣어 늘어난 물의 부피를 측정하여 돌의 부피를 알아낼 수 있다. 돌을 넣었을 때 늘어난 물의 부피는 18 mL － 16 mL＝2 mL이다.

1-2 질량은 물질의 고유한 양으로 저울 등의 도구를 사용하여 측정할 수 있다. 질량의 단위는 g 또는 kg을 사용한다.

1-3 아르키메데스는 질량이 같은 왕관과 순금의 부피를 측정하여 밀도가 같은지 알아보는 실험을 진행하였다.

2-1 물질이 물에 뜨거나 가라앉는 것은 밀도가 다르기 때문에 일어나는 현상이다. 물보다 밀도가 작은 물질은 물 위로 뜨고 물보다 밀도가 큰 물질은 아래로 가라앉는다.

2-2 종류가 같은 물질은 밀도가 같다. 각 물질의 밀도를 구하면 A와 C가 모두 1 g/cm³로 같으므로 A와 C는 같은 물질이다.

2-3 물 6 mL가 들어 있는 눈금실린더에 돌을 넣었을 때 늘어난 물의 부피는 18 mL － 6 mL ＝ 12 mL이고, 돌의 질량은 12 g이므로 돌의 밀도는 $\frac{질량}{부피} = \frac{12\ g}{12\ mL} = 1$ g/mL이다.

5일 물질의 특성(3)

개념 원리 확인　　　　　　　　　　　p. 79, 81

1-1 ㉠ 용질 ㉡ 용매 ㉢ 용액　　**1-2** ③　　**1-3** 높

2-1 ②　　**2-2** ㉠ 상승 ㉡ 낮아 ㉢ 부족해지기

2-3 ㄷ

해설

1-1 용해는 한 물질이 다른 물질에 녹아 고르게 섞이는 현상이다. 용질은 다른 물질에 녹는 물질이고, 용매는 다른 물질을 녹이는 물질이며, 용액은 용질과 용매가 고르게 섞여 있는 것이다.

1-2 고체의 용해도는 온도와 용매의 종류에 따라 달라지므로 용해도를 나타낼 때 온도와 용매의 종류를 함께 표시해야 한다.

1-3 고체는 온도가 높을수록 용해도가 높아져서 더 잘 녹는다.

2-1 기체는 고체와 달리 온도가 낮을수록 용해도가 더 커진다.

2-2 여름철에는 기온이 상승하여 용매인 물의 온도가 높다. 따라서 기체의 용해도가 낮아지기 때문에 산소가 물에 많이 녹지 못해 금붕어는 수면 위로 올라와 호흡하려고 한다.

2-3 기체의 용해도는 온도가 낮을수록 압력이 높을수록 증가한다.

5일 기초 집중 연습　　　　　　　　　p. 82~83

1-1 ⑤　　**1-2** ⑤　　**1-3** ①　　**2-1** ③

2-2 ④　　**2-3** ㉠ 압력 ㉡ 작아

해설

1-1 그래프를 보면 30 ℃ 물 100 g에 최대한 녹일 수 있는 고체 물질의 질량은 25 g이다. 이를 모두 녹인 상태를 포화 상태라고 한다. 이때, 물의 온도를 60 ℃로 올리게 되면 고체의 용해도는 50 g/물 100 g으로 올라가게 된다. 이미 녹아 있는 고체 물질이 25 g이므로 추가로 더 녹일 수 있는 고체 물질의 질량은 50 g － 25 g ＝ 25 g이다.

1-2 80 ℃의 물 100 g에 최대로 녹을 수 있는 용질의 질량은 염화 나트륨이 40 g, 붕산이 25 g이다. 20 ℃의 물 100 g에 최대로 녹을 수 있는 용질의 질량은 염화 나트륨이 36 g, 붕산이 5 g이다. 따라서 80 ℃의 포화 용액을 20 ℃로 냉각시켰을 때 각 용액에서 석출되는 물질은 염화 나트륨이 40 g － 36 g ＝ 4 g이고, 붕산이 25 g － 5 g ＝ 20 g이다.

1-3 고체의 용해도는 용매 100 g에 최대로 녹일 수 있는 용질의 질량(g)을 뜻하므로 용매의 양이 더 늘어날수록

녹일 수 있는 용질의 양도 증가한다. 또한 온도가 올라갈수록 고체의 용해도가 증가하므로 녹일 수 있는 고체 물질의 양도 더 늘어난다.

2-1 기체는 온도가 낮을수록, 압력이 클수록 용해도가 커진다. 탄산음료에서 기포가 많이 생기는 경우는 이산화 탄소의 용해도가 작아졌을 때이다. 따라서 기체의 용해도가 가장 작은 환경인 온도가 높고 압력이 작은 시험관 C에서 기포가 많이 발생한다.

2-2 여름철 어항 속 금붕어가 호흡을 위해 수면 위로 올라오는 것은 기체의 용해도와 관련 있는 현상이다. 기체는 온도가 높을수록 용해도가 작고, 온도가 낮을수록 용해도가 크다. 이와 비슷한 원리가 적용된 현상은 사이다의 온도가 높을수록 거품이 많이 나온다는 것이다.

오답 풀이 ① 기름이 물 위에 뜨는 것은 밀도 차에 의한 현상이므로 기체의 용해도와 관련이 없다.
② 가루 세제가 따뜻한 물에서 더 잘 녹는 것은 고체의 용해도와 관련이 있다.
③ 물보다 에탄올이 더 낮은 온도에서 끓는 것은 물질의 특성인 끓는점과 관련이 있다.
⑤ 소금물이 순수한 물보다 더 낮은 온도에서 어는 것은 혼합물의 특징이다.

2-3 맛이 없어진 사이다는 기포가 빠져나가서 톡 쏘는 맛이 없어졌기 때문이다. 기포가 빠져나간 이유는 용기 내부의 압력이 낮아지면서 기체의 용해도가 작아졌기 때문이다.

누구나 100점 테스트   p.84~85

01 ①   02 ④   03 ④   04 ④
05 ①   06 ②   07 ③   08 ②
09 ①   10 B

해설

01 A와 B는 산소, C와 D는 이산화 탄소이다. 산소 농도는 폐포>모세 혈관>조직 세포이고, 이산화 탄소 농도는 폐포<모세 혈관<조직 세포이다. 기체는 농도가 높은 곳에서 낮은 곳으로 이동한다. 따라서 산소는 폐

포에서 조직 세포 쪽으로 이동하고, 이산화 탄소는 조직 세포에서 폐포 쪽으로 이동한다. 산소는 들숨을 통해 몸 안으로 들어오고 이산화 탄소는 날숨을 통해 몸 밖으로 나간다. 공기가 몸 안으로 들어왔다 나가는 동안 몸에서 산소를 받아들이고 이산화 탄소를 내보내기 때문에 들숨에는 날숨보다 산소가 많이 들어 있고, 이산화 탄소는 적게 들어 있다.

오답 풀이 ㄷ. 이산화 탄소(C)는 들숨보다 날숨에 많이 들어 있다.
ㄹ. 산소는 들숨을 통해 몸 안으로 들어오고, 이산화 탄소는 날숨을 통해 몸 밖으로 나간다.

자료 분석⁺ **폐와 조직 세포에서의 기체 교환**

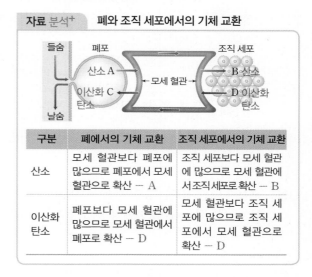

구분	폐에서의 기체 교환	조직 세포에서의 기체 교환
산소	모세 혈관보다 폐포에 많으므로 폐포에서 모세 혈관으로 확산 — A	조직 세포보다 모세 혈관에 많으므로 모세 혈관에서 조직 세포로 확산 — B
이산화 탄소	폐포보다 모세 혈관에 많으므로 모세 혈관에서 폐포로 확산 — D	모세 혈관보다 조직 세포에 많으므로 조직 세포에서 모세 혈관으로 확산 — D

02 A는 갈비뼈, B는 가로막이다.
• 들숨: 갈비뼈 위로, 가로막 아래로 → 흉강 부피 증가, 압력 감소 → 폐 부피 증가, 폐 내부 압력 감소 → 공기가 밖에서 폐 안으로 들어온다.
• 날숨: 갈비뼈 아래로, 가로막 위로 → 흉강 부피 감소, 압력 증가 → 폐 부피 감소, 폐 내부 압력 증가 → 공기가 폐 안에서 밖으로 나간다.

오답 풀이 ④ 날숨에서 갈비뼈가 아래로 내려가고, 가로막은 위로 올라가므로 흉강의 부피는 작아진다.

03 오줌은 콩팥의 네프론에서 생성된다.

04 A는 사구체, B는 보먼주머니, C는 세뇨관, D는 모세 혈관이다. (가)는 여과, (나)는 재흡수, (다)는 분비 과정이다.

정답과 해설

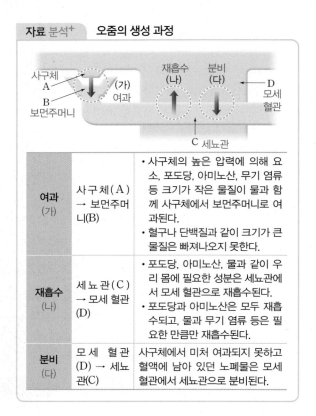

자료 분석⁺ 오줌의 생성 과정

여과 (가)	사구체(A) → 보먼주머 니(B)	• 사구체의 높은 압력에 의해 요소, 포도당, 아미노산, 무기 염류 등 크기가 작은 물질이 물과 함께 사구체에서 보먼주머니로 여과된다. • 혈구나 단백질과 같이 크기가 큰 물질은 빠져나오지 못한다.
재흡수 (나)	세뇨관(C) → 모세 혈관 (D)	• 포도당, 아미노산, 물과 같이 우리 몸에 필요한 성분은 세뇨관에서 모세 혈관으로 재흡수된다. • 포도당과 아미노산은 모두 재흡수되고, 물과 무기 염류 등은 필요한 만큼만 재흡수된다.
분비 (다)	모세 혈관 (D) → 세뇨 관(C)	사구체에서 미처 여과되지 못하고 혈액에 남아 있던 노폐물은 모세 혈관에서 세뇨관으로 분비된다.

05 오줌의 배설 경로는 콩팥 동맥 → 사구체 → 보먼주머니 → 세뇨관 → 콩팥 깔때기 → 오줌관 → 방광 → 요도 → 몸 밖이다.

06 A는 모두 한 종류의 물질로만 이루어진 순물질이고, B는 두 종류 이상의 순물질이 섞여 있는 혼합물이다.

07 그래프에서 끓는점이 일정하지 않고 계속 상승하는 것으로 보아 이 물질은 혼합물이다. 순물질의 경우에는 끓는점이 일정하게 유지된다. 또한 순물질일 때보다 혼합물이 끓는점이 더 높게 나타난다.

자료 분석⁺ 순물질과 혼합물의 끓는점과 어는점 비교

혼합물에서 끓는점이 계속 상승하는 이유는 용액의 농도가 진해지기 때문이다.

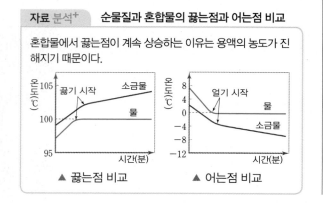

▲ 끓는점 비교   ▲ 어는점 비교

08 물체의 밀도가 물보다 크면 아래로 가라앉고 물보다 작으면 물 위로 뜬다. 물체의 밀도가 당근>물>사과 순이므로 당근은 물 아래에 가라앉고 사과는 물 위에 뜬다.

09 (가) 지점에서는 고체 물질 A를 10 g 만큼 더 녹일 수 있기 때문에 포화 상태가 아닌 불포화 상태이다.

10 온도가 낮을수록 기체의 용해도가 커져서 기포가 많이 발생하지 않고, 반대로 온도가 높을수록 기체의 용해도가 작아져서 기포가 많이 발생한다.

특강 | 창의, 융합, 코딩   p. 88~91

1 해설 참조   **2** (가) 단백질, (나) 포도당, (다) 요소
3 (가) 소금, (나) 바닷물, (다) 우유   **4** 올라가서   **5** (1) 태영
(2) 해설 참조   **6** 해설 참조   **7** (1) 뜨거운 물 (2) 해설
참조   **8** 기체의 용해도

해설

1 폐포는 표면적을 넓히는 구조로 공기와 접촉하는 면적을 넓히는데, 폐기종 환자처럼 폐포가 합쳐질 경우 표면적이 줄어들어 효율적으로 기체 교환이 일어나기 힘들어진다. 즉, 폐기종 환자는 일반인과 같은 양의 공기를 마시더라도 혈액으로 전달되는 산소의 양이 줄어들게 되어 호흡 곤란이 나타난다.
모범 답안 폐포가 합쳐지면 공기와 접촉하는 표면적이 감소하여 기체 교환의 효율성이 떨어지기 때문이다.

2 단백질은 분자의 크기가 커서 사구체에서 보먼주머니로 여과되지 않는다. 세뇨관을 지나면서 100 % 재흡수되는 물질은 포도당과 같은 영양소이다. 요소는 물이 많이 재흡수됨에 따라 오줌에서 농도가 가장 높아지는 물질이다.

3 소금은 순물질이고, 바닷물은 물과 소금 등이 균일하게 섞여 있는 균일 혼합물이며, 우유는 물, 유지방 등이 고르지 않게 섞여 있는 불균일 혼합물이다.

4 물에 라면 스프를 먼저 넣게 되면 액체 혼합물이 되어 순수한 물보다 끓는점이 높아지고, 냄비 뚜껑을 덮으면 냄비 속 압력이 높아져 끓는점이 높아진다. 끓는점이 높아지면 물이 더 높은 온도에서 끓기 때문에 면이 더 빨리 익는다.

5 밀도는 물질의 특성이므로 같은 종류의 물질이라면 밀도가 같다. 순금과 왕관의 밀도가 같다면 왕관은 순금으로 만들었다고 할 수 있다.

모범 답안 (2) 왕관과 순금의 밀도가 서로 같으므로 왕관은 순금으로 만들어졌다.

6 끓는점은 주위의 압력에 영향을 받는다. 압력 밥솥은 내부의 압력을 높여서 물의 끓는점을 높이는 효과가 있다.

모범 답안 압력 밥솥은 내부의 압력이 높아 물의 끓는점이 높아져서 더 높은 온도에서 밥을 할 수 있기 때문에 밥이 빨리 완성된다.

7 고체의 용해도는 온도가 높을수록 커지기 때문에 먼저 온도가 높은 뜨거운 물에 커피 가루를 녹여야 한다. 찬물은 고체의 용해도가 작아서 커피 가루가 잘 녹지 않는다.

모범 답안 (2) 먼저 뜨거운 물을 준비해서 커피 가루를 녹이고 그 후에 얼음을 넣어 시원하게 만든다.

8 깊은 물속은 높은 수압으로 인해 잠수부의 몸에 기체가 잘 녹을 수 있는 환경이다. 기체가 많이 녹아 있는 몸이 수면으로 급히 올라오면 수압이 빠르게 줄어들어 기체의 용해도가 낮아지고, 녹아 있던 기체의 일부가 기포를 만들어 잠수병에 걸리게 된다.

3주

1일 혼합물의 분리(1)

개념 원리 확인			p. 97, 99

1-1 증류   **1**-2 ㄱ, ㄷ   **1**-3 ㄱ, ㄷ   **2**-1 ㉠ 기화
㉡ 액화   **2**-2 F   **2**-3 ②

해설

1-1 액체와 고체의 혼합물이나 액체 상태의 혼합물을 가열할 때 기화한 기체를 다시 냉각하여 순수한 액체 물질을 얻는 방법을 증류라고 한다.

1-2 물과 에탄올의 혼합물을 가열하면 끓는점이 낮은 에탄올이 (가) 구간에서 먼저 끓어 나와 분리되고, 물은 나중에 끓어 나와 분리된다.

1-3 물과 에탄올의 혼합물을 가열하면 끓는점이 낮은 에탄올이 먼저 기화하여 얼음물에 의해 냉각되어 분리가 된다. A는 끓임쪽이다.

2-1 해수 담수화 기술은 크게 증발법과 역삼투법이 있다. 증발법은 바닷물을 가열하여 발생한 수증기를 액화시켜 담수를 얻는 방법이다. 역삼투법은 삼투 현상을 이용한 방법으로, 바닷물에 압력을 가해 반투막에 통과시켜 물을 얻는다. 반투막의 작은 구멍은 나트륨, 염소, 칼륨과 같은 염류는 거르고 물만 통과 시킨다.

2-2 원유를 증류탑에 넣고 가열하면 끓는점이 낮은 물질이 위쪽에서 먼저 분리되고, 끓는점이 높은 물질은 아래쪽에서 나중에 분리되어 나온다.

2-3 소줏고리는 증류를 이용한 도구로, 끓는점 차를 이용한 도구이다.

1일 기초 집중 연습			p. 100~101

1-1 ④   **1**-2 민진   **1**-3 ②   **2**-1 ③
2-2 ⑤   **2**-3 맑은 술

해설

1-1 증류가 가능한 혼합물은 물과 에탄올의 혼합물처럼 잘 섞여 있는 균일한 액체 혼합물이다. 이 액체 혼합물을 가열하게 되면 끓는점이 낮은 물질부터 먼저 기화되어 옆의 시험관에서 냉각되어 액체로 분리된다.

1-2 물과 에탄올을 섞은 물질은 균일 혼합물이라 섞었을 때 물과 기름처럼 분리가 되지 않는다. 따라서 끓는점 차를 이용한 증류가 더 적합한 분리 방법이다.

1-3 물과 에탄올의 혼합물을 증류로 분리하면 끓는점이 낮은 에탄올이 (나) 구간에서 먼저 분리되고 이때 온도는 거의 일정해진다. 이후에 에탄올이 모두 기화되어 분리되면 다시 온도는 올라가고 (라) 구간에서 물이 끓어 나온다.

  오답 풀이 ㄱ. (가) 구간에서 물과 에탄올은 액체 상태이다.

  ㄷ. 물질의 상태가 변하는 구간은 (나)와 (라)이다.

2-1 증류탑은 물질의 끓는점을 이용하여 액체 혼합물인 원유를 분리하는 기계이다. 분별 증류를 이용하여 원유를 구성하는 액체 혼합물 중 끓는점이 낮은 물질부터 분리되기 시작하고 맨 위층부터 석유 가스, 나프타, 등유, 경유, 중유, 아스팔트 순으로 분리된다.

2-2 태양열에 의해 바닷물에서 물이 기화하면 기화된 수증기가 용기의 내벽에 닿아 액화하고, 내벽에 맺힌 물방울이 벽을 타고 A에 모여 순수한 물을 얻을 수 있다.

2-3 소줏고리는 옛날 조상들이 막걸리 등의 탁한 술에서 맑은 술을 분리해 내기 위해 사용하던 도구이다. 이 도구를 이용하면 탁주의 성분 중에 끓는점이 낮은 맑은 술 성분(에탄올)을 증류를 통해 분리할 수 있다.

2일 혼합물의 분리(2)

개념 원리 확인	p. 103, 105

1-1 (1) 밀도 (2) 밀도 (3) 작은   **1-2** A   **1-3** 고체 C

2-1 좋은 볍씨>쭉정이   **2-2** ②

2-3 (1) 크다 (2) 작다 (3) 크다

해설

1-1 밀도가 다른 두 고체 혼합물은 고체를 녹이지 않으며 밀도가 두 고체의 중간 정도인 액체에 넣어 분리할 수 있고, 밀도가 다르고 서로 섞이지 않는 액체의 혼합물은 분별 깔때기를 이용하여 분리할 수 있다.

1-2 액체 혼합물을 분별 깔때기에 넣으면 밀도가 작은 물질은 위로 뜨고, 밀도가 큰 물질은 아래로 가라앉아 층을 이룬다. 마개를 열고 꼭지를 돌리면 아래층의 물질을 분리할 수 있다.

1-3 밀도가 작은 물질은 위로 뜨고, 밀도가 큰 물질은 아래로 가라앉는다. 따라서 위에 있을수록 밀도가 작고 아래에 있을수록 밀도가 크다.

2-1 좋은 볍씨는 밀도가 커서 아래로 가라앉고 쭉정이는 밀도가 작아 위로 뜨게 된다. 이렇게 밀도 차를 이용하면 좋은 볍씨만을 쉽게 분리할 수 있다.

2-2 탁주에서 청주 분리하기와 증류탑에서 원유 분리하기는 끓는점 차를 이용한 분리 방법이다.

2-3 밀도가 작은 물질은 위로 뜨고, 밀도가 큰 물질은 아래로 가라앉는다. 오래된 달걀이 위로 뜨고, 신선한 달걀이 아래로 가라앉아 있으므로 밀도의 크기는 오래된 달걀<소금물<신선한 달걀이다.

2일 기초 집중 연습	p. 106~107

1-1 ①   **1-2** ①, ④   **1-3** ③

2-1 ③, ④   **2-2** ⑤   **2-3** 중간

해설

1-1 서로 섞이지 않는 액체 혼합물을 분별 깔때기에 넣고 가만히 두면 밀도가 큰 물질은 아래에, 밀도 작은 물질은 위에 위치한다. 이후 마개를 열고 꼭지를 열면 밀도가 큰 물질(B)이 내려와 비커에 모이게 되고, 그 후에 꼭지를 잠그면 분별 깔때기에는 밀도가 작은 물질(A)만 남게 되어 혼합물을 분리할 수 있다.

1-2 그림에서 A는 위에, B는 아래에 위치하므로 B는 A보다 밀도가 크다. 물과 수은 혼합물에서 물은 수은보다

밀도가 작으므로 위로 뜨고, 물과 식용유 혼합물에서 식용유는 물보다 밀도가 작으므로 위로 뜬다.

1-3 밀도 차를 이용하여 두 고체 혼합물을 분리할 때 사용하는 액체는 밀도가 두 고체 물질의 중간 정도여야 하므로 액체의 밀도는 0.7 g/cm^3와 1.5 g/cm^3 사이에 있는 1 g/cm^3이다.

2-1 모래에서 사금을 채취하는 것은 밀도 차를 이용하여 혼합물을 분리하는 방법을 이용한 것이다. 바닷물에서 담수 만들기, 소줏고리로 맑은 술 만들기, 원유탑에서 원유 분리하기는 모두 물질의 끓는점 차를 이용하여 혼합물을 분리하는 예이다. 볍씨에서 쭉정이 분리하기는 쭉정이의 밀도가 작은 점을 이용한 것이고, 혈액에서 혈장 분리하기는 혈구의 밀도가 큰 점을 이용한 것이다. 이는 모두 밀도를 이용하여 혼합물을 분리하는 예이다.

2-2 분별 깔때기는 서로 섞이지 않는 액체 혼합물을 밀도 차를 이용하여 분리하는 기구이다. 바다에 유출된 원유는 바닷물보다 밀도가 작아서 위로 뜨게 되는데 흡착포를 이용하면 원유를 제거할 수 있다.

2-3 밀도 차를 이용하여 고체 혼합물의 분리에 사용되는 액체는 밀도가 두 고체 물질의 중간 정도여야 한다.

3일 혼합물의 분리(3)

개념 원리 확인   p.109, 111

1-1 A−모래, B−염화 나트륨   **1-2** ㉠ 용해도 ㉡ 재결정

1-3 염화 나트륨   **2-1** 크로마토그래피

2-2 (1) 파란색 (2) 노란색   **2-3** ⑤

해설

1-1 염화 나트륨은 물에 녹아 거름종이를 통과하여 비커에 모이고, 모래는 거름종이를 통과하지 못하여 거름종이 위에 남는다.

1-2 두 물질의 온도에 따른 용해도 차를 이용하여 불순물을 제거하고 순수한 결정을 얻는 방법을 재결정이라고 한다.

1-3 재결정을 이용하여 두 고체 혼합물을 분리할 때, 가장 적합한 혼합물은 용해도 곡선의 기울기가 가장 큰 물질과 가장 작은 물질의 혼합물이다.

2-1 크로마토그래피는 도핑 테스트, 꽃잎의 색소 분리, 식품의 유해 성분 검출, 과학 수사 등에 이용된다.

2-2 같은 시간 동안 이동한 거리가 가장 긴 파란색이 속도가 가장 빠르고, 이동한 거리가 가장 짧은 노란색의 속도가 가장 느리다.

2-3 크로마토그래피는 성분 물질이 용매에 녹아 용매를 따라 이동하는 속도의 차이를 이용하여 분리하는 방법이다.

3일 기초 집중 연습   p.112~113

1-1 ⑤   **1-2** ④   **1-3** ②   **2-1** ⑤

2-2 ③   **2-3** ①, ②

해설

1-1 용해도 곡선의 기울기가 가장 큰 물질과 가장 작은 물질의 혼합물이 재결정을 이용하여 혼합물을 분리하기에 적합하다. 용해도 곡선의 기울기가 클 경우 재결정 과정에서 석출되는 양이 많고, 반대로 기울기가 작은 경우 재결정을 통해 석출되는 양이 적기 때문에 두 물질을 섞은 혼합물을 분리할 때 가장 효과적으로 분리가 가능하다.

1-2 물 100 g에 두 물질을 각각 35 g씩 녹인 용액을 20 ℃로 냉각시키면 붕산은 35 g − 5 g = 30 g이 석출된다.

1-3 뜨거운 물에 티백을 넣어 차를 우리면 용해도가 큰 성분은 물에 녹아서 빠져나오고 용해도가 작아 물에 녹지 않은 성분은 티백 안에 그대로 존재하게 된다.

2-1 크로마토그래피는 성질이 비슷한 소량의 혼합물을 분리하는 데 효과적인 방법이다. 그래서 주로 색소를 분리하는 데 많이 활용되고 있다. 주의할 점은 분리할 혼합물을 녹일 수 있는 용매를 사용해야 한다는 점이다. 혼합물의 성질이 수용성인지 지용성인지를 잘 파악한 후에 실험을 해야 한다.

2-2 혼합물에 포함된 물질마다 용매에 의한 이동 속도 차이가 있기 때문에 혼합물이 분리가 된다. C에 나타난 물질이 D에 나타나지 않았으므로 C는 D 성분에 포함되지 않는다.

2-3 증류탑에서 원유 분리, 바닷물에서 식수 얻기는 물질의 끓는점 차를 이용한 분리 방법이고, 소금물로 볍씨 고르기는 물질의 밀도 차를 이용한 분리 방법이다.

4일 수권의 분포와 활용

개념 원리 확인   p.115, 117

1-1 ㉠ 해수, ㉡ 빙하   **1-2** ㄴ, ㄷ, ㄹ

1-3 (가) 지하수, (나) 빙하

2-1 ㉠ 유지용수, ㉡ 농업용수   **2-2** 지하수

2-3 농업용수

해설

1-1 수권은 지구상에 물이 존재하는 영역으로, 지구 표면의 약 70 % 이상은 해수로 덮여 있다. 수권의 물은 약 97 %가 해수이며, 담수는 상대적으로 적은 양이 존재한다. 빙하는 담수 중 가장 많은 양을 차지하며, 대부분 극지방이나 고산 지대에 얼음 또는 눈의 형태로 존재한다.

1-2 소금기가 거의 없는 담수는 빙하, 만년설, 지하수, 호수와 하천수 등으로 이루어져 있으며, 그중 빙하가 약 69.6 %를 차지한다.

1-3 지하수는 땅속을 흐르며, 주로 비나 눈이 지하로 스며들어 생긴다. 지하수는 담수 중 두 번째로 많은 양을 차지하며(담수의 약 30 %를 차지), 물이 부족할 때는 지하수를 개발하여 이용한다. 빙하는 눈이 쌓여 굳어서 만들어지며, 담수 중 가장 많은 양을 차지한다. 빙하는 대부분 극지방이나 고산 지대에 얼음 또는 눈의 형태로 존재한다.

2-1 우리나라에서는 수자원을 농업용수로 가장 많이 이용하고 있으며, 다음으로는 유지용수, 생활용수, 공업용수 순으로 많이 이용한다.

2-2 지하수는 담수 중 양이 풍부하고, 지속적으로 활용 가능하며, 간단한 정수 과정을 거치면 이용할 수 있기 때문에 수자원을 확보하는 데 지하수의 개발은 매우 중요하다. 하지만 무분별한 지하수 개발은 지반 침하와 지하수 고갈이 발생할 수 있으므로 아껴 사용해야 한다.

2-3 생활용수는 일상생활에서 먹거나 씻는 데 이용하는 물을 말하며, 농업용수는 농사를 짓거나 가축을 기를 때 이용하는 물을 말한다. 생활용수의 사용량이 최근 증가했지만, 우리나라에서 가장 많이 사용되는 수자원의 용도는 농업용수이다.

4일 기초 집중 연습   p.118~119

1-1 ②   **1-2** 지나   **1-3** (1) B (2) A (3) C

2-1 ①, ④   **2-2** ④   **2-3** C, 생활용수

해설

1-1 지구에 분포하는 물 중에서 해수가 가장 많은 부피비를 차지하며, 소금기가 있어서 짠맛이 난다. 빙하는 육지에 존재하는 물로, 두 번째로 많은 부피비를 차지하며, 소금기가 거의 없는 담수이다. 육지의 물 중에서 가장 많은 것은 지하수가 아니라 얼어 있는 빙하이다.

자료 분석⁺   수권을 구성하는 물의 분포와 비율

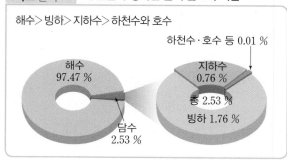

해수 > 빙하 > 지하수 > 하천수와 호수

1-2 해수는 지구 전체 물의 약 97 %을 차지하며, 소금기가 있어 짠맛이 난다. 해수는 지구에 분포하는 물 중에서 가장 많은 부피비를 차지한다.

1-3 빙하는 눈이 쌓이고 굳어져서 만들어진 얼음으로, 대부분 극지방이나 고산 지대에 얼음 또는 눈의 형태로 존재한다. 담수 중 가장 많은 양을 차지하지만 사람들이 쉽게 이용하기 어렵다. 해수는 소금기가 있어 짠맛이 나는 물로, 수권 전체의 약 97 %를 차지한다. 지하수는 땅속을 흐르는 물로, 담수 중 하천수나 호수에 비해 양이 풍부하고, 지속적으로 이용할 수 있으므로 지하수는 수자원으로서 매우 중요한 역할을 한다.

2-1 A는 농업용수, B는 유지용수, C는 생활용수, D는 공업용수를 나타낸 것이다. 우리나라에서는 수자원을 농업용수로 가장 많이 이용하고 있다. 하천의 기능을 유지하기 위해 필요한 유지용수와 각 가정에서 일상생활을 하는 데 이용하는 생활용수로도 많이 이용한다.

(오답 풀이) 우리나라에서 가장 많이 이용하는 수자원의 용도는 농업용수이고, 최근 그 사용량이 급격히 증가한 수자원의 용도는 생활용수이다.

> **개념 체크+ 수자원의 이용**
>
> 우리나라에서는 수자원을 농업용수로 가장 많이 이용하고(약 41 %), 유지용수와 생활용수로도 많이 이용한다.
>
> | 구분 | 의미 |
> |---|---|
> | 농업용수 | 농사를 짓거나 가축을 기를 때 이용되는 물 |
> | 유지용수 | 하천으로서의 기능을 유지하기 위해 필요한 물 |
> | 생활용수 | 일상생활에서 먹거나 씻는 데 이용하는 물 |
> | 공업용수 | 공장에서 물건을 만들 때 이용되는 물 |

2-2 수자원은 사람에게 실질적으로 또는 잠재적으로 쓸모 있는 물의 원천을 말하며, 수자원은 한정되어 있으나 인구 증가 및 산업 발달로 물 사용량이 증가하여 이용 가능한 수자원이 점점 부족해지고 있다.

2-3 우리나라에서 가장 많이 이용하는 수자원은 농업용수이지만, 최근 들어 그 사용량이 급격히 증가하는 수자원은 생활용수이다.

5일 해수의 특성

> **개념 원리 확인**   p. 121, 123
>
> **1-1** 태양 에너지   **1-2** A – 혼합층, B – 수온 약층,
> C – 심해층   **1-3** 혼합층
> **2-1** ㉠ 염화, ㉡ 염화   **2-2** (1) 염류 (2) 염화 나트륨
> (3) 증발량   **2-3** 35 psu

해설

1-1 바닷물은 태양 에너지를 흡수하여 따뜻해지므로 지구로 들어오는 태양 에너지의 양에 따라 표층의 수온이 달라진다. 지구로 들어오는 태양 에너지의 양은 적도 지방에서 가장 많고 고위로도 갈수록 줄어든다. 이 때문에 바다의 표층 수온도 적도 지방에서 가장 높고 고위도로 갈수록 낮아진다.

1-2 해수는 깊이에 따른 수온 분포를 기준으로 혼합층, 수온 약층, 심해층의 층상 구조를 이룬다. 태양 복사 에너지의 99 %는 수심 100 m 이내에서 흡수되므로 수심이 깊은 곳은 수온이 매우 낮고 온도 변화가 거의 나타나지 않는다.

> **개념 체크+ 해수의 층상 구조**
>
> 해수의 연직 수온 분포는 혼합층, 수온 약층, 심해층으로 구분한다.
>
> | 구분 | 의미 |
> |---|---|
> | 혼합층 | 태양 에너지를 많이 흡수하여 수온이 높으며, 바람이 강하게 부는 중위도에서 두껍게 발달한다. |
> | 수온 약층 | 수온이 급격하게 낮아지는 안정한 층으로 저위도에서 여름철에 잘 발달한다. |
> | 심해층 | 태양 에너지가 도달하지 못해 수온이 낮으며, 전체 해수의 약 80 %를 차지한다. |

1-3 표층에는 바람이 불어 물이 일정한 깊이까지 혼합이 일어나므로 깊이에 따라 수온이 거의 일정한 혼합층이 나타난다.

2-1 염류의 종류에는 염화 나트륨, 염화 마그네슘, 황산 마그네슘, 황산 칼슘, 황산 칼륨 등이 있다. 염화 나트륨은 염류 중에서 가장 많은 양을 차지하고, 짠맛이 난다. 염화 마그네슘은 염류 중에서 두 번째로 많은 양을 차지하고, 쓴맛이 난다.

2-2 (1) 염류는 해수에 녹아 있는 여러 가지 물질을 말하며, 염화 나트륨, 염화 마그네슘, 황산 마그네슘, 황산 칼슘, 황산 칼륨 등이 있다.

(2) 염류 중에서 가장 많은 양을 차지하는 것은 염화 나트륨으로, 짠맛이 난다.

(3) 염분이 높은 바다는 건조한 중위도 지방, 증발량이 많아 건조한 지역 등이다.

개념 체크⁺ **염분**

염분은 바닷물 1 kg에 녹아 있는 염류의 총량을 g 수로 나타낸 것으로, 전 세계 바다의 평균 염분은 35 psu이다.

구분	의미
염분이 높은 바다	• 건조한 중위도 지방 • 증발량이 많아 건조한 지역 등
염분이 낮은 바다	• 적도 지방 • 비가 많이 오는 지역 • 강물·하천수가 흘러드는 지역 등

2-3 염분은 바닷물 1 kg 속에 녹아 있는 염류의 양(g)이다. 바닷물 1000 g(=1 kg)에 35 g의 염류가 들어 있으므로 염분은 35 psu이다.

5일 **기초** 집중 **연습**　　　　　p. 124~125

1-1 ④　　**1-2** ⑤　　**1-3** A, 혼합층　**2-1** ④

2-2 ㄱ, ㄷ, ㄹ　**2-3** ②

해설

1-1 해수는 깊이에 따른 수온 분포를 기준으로 혼합층, 수온 약층, 심해층의 층상 구조를 이룬다. 표층에는 바람이 불어 물이 일정한 깊이까지 혼합이 일어나므로 깊이에 따라 수온이 거의 일정한 혼합층이 나타난다. 혼합층은 바람이 많이 부는 중위도 지방에서 가장 두껍게 나타난다.

혼합층 아래에는 수온이 급격히 낮아지는 매우 안정한 수온 약층이 있으며, 이러한 수온 분포는 태양 복사 에너지가 혼합층 아래로 잘 전달되지 않기 때문에 나타난다. 수온 약층은 장소와 계절에 따라 발달하는 정도가 다르며, 위도가 낮을수록 잘 발달하고 여름철에 더 잘 발달한다.

심해층은 장소나 계절에 상관없이 수온이 낮으면서 일정하게 유지되는 층이다. 태양 복사 에너지의 약 99 %는 수심 100 m 이내에서 흡수되므로 수심 약 1000 m 이상의 깊은 곳에는 수온이 매우 낮고 변화가 거의 나타나지 않는 심해층이 있다. 심해층의 수온은 약 1~3 °C 사이이며, 바닷물의 대부분을 차지한다.

1-2 바닷물은 태양 에너지를 흡수하여 따뜻해지므로 지구로 들어오는 태양 에너지의 양에 따라 표층의 수온이 달라진다. 표층 해수의 등온선은 대체로 위도와 나란하다. 지구로 들어오는 태양 에너지의 양은 적도 지방에서 가장 많고 고위도로 갈수록 줄어든다. 따라서 바다의 표층 수온도 적도 지방에서 가장 높고 고위도로 갈수록 낮아진다.

1-3 혼합층은 태양 에너지를 많이 흡수하여 수온이 높으며, 표층에는 바람이 불어 물이 일정한 깊이까지 혼합되므로 깊이에 따라 수온이 거의 일정하게 나타난다. 혼합층은 바람이 많이 부는 중위도 지방에서 가장 두껍다.

2-1 염류는 바닷물 속에 녹아 있는 물질로 염류의 종류와 비율은 염화 나트륨(77.7 %), 염화 마그네슘(10.9 %), 황산 마그네슘(4.8 %), 황산 칼슘(3.7 %), 황산 칼륨(2.6 %), 기타(0.3 %) 순이다. 염분은 바닷물 1 kg에 녹아 있는 염류의 총량을 g 수로 나타낸 것으로, 전 세계 바다의 평균 염분은 35 psu이다. 바다의 염분은 지역에 따라 다르지만 염류 사이의 비율은 거의 일정하다. 그 까닭은 바다로 유입된 염류들이 오랜 세월 동안 바닷물이 끊임없이 움직이고 순환하면서 바다 전체에서 혼합되어 모든 해양에서 염분비가 일정하게 유지되기 때문이다.

2-2 염분이 낮은 바다는 적도 지방, 비가 많이 오는 지역, 강물·하천수가 흘러드는 지역 등이다.

오답 풀이　ㄴ. 건조한 중위도 지방, 강수량보다 증발량이 많아 건조한 지역 등은 염분이 높다.

2-3 바닷물 1 kg 속에 녹아 있는 전체 염류의 양은 23.3 g + 3.3 g + 3.4 g=30 g이므로 이 바닷물의 염분은 30 psu이다.

01 ④	02 ③	03 ②	04 ④
05 ④	06 ④	07 ④	08 ①
09 ①	10 ③		

해설

01 혼합물의 가열 곡선은 순물질의 가열 곡선과 모양이 다르다. 또한 물과 에탄올의 혼합물을 가열하면 끓는점이 낮은 에탄올이 (가) 구간에서 먼저 끓어 기화한다.

02 끓는점이 낮은 물질일수록 증류탑 위쪽에서 분리가 시작된다.

03 액체보다 밀도가 작은 물질은 위로 뜨고, 액체보다 밀도가 큰 물질은 아래로 가라앉는다.

04 소줏고리로 탁주에서 맑은 술만 뽑아 내는 것은 물질의 끓는점 차를 이용한 예이다.

05 물에 녹는 고체와 물에 녹지 않는 고체의 혼합물은 거름 장치를 이용하여 쉽게 분리할 수 있다.

06 색소의 이동 속도가 빠를수록 종이의 윗부분에 위치하게 된다. 따라서 파란색 색소가 가장 빠르고 노란색 색소가 가장 느리다.

07 수권에 분포하는 물의 대부분은 해수이며, 나머지는 육지의 물이다. 육지의 물 중에서 가장 많은 비율을 차지하는 것은 빙하이고, 다음으로 지하수, 하천수와 호수의 물 순이다. 빙하는 전체 담수의 약 69.6 %를 차지하고, 지하수는 땅속의 지층이나 암석 사이의 빈틈을 채우고 있는 물로 담수의 약 30 %를 차지한다. 하천수와 호수는 사람이 직접적으로 이용할 수 있는 지표 부근에 있는 물로 수권 전체에서 매우 적은 양을 차지한다.

08 A는 농사를 짓는 데 사용하는 농업용수로, 수자원 중 가장 많이 이용한다.

오답 풀이 ㄴ. B는 하천의 기능을 유지하는 데 이용하는 유지용수이다.
ㄷ. C는 씻거나 마시는 등의 일상생활을 하는 데 사용하는 생활용수이다.
ㄹ. D는 제품을 생산하는 데 사용하는 공업용수이다.

09 A는 혼합층, B는 수온 약층, C는 심해층이다. 혼합층은 수면 부근에서 바람의 영향으로 바닷물이 섞이면서 수온이 일정한 층이다.

오답 풀이 ㄴ. 수온 약층은 깊이가 깊어질수록 급격하게 수온이 낮아지는 층이다.
ㄷ. 심해층은 햇빛이 거의 도달하지 않으므로 수온이 가장 낮고 변화가 거의 없는 층이다.

10 바다의 염분은 강수량, 증발량, 강물의 유입에 따라 지역마다 달라진다. 강물 유입량이 많은 우리나라 황해는 염분이 낮다. 염분에 관계없이 염류 총량에 대한 각 염류의 구성 비율은 어느 바다나 일정하다.

오답 풀이 ㄷ. 강수량이 증발량보다 많은 적도 지방은 염분이 낮다.

1 해설 참조	2 소금	3 해설 참조	4 ③

5 크로마토그래피 **6** (1) 생활용수 (2) 지하수
7 해설 참조 **8** ⊙ 증발량, ⓒ 강수량

해설

1 증류를 이용하면 바닷물에서 끓는점이 낮은 물만 증발시킨 다음 냉각시켜 식수를 얻을 수 있다. 바닷물에 녹아 있는 염화 나트륨 등의 고체 물질은 물보다 끓는점이 매우 높기 때문에 태양열에 의해 증발하지 않는다.

모범 답안
— 액화한 물
— 기화한 수증기
— 소금물
— 순수한 물

2 (가)는 분별 깔때기로 밀도 차를 이용하여 식용유와 소금물을 분리할 수 있다. (나)는 증류 장치로 시험관에는 물이 분리되고 삼각 플라스크에는 소금이 분리된다.

3 염전에서 얻은 소금을 정제하는 방법은 용해도 차를 이용한 재결정이고, 티백으로 차 우리기는 용해도 차를 이용한 거름(추출)이다.

모범 답안 물질의 용해도 차를 이용하여 혼합물을 분리한다는 공통점이 있다.

4 물은 기름보다 밀도가 크기 때문에 수분이 많은 재료를 기름에 튀기면 물은 기름 아래로 가라앉는다. 또한 물은 기름보다 끓는점이 낮아 기름보다 먼저 끓어 수증기(기체)로 기화하여 기포가 발생하므로 기름이 튀게 된다.

5 도핑 테스트는 선수의 소변에서 수분, 요소 등과 함께 섞여 있는 약물을 크로마토그래피로 분리시켜 검출하는 방법이다.

6 일상생활을 하는 데 쓰이는 물은 생활용수이다. 전 지구적으로 인구가 증가하고 산업이 발달하면서 물 사용량이 증가하고 있으므로, 지하수와 같은 수자원의 개발이 매우 중요하다.

7 표층에서는 태양 에너지를 흡수하고 바람이 불어 물이 일정한 깊이까지 혼합이 일어나므로 수온이 높고 깊이에 따라 수온이 거의 일정한 혼합층이 나타난다. 혼합층은 바람이 많이 부는 중위도 지방에서 가장 두껍다.

> 모범 답안 혼합층에서 수온이 높은 것은 해수면 부근에서 태양 에너지를 흡수하기 때문이며, 수온이 일정한 까닭은 바람의 영향으로 해수가 잘 섞이기 때문이다.

8 염분은 바닷물 1 kg에 녹아 있는 염류의 총량을 g 수로 나타낸 것으로, 전 세계 바다의 평균 염분은 35 psu이다. 전 세계 바다의 표층 염분 분포는 지역에 따라 다르다. 강물이 유입되는 곳이나 비가 많이 오는 곳은 염분이 낮고, 증발량이 강수량보다 많은 곳은 염분이 높다.

4주

1일 해수의 순환

개념 원리 **확인**　　　　　p. 139, 141

1-1 A–황해 난류, B– 북한 한류, C– 동한 난류　**1-2** (1) ㉡
(2) ㉠ (3) ㉠　**1-3** ㉠ 동한 난류 ㉡ 북한 한류 ㉢ 조경 수역
2-1 (1) 밀물 (2) 간조 (3) 사리　**2-2** 12시간 25분
2-3 조차

해설

1-1 우리나라 황해와 동해는 쿠로시오 해류에서 갈라져 나온 난류가 흐르고, 우리나라 동해 북쪽은 연해주 한류에서 갈라져 나온 북한 한류가 흐른다.

1-2 동한 난류와 황해 난류는 난류인 쿠로시오 해류가 근원이며, 북한 한류는 연해주 한류에서 갈라져 나와 동해안을 따라 흐르는 해류이다.

개념 체크+　**우리나라 주변의 해류**

구분	의미
쿠로시오 해류	• 북태평양 서쪽 해역에서 북상하는 난류 • 우리나라 주변에 흐르는 해류의 근원이 됨.
동한 난류	• 쿠로시오 해류의 일부가 갈라져 나와 동해안을 따라 북쪽으로 흐르는 해류
황해 난류	• 쿠로시오 해류의 일부가 갈라져 나와 황해로 흐르는 해류
연해주 한류	• 오호츠크해에서 러시아 남쪽 연안을 따라 남서쪽으로 흐르는 해류
북한 한류	• 연해주 한류에서 갈라져 나와 동해 북쪽 해안선을 따라 남쪽으로 흐르는 해류

1-3 난류와 한류가 만나는 조경 수역에는 영양 염류와 플랑크톤이 풍부하다. 따라서 다양한 어종이 모여들어 좋은 어장을 형성한다.

2-1 (1) 바닷가에서는 밀물과 썰물로 인해 주기적으로 해수면이 오르내리는 현상이 나타난다.
(2) 밀물로 해수면이 가장 높아졌을 때를 만조, 썰물로 해수면이 가장 낮아졌을 때를 간조라고 한다.
(3) 만조와 간조 때의 해수면의 높이 차이를 조차라고 한다. 사리는 한 달 중 조차가 가장 크게 나타나는 시기

를 말하며, 조금은 한 달 중 조차가 가장 작게 나타나는 시기를 말한다.

2-2 만조에서 다음 만조, 또는 간조에서 다음 간조까지 걸리는 시간을 조석 주기라고 하며, 약 12시간 25분이 걸린다. 하루에 대략 두 번의 만조와 간조가 생긴다.

2-3 밀물로 해수면이 가장 높아졌을 때를 만조라 하고, 썰물로 해수면이 가장 낮아졌을 때를 간조라고 한다. 이처럼 만조와 간조 때의 해수면의 높이 차이를 조차라 하며, 한 달 중에서 조차가 가장 클 때는 사리, 가장 작을 때는 조금이라고 한다. 이러한 조석 현상의 원인은 달과 태양의 영향 때문인데, 거리가 가까운 달의 영향이 더 크다.

1일 기초 집중 연습		p.142~143
1-1 ③	**1-2** 지나	**1-3** B(북한 한류), D(동한 난류)
2-1 ④	**2-2** ③	**2-3** 지나

해설

1-1 A는 황해 난류, B는 북한 한류, C는 연해주 한류, D는 동한 난류, E는 쿠로시오 해류이다. 이처럼 우리나라 주변에는 난류와 한류가 모두 흐르고 있다. 동한 난류와 황해 난류는 북상하는 쿠로시오 해류에서 갈라져 나온 따뜻한 해류이고, 북한 한류는 연해주 한류에서 갈라져 나온 차가운 해류이다.

1-2 우리나라 주변을 흐르는 동한 난류와 황해 난류의 근원은 쿠로시오 해류이고, 북한 한류의 근원은 연해주 한류이다.

1-3 한류와 난류가 만나는 곳을 조경 수역이라고 하는데, 우리나라에서는 동한 난류와 북한 한류가 만나는 동해에 조경 수역이 형성되고 다양한 어종들이 모여들어 좋은 어장을 형성한다.

2-1 해수면이 가장 높은 때가 만조이고, 해수면이 가장 낮은 때가 간조이다. 해수면의 높이 변화 그래프에서 해수면이 가장 높을 때인 B와 D는 만조이고, 해수면이 가장 낮을 때인 A와 C는 간조이다. 하루 동안 대략 만조 2번, 간조 2번이 생긴다.

2-2 밀물로 해수면이 가장 높아졌을 때를 만조, 썰물로 해

수면이 가장 낮아졌을 때를 간조라고 하며, 만조와 간조 때의 해수면의 높이 차이를 조차라고 한다. 이처럼 바닷가에서 밀물과 썰물로 인해 주기적으로 해수면이 오르내리는 현상을 조석이라고 한다.

개념 체크⁺ 조석 주기

조석 주기는 만조에서 다음 만조, 또는 간조에서 다음 간조까지 걸리는 시간으로 약 12시간 25분이며, 하루에 대략 두 번의 만조와 간조가 생긴다.

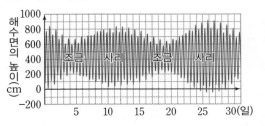

2-3 조석 주기는 약 12시간 25분이며, 하루에 대략 두 번의 만조와 간조가 생긴다.

2일 온도와 열의 이동

개념 원리 확인	p. 145, 147

1-1 ㉠ 입자 ㉡ 온도 ㉢ 온도 **1-2** (1) ㉠ 높고 ㉡ 낮다
(2) ㉠ 뜨거운 ㉡ 높은 **1-3** (1) (나) (2) (나)
2-1 전도 **2-2** (1) – ㉡ (2) – ㉢ (3) – ㉠
2-3 (1) – ㉡ (2) – ㉢ (3) – ㉠

해설

1-1 모든 물질은 눈에 보이지 않는 작은 알갱이인 입자로 이루어져 있는데, 이 입자는 가만히 있지 않고 스스로 끊임없이 운동한다. 물체를 가열하면 물체를 구성하는 입자들의 운동이 활발해져 온도가 올라간다. 이와 같이 온도는 물체를 구성하는 입자들의 운동이 얼마나 활발한가를 나타내는 것이다.

1-2 물체의 온도가 낮으면 물체를 구성하는 입자 운동이 둔하고, 온도가 높으면 물체를 구성하는 입자 운동이 활발하다. 잉크가 차가운 물보다 뜨거운 물에서 더 빨리 퍼지는 까닭은 물의 온도가 높을수록 물을 구성하는 입자들이 더 활발하게 운동하기 때문이다.

정답과 해설

1-3 (나) 경우가 (가) 경우보다 입자 운동이 활발하다. 온도가 높을수록 입자 운동이 활발하므로 (나)의 온도가 (가)보다 높다.

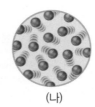

(가)　　　　(나)

2-1 고체 막대의 한쪽 끝을 가열하면 가열한 부분의 입자가 열을 얻어 활발하게 운동하면서 이웃에 있는 다른 입자로 진동을 전달한다. 이때 이웃한 입자의 운동이 활발해지면서 열이 전달된다.

2-2 전도는 고체에서 물체를 구성하는 입자가 서로 충돌하면서 열이 이동하는 방법이며, 대류는 액체나 기체 상태의 입자가 직접 이동하면서 열이 이동하는 방법이다. 복사는 물질의 도움 없이 열이 직접 이동하는 방법이다.

2-3 에어컨은 공기의 대류를 이용하여 방 전체를 시원하게 하며, 전기난로에 손을 가까이하면 복사열로 따뜻함을 느끼며, 전기장판에 앉으면 전도에 의해 열이 전달되므로 몸이 따뜻해진다.

2일	기초 집중 연습	p. 148~149

1-1 ②　　　**1-2** 온도　　　**1-3** ①

2-1 ②　　　**2-2** ④　　　**2-3** 수진

해설

1-1 물체를 구성하는 입자의 운동이 활발할수록 온도가 높고, 물체를 구성하는 입자의 운동이 둔할수록 온도가 낮다. 즉, 온도는 물체를 구성하는 입자의 운동이 활발한 정도를 나타낸다. 따라서 입자 운동이 활발한 (가)가 (나)보다 온도가 높다.

(가)　　　　(나)

오답 풀이 ㄴ, ㄷ. 가열하면 입자 운동이 활발해지고 냉각하면 입자 운동이 느려진다.

1-2 온도는 물체의 차고 뜨거운 정도를 숫자로 나타내는 것과 동시에, 그 물체를 이루는 입자 운동의 활발한 정도를 나타낸다.

1-3 물질의 상태와 관계없이 물체를 가열하면 입자 운동이 활발해지고 반대로 냉각하면 입자 운동이 느려진다. 즉 온도가 높을수록 그 물체를 이루는 입자들의 운동이 활발해진다.

2-1 프라이팬의 아래쪽만 가열해도 전도에 의한 열이 전달되므로 전체가 뜨거워져 달걀 요리를 할 수 있다. 전기난로 가까이에 있으면 복사열을 받아 따뜻해지는 것과 같이 토스터로 빵을 굽는 것도 열이 직접 이동하는 복사에 의해 열이 전달되는 것을 이용한다. 물이 담긴 냄비의 아래쪽을 가열하면 대류에 의해 열이 이동하므로 물 전체가 뜨거워진다.

2-2 고체 막대의 한쪽 끝을 가열하면 가열한 부분의 입자가 열을 얻어 활발하게 운동하면서 이웃에 있는 다른 입자로 진동을 전달한다. 이때 이웃한 입자의 운동이 활발해지면서 열이 전달된다. 이러한 방법으로 열이 이동하는 현상을 전도라고 한다.

2-3 전기난로나 벽난로 앞에서 손을 난로 쪽으로 향하면 따뜻하다. 그러나 난로 앞을 다른 물체로 막으면 곧 따뜻함을 느끼지 못하는데 이는 물체가 직접 이동하는 열을 막았기 때문이다. 이처럼 열이 물질을 통하지 않고 직접 이동하는 방법을 복사라고 한다.

3일　단열과 열평형

개념 원리 확인	p. 151, 153

1-1 ㉠ 전도　㉡ 전도　㉢ 대류　㉣ 복사

1-2 ㉠ 전도　㉡ 복사　　　**1-3** 지나: A, 준수: B

2-1 열평형　　　**2-2** (1) 뜨거운 물, 찬물 (2) 느려, 활발해

2-3 (1) → (2) ㉠ = ㉡ =

해설

1-1 공기는 열의 전도가 매우 느린 물질이므로 공기층을 이용하면 전도에 의한 열의 이동을 효과적으로 막을 수 있다. 공기가 없는 진공 상태는 전도뿐만 아니라 대류에 의한 열의 이동을 막는 데 효과적이며, 얇은 금속판

으로 열을 반사하는 장치를 만들면 복사에 의한 열의 이동을 막을 수 있다.

1-2 부엌용 장갑은 고무 재질로 되어 있어 뜨거운 냄비를 잡을 때 냄비의 열이 손으로 전도되는 것을 막는다. 또한 피자 등의 음식 배달 가방 속은 알루미늄 소재로 되어 있어 복사로 열이 빠져나가는 것을 막는다.

1-3 찬 공기는 아래쪽으로 이동하므로 냉방기는 방의 위쪽에 설치해야 하며, 따뜻한 공기는 위쪽으로 이동하므로 난방기는 방의 아래쪽에 설치해야 한다. 냉난방기를 효율적으로 이용하는 것도 단열의 효과적인 방법이다.

2-1 찬물이 든 수조에 뜨거운 물이 든 컵을 넣으면 뜨거운 물의 온도는 내려가고 찬물의 온도는 올라간다. 마찬가지로 즉석 식품을 뜨거운 물에 넣으면 따뜻해지고 음료수를 냉장고에 넣으면 시원해진다. 이렇게 온도가 다른 두 물체가 접촉해 있으면 열이 이동하여 결국 온도가 같아지는 열평형에 이른다.

2-2 열은 온도가 높은 물체에서 온도가 낮은 물체로 이동한다. 따라서 뜨거운 물과 찬물을 접촉시키면 열은 뜨거운 물에서 찬물로 이동한다. 이때 뜨거운 물은 열을 잃어 입자 운동이 느려지고 찬물은 열을 얻어 입자 운동이 활발해진다.

2-3 열은 온도가 높은 물체에서 온도가 낮은 물체로 이동한다. 따라서 온도가 서로 다른 두 물체를 접촉시킨 후 어느 정도 시간이 지나면 두 물체의 온도가 같아져 입자 운동의 활발한 정도도 같아진다.

자료 분석⁺ **열평형**

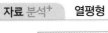

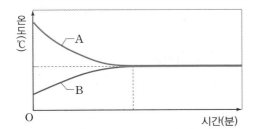

(온도(℃)) 세로축, 시간(분) 가로축, A, B, O

- A는 온도가 높은 물체의 온도 변화, B는 온도가 낮은 물체의 온도 변화 그래프이다.
- 열은 온도가 높은 물체(A)에서 온도가 낮은 물체(B)로 이동한다.
- 온도가 다른 두 물체가 접촉한 상태로 열평형에 이르면 두 물체의 온도가 같아지므로 입자 운동의 활발한 정도도 같아진다.

3일 **기초 집중 연습** p.154~155

1-1 지나 　　**1**-2 은별 　　**1**-3 ⑤
2-1 ③ 　　**2**-2 ⑤ 　　**2**-3 ①, ③

해설

1-1 • 동물이 추운 겨울을 견딜 수 있는 까닭은 동물의 모피나 솜털이 단열재이기도 하지만 모피나 솜털 내부에 공기를 많이 포함하고 있어 전도에 의해 열이 이동하지 못하므로 체온을 빼앗기지 않기 때문이다.
• 방한복의 섬유 속이나 솜털 속에는 공기층이 있어 몸의 열이 외부로 빠져나가는 것을 막아준다.

1-2 뜨거운 냄비를 잡을 때 사용하는 부엌용 장갑은 전도에 의해 열이 손으로 이동하는 것을 방지한다. 냄비의 손잡이는 열전도율이 낮은 물질을 사용하지만 그래도 뜨거운 경우 흔히 부엌용 장갑이라고 하는 실리콘 내열 장갑이나 헝겊으로 된 장갑을 이용하여 열의 전도를 막는다.

1-3 에어컨은 위쪽에 설치하며 에어컨과 함께 선풍기를 사용하면 공기의 순환이 빨라 냉방에 효율적이다. 반면 난로는 아래쪽에 설치하며 난로에는 반사판을 사용하여 열을 한 방향으로 보내면 복사열을 효율적으로 사용할 수 있다.

2-1 열은 온도가 높은 뜨거운 물에서 온도가 낮은 찬물로 이동한다. 따라서 뜨거운 물은 열을 잃어 온도가 낮아지고, 찬물은 열을 얻어 온도가 높아진다. 열평형 상태의 온도는 30 ℃이며, 이때 뜨거운 물과 찬물의 입자 운동이 활발한 정도는 같아진다.

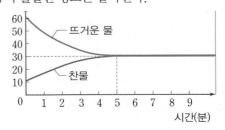

세로축 60, 50, 40, 30, 20, 10, 뜨거운 물, 찬물, 시간(분)

(오답 풀이) ③ 약 5분 후에 뜨거운 물과 찬물은 온도가 같아지는 열평형 상태에 동시에 도달한다.

2-2 온도가 다른 두 물체를 접촉하면 온도가 높은 물체는 열을 잃어 입자 운동이 느려지고, 온도가 낮은 물체는 열을 얻어 입자 운동이 빨라진다. 어느 정도 시간이 지

정답과 해설

나면 두 물체의 온도가 일정해지는데, 이때 두 물체의 입자 운동의 활발한 정도도 같아진다.

2-3 ① 갓 삶은 달걀을 찬물에 넣으면 열평형이 일어나 달걀의 온도가 낮아진다.
③ 즉석 식품을 봉지째 뜨거운 물에 넣으면 열평형에 의해 즉석 식품의 온도가 높아져 데워진다.

4일 비열과 열팽창

개념 원리 확인   p. 157, 159

1-1 (1) ㉠ 1 kg ㉡ 1 ℃ (2) ㉠ 큰 ㉡ 작고 ㉢ 작은 ㉣ 크다
1-2 (1) 식용유 (2) 물   **1-3** (1) 비열 (2) ㉠ 물 ㉡ 크기
2-1 (1) ㉠ 길이 ㉡ 부피 (2) ㉠ 기체 ㉡ 고체 ㉢ 액체
2-2 (1) ㉠ 활발해져 ㉡ 멀어 (2) ㉠ 늘어나 ㉡ 팽창
2-3 (1) ㄴ, ㄹ (2) ㄱ, ㄷ

해설

1-1 (1) 어떤 물질 1 kg의 온도를 1 ℃ 높이는 데 필요한 열량을 비열이라고 한다.
(2) 비열이 클수록 같은 온도를 높이는 데 더 많은 열량이 필요하다. 따라서 같은 열량을 가했을 때 비열이 큰 물질은 비열이 작은 물질에 비해 온도 변화가 작다.

1-2 질량이 같은 물과 식용유를 같은 시간 동안 가열하면 식용유의 온도가 물의 온도보다 더 많이 올라간다. 이것은 물 1 kg의 온도를 1 ℃ 높이는 데 필요한 열량이 식용유 1 kg의 온도를 1 ℃ 높이는 데 필요한 열량보다 더 크기 때문이다.

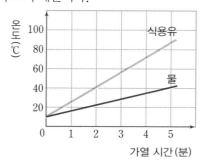

1-3 (1) 기계의 냉각수나 찜질 팩, 난방용 보일러에 물이 이용되는 것은 물의 비열이 크기 때문이다.
(2) 일교차는 하룻동안의 최고 기온과 최저 기온의 차이이다. 바다는 비열이 큰 물로 이루어져 있어서 해안 지

방이 내륙 지방보다 일교차가 적어 급격한 기온 변화를 막아 주는 역할을 한다.

2-1 온도에 따라 물체의 길이와 부피가 변하는 현상을 열팽창이라고 한다. 기체는 물질에 관계없이 열팽창 정도가 같지만, 고체나 액체는 물질에 따라 열팽창 정도가 다르다.

2-2 (1) 물체가 열을 얻으면 물체를 구성하는 입자의 운동이 활발해진다.
(2) 입자 운동이 활발해지면 입자 사이의 거리가 멀어지기 때문에 열팽창이 일어난다.

2-3 알코올 온도계는 액체의 열팽창을 이용하며, 다리 이음새는 고체의 열팽창을 이용하는 경우이다. 찜질 팩은 비열이 커서 온도 변화가 작은 물의 성질을, 양은 냄비는 비열이 작아 온도 변화가 큰 금속의 성질을 이용한 것이다.

4일 기초 집중 연습   p. 160~161

1-1 ③   **1-2** ⑤   **1-3** ①
2-1 ③   **2-2** ⑤   **2-3** ③

해설

1-1 • 그래프에서 기울기가 클수록 온도 변화가 큰 것이므로 같은 시간 동안 온도 변화가 큰 것은 콩기름이다.
• 질량이 같고 가열 시간이 같을 때 비열이 클수록 온도 변화가 작으므로 기울기가 완만한 물이 기울기가 급한 콩기름보다 비열이 크다.

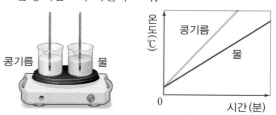

오답 풀이 ㄷ. 같은 질량의 물과 콩기름을 같은 시간 동안 가열하였으므로 물과 콩기름이 받는 열량은 같다.

1-2 A와 B의 질량이 같고 가한 열량이 같다면 같은 시간 동안 온도 변화가 더 작은 B가 A보다 비열이 크다. 비열은 물질의 특성이므로 A와 B는 서로 다른 물질이다. 시간이 같다면 두 액체가 받은 열량도 같다.

오답 풀이 ㄱ. 비열이 큰 물질일수록 온도 변화가 쉽게

일어나지 않으므로 온도 변화가 천천히 일어나는 B가 A보다 비열이 크다.

시간에 따른 온도 변화 그래프

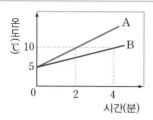

처음 온도가 5 ℃인 물체 A, B가 4분 후 B는 10 ℃이고 A는 10 ℃보다 높다. 즉 물체 A는 B보다 같은 열량을 받았을 때 온도 변화가 더 크다. 비열은 온도 변화에 반비례하므로 B가 A보다 비열이 크다.

1-3 돌솥의 비열이 금속 그릇의 비열보다 커서 온도가 천천히 올라가고, 천천히 식는다. 따라서 돌솥이 금속 그릇보다 천천히 식으므로 오랫동안 따뜻함을 유지한다.

2-1 • 둥근 금속 고리를 가열하면 둥근 금속 고리가 열팽창한다. 이때 둥근 금속 고리 구멍의 크기도 커지므로 금속 공이 둥근 금속 고리를 통과하게 된다.
• 금속을 가열하면 입자 운동이 활발해지므로 부피가 팽창하고 금속을 냉각시키면 입자 운동이 둔해져 부피가 수축한다.

[오답 풀이] ㄱ. 금속 구를 가열하면 구의 부피가 커지므로 고리를 통과하지 못한다. 따라서 금속 구를 냉각시켜야 한다.
ㄹ. 금속 고리를 냉각시키면 구멍이 더 작아지므로 금속구가 통과하지 못한다. 따라서 금속 고리를 가열해야 한다.
ㅁ. 금속 구와 고리를 똑같이 가열하면 구의 부피와 고리의 길이가 팽창하지만 부피가 길이보다 더 많이 팽창하므로 금속구가 고리를 통과할 수 없다.

2-2 기차 선로의 틈, 다리 이음새, 구부러진 가스관 등은 온도가 높아져 길이가 팽창하였을 때 각 구조물이 휘어져 파손되는 것을 방지하기 위한 방법이다.

2-3 금속으로 만든 뚜껑을 뜨거운 물에 담그면 금속은 열을 받아 입자 운동이 활발해지고 입자 사이의 간격이 넓어지므로 팽창한다. 이때 유리 부분도 금속과 마찬가지로 열을 받으면 입자 운동이 활발해지고 팽창하지만 금속이 팽창되는 정도가 더 크다.

5일 재해·재난과 안전

p. 163, 165

1-1 교통사고 **1-2** (1) ㄱ, ㄹ, ㅁ, ㅅ, ㅇ (2) ㄴ, ㄷ, ㅂ, ㅈ, ㅊ
1-3 감염병
2-1 태성 **2-2** (1) 기상 재해 (2) 지진 (3) 높은
2-3 계단

해설

1-1 태풍, 홍수, 호우, 폭풍, 해일, 폭설, 가뭄, 지진, 황사, 적조, 낙뢰, 화산 활동 등과 같은 자연 현상으로 인한 피해를 자연 재해·재난이라 하고, 화재, 붕괴, 폭발, 교통사고, 환경 오염 사고 등과 같이 인간 활동으로 인한 피해를 사회 재해·재난이라고 한다.

1-2 자연 재해·재난은 자연 현상에 의해 발생한 피해이지만, 사회 재해·재난은 인간의 부주의나 기술상의 문제 등 인간 활동에 의해 발생한 피해이다.

1-3 콜레라와 같은 세균에 의해 발생하는 질병을 감염병이라고 한다.

2-1 화학 유독 가스가 유출되면 무거워서 가라앉는 유독 가스를 피해 높은 곳으로 올라가거나 유독 가스가 이동하는 방향과는 수직인 방향으로 피해야 한다.

2-2 (1) 태풍에 의한 기상 재해가 예상되면 기상 위성 자료를 비롯한 여러 관측 자료들을 수집하여 태풍의 발생과 진로를 추적하고 이동 경로를 예측하여 태풍의 예상 경로에 있는 지역에 경보를 내려 대비하도록 한다.
(2) 지진이 발생하여 건물 밖으로 나갈 때에는 엘리베이터를 이용하지 말고 계단을 이용하여 신속하게 이동한다.
(3) 유독 가스는 대부분 밀도가 커서 무거우므로 아래로 가라앉는다. 따라서 높은 곳으로 대피하는 것이 좋다.

2-3 지진이 발생하여 흔들림이 있으면 탁자나 책상 아래에 들어가 몸을 보호하고, 탁자 다리를 꼭 잡는다. 흔들림이 멈추면 전기와 가스를 차단하고 문을 열어 출구를 확보한다. 건물 밖으로 나갈 때에는 엘리베이터를 이용하지 말고 계단을 이용해서 신속하게 이동하며, 운동장이나 공원 등 넓은 공간으로 대피한다.

정답과 해설

개념 체크⁺ **지진 발생 시 상황별 행동 요령**

상황	의미
지진으로 흔들릴 때	지진으로 흔들리는 동안은 탁자 아래로 들어가 몸을 보호하고, 탁자 다리를 꼭 잡는다.
흔들림이 멈췄을 때	흔들림이 멈추면 전기와 가스를 차단하고, 문을 열어 출구를 확보한다.
건물 밖으로 나갈 때	건물 밖으로 나갈 때에는 엘리베이터를 이용하지 말고 계단을 이용하여 신속하게 이동한다.
건물 밖으로 나왔을 때	건물 밖에서는 가방이나 손으로 머리를 보호하며, 건물과 거리를 두고 주위를 살피며 대피한다.
대피 장소를 찾을 때	떨어지는 물건에 유의하며 신속하게 운동장이나 공원 등 넓은 공간으로 대피하되 차량은 이용하지 않는다.
대피 장소에 도착한 후	라디오나 공공 기관의 안내 방송 등 올바른 정보에 따라 행동한다.

물건에 유의하며 건물과 떨어져 운동장이나 공원 등 넓은 공간으로 대피한다.

(오답 풀이) ㄱ. 정전으로 엘리베이터에 갇히는 등의 사고가 발생할 수 있으므로 건물 밖으로 나갈 때에는 엘리베이터를 사용하지 않고 계단을 이용한다.

2-2 화학 물질이 유출된 경우 최대한 멀리 피한다. 유독 가스는 대부분 공기보다 밀도가 커서 아래로 퍼지기 때문에 높은 곳으로 피해야 한다.

2-3 지진이 발생하면 최대한 건물로부터 떨어져서 운동장과 같은 넓은 공간으로 대피한다. 지진이 발생했을 때 흔들림이 있는 경우와 없는 경우, 건물 안에서와 바깥에서의 대처 요령이 다르므로 상황별 행동 요령을 숙지해야 한다.

5일 **기초 집중 연습** p. 166~167

1-1 ① **1**-2 제나 **1**-3 ⑤
2-1 ⑤ **2**-2 ④ **2**-3 ③

해설

1-1 태풍, 홍수, 호우, 폭풍, 해일, 폭설, 가뭄, 지진, 황사, 적조, 낙뢰, 화산 활동 등과 같은 자연 현상으로 인한 자연 재해·재난 중에서 호우, 태풍, 홍수, 가뭄, 폭설, 황사 등과 같은 기상 현상이 원인이 되어 발생하는 재해를 기상 재해라고 한다.

1-2 자연 재해·재난이나 사회 재해·재난 모두 인명과 재산에 피해를 준다.

1-3 자연 재해·재난은 자연 현상으로 인한 것이고, 사회 재해·재난은 인간의 활동으로 인한 것이다. 자연 재해·재난에는 태풍, 홍수, 호우, 폭풍, 해일, 폭설, 가뭄, 지진, 황사, 적조, 낙뢰, 화산 활동 등이 있고, 사회 재해·재난에는 화재, 붕괴, 폭발, 교통사고, 환경 오염 사고 등이 있다.

2-1 지진이 발생했을 때 흔들리는 동안은 탁자 아래로 들어가 몸을 보호하고, 탁자 다리를 꼭 잡는다. 건물 밖에서는 가방이나 손으로 머리를 보호하고, 떨어지는

누구나 100점 테스트 p. 168~169

01 ⑤ **02** ㄱ, ㄴ **03** 준수 **04** ②
05 ㉠ 대류 ㉡ 전도 ㉢ 복사 **06** ① **07** ②
08 ⑤ **09** ⑤ **10** 진호

해설

01 A는 황해 난류, B는 북한 한류, C는 연해주 한류, D는 동한 난류, E는 쿠로시오 해류이다. 연해주 한류에서 갈라져 나온 북한 한류는 동해 북쪽에서 해안선을 따라 남쪽으로 흘러 동한 난류와 만나며, 이곳에는 다양한 어종이 모여들어 좋은 어장이 형성된다. 또한, 동해안은 동한 난류가 해안 가까이 흐르므로 해안 지역의 기온에 영향을 준다.

02 만조에서 다음 만조, 간조에서 다음 간조 때까지 걸리는 시간은 약 12시간 25분으로, 하루에 대략 만조 2번, 간조 2번이 생긴다.

03 온도는 물체의 차고 뜨거운 정도를 나타내는 것과 동시에, 그 물체를 이루는 입자 운동의 활발한 정도를 나타낸다. 온도가 높을수록 그 물체를 이루는 입자들의 운동이 활발해진다. 따라서 입자 운동이 활발한 (가)의 온도가 가장 높다.

자료 분석⁺ 온도와 입자 운동

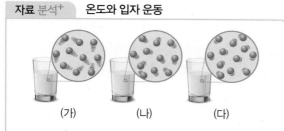

(가)   (나)   (다)

• 입자 운동의 활발한 정도: (가)>(나)>(다)
• 온도는 입자 운동의 활발한 정도를 나타냄. 따라서 온도:
 (가)>(나)>(다)

04 (가), (나), (다) 모두 전도로 열이 이동한다. (가)에서는 생선에서 얼음으로 열이 이동하며, (나)에서는 주스에서 얼음으로 열이 이동한다. (다)에서는 냄비에서 언 고기로 열이 이동하므로 언 고기가 녹는다.

05 불에 닿은 금속 막대가 뜨거워지는 것은 전도에 의해 열이 전달되기 때문이며, 냄비 속의 물은 대류에 의해 끓고, 따뜻한 불 옆의 손은 복사열로 따뜻함을 느낀다.

자료 분석⁺ 열의 이동 방법

불에 닿은 금속 막대는 전도에 의해 열이 이동하여 뜨거워진다.

냄비 속 물 전체는 열이 대류에 의해 이동하여 데워진다.

불에서 열이 복사의 형태로 이동하여 따뜻하다.

06 찬물은 뜨거운 물로부터 열을 받아 입자 운동이 활발해져서 온도가 올라가고, 뜨거운 물은 찬물로 열을 잃어 입자 운동이 느려져서 온도가 내려간다. 따라서 충분한 시간이 지나면 찬물과 뜨거운 물의 온도와 입자 운동의 활발한 정도는 같아진다.

07 따뜻한 물에서 온도계로 열이 이동하여 열평형에 도달하면 물의 온도를 측정할 수 있다. 뜨거운 차가 식는 것도 열평형에 의한 현상이다. 냉방기를 방의 위쪽에 설치하는 것은 대류에 의한 열의 이동을 이용하는 경우이다.

08 돌솥에 담긴 음식이 냄비에 담긴 음식보다 더 오랫동안 뜨거운 것은 돌솥의 비열이 냄비보다 커서 온도 변화가 작기 때문이다. 바닷가에서 모래가 물보다 뜨거운 것도 모래의 비열이 물보다 작기 때문에 같은 열을 받더라도 온도 변화가 크기 때문이다.

09 콩기름, 물, 에탄올을 가열하면 부피가 늘어나 유리관 속 액체의 높이가 높아진다. 같은 열량을 가하더라도 콩기름, 물, 에탄올이 늘어난 부피는 다르므로 유리관을 따라 올라가는 높이도 다르다. 이처럼 물질의 종류에 따라 열팽창 하는 정도가 서로 다르다.

10 고체 물질은 열을 받으면 길이와 부피가 팽창하는 열팽창이 일어난다. 따라서 다리의 중간에 다리 이음매를 설치하면 여름철 온도가 높아져 다리의 길이가 팽창하였을 때 다리가 파손되는 것을 방지할 수 있다.

특강 | 창의, 융합, 코딩 p. 172~175

1 (1) 동한 (2) 해설 참조 **2** 해설 참조 **3** (1) (가) (2) 해설 참조 **4** (1) ㉠ 대류 ㉡ 전도 ㉢ 복사 (2) 유미 – ㉡, 동영 – ㉢, 은혜 – ㉠ **5** ㉠ 복사 ㉡ 열 ㉢ 단열 **6** (1) ① ㉠ 뜨거운 달걀 ㉡ 차가운 물 ② ㉠ 잃어 ㉡ 느려지고 ㉢ 낮아진다 ③ ㉠ 얻어 ㉡ 빨라지고 ㉢ 높아진다 (2) 열평형 **7** (1) ㉠ 작기 ㉡ 크기 (2) 해설 참조 **8** (1) ㉠ 부피 ㉡ 열팽창 (2) 해설 참조

해설

1 (1) 동해에는 따뜻한 난류(동한 난류)가 흐르기 때문에 동해안은 같은 위도에 있는 서해안보다 수온이 더 높으며, 이로 인해 해안 지역의 기온에도 영향을 준다.
 (2) 지구로 들어오는 태양 에너지의 양은 적도 지방에서 가장 많고 고위도로 갈수록 줄어들기 때문에 바다의 표층 수온도 적도 지방에서 가장 높고 고위도로 갈수록 낮아진다.
 모범 답안 저위도에서 고위도로 갈수록 해수면이 받는 태양 복사 에너지의 양이 적어지므로 표층 수온도 저위도에서 고위도로 갈수록 낮아진다.

2 밀물로 해수면의 높이가 가장 높을 때를 만조, 썰물로 해수면의 높이가 가장 낮을 때를 간조라고 한다. 하루에 약 2번의 만조와 2번의 간조가 생긴다.
 모범 답안 만조 2번, 간조 2번. 그래프에서 해수면이 높이가 가장 높을 때가 2번, 가장 낮을 때가 2번 있기 때문이다.

3 뜨거운 물에 넣은 잉크는 빨리 퍼지고, 찬물에 넣은 잉크는 천천히 퍼진다. 이는 물이 뜨거울 때에는 물 입자가 활발하게 움직이고, 차가울 때에는 물 입자가 둔하게 움직이기 때문이다. 따라서 잉크가 (나)보다 (가)에서 더 빨리 퍼지므로 (가)의 물의 온도가 (나)보다 높다.

모범 답안 (2) 온도가 높을수록 입자 운동이 더 활발하므로 잉크가 빨리 퍼지는 비커 속 물의 온도가 높다.

4 ㉠은 대류, ㉡은 전도, ㉢은 복사가 일어나 열이 전달되는 경우이고, 유미는 전도, 동영은 복사, 은혜는 전도가 일어나 열이 전달되는 예를 말한다.

5 비닐 랩, 종이, 천, 알루미늄 포일로 감싼 생수통 속에 든 물은 그대로 둔 생수통 속의 물보다 온도 변화가 작다. 이는 생수통을 감싼 여러 가지 물질이 열의 출입을 막기 때문이다. 특히 알루미늄 포일은 복사로 일어나는 열의 전달을 막는 데 효과적이므로 온도 변화가 가장 작다. 이처럼 열의 이동을 막는 것을 단열이라고 한다.

6 방금 삶은 달걀을 찬물에 넣으면 달걀은 온도가 내려가서 식고, 찬물은 온도가 올라가 미지근해진다. 달걀이 식는 것은 뜨거운 달걀의 열이 찬물로 이동하기 때문이다. 이때 달걀의 입자 운동은 느려지고 물의 입자 운동은 빨라진다. 이와 같이 온도가 다른 두 물체를 접촉시켰을 때 어느 정도 시간이 지나 두 물체의 온도가 더는 변하지 않고 일정해지는 것을 열평형이라고 한다.

7 스테인리스 주전자와 뚝배기처럼 소재를 선택할 때 비열을 고려하는 경우가 많다. 스테인리스 주전자는 비열이 작고, 뚝배기는 비열이 크다. 비열이 큰 물질은 천천히 데워지고 천천히 식지만, 비열이 작은 물질은 빨리 데워지고 빨리 식는다.

모범 답안 (2) 찜질 팩에 물을 넣어 사용한다. 또는 라면을 끓일 때는 양은 냄비를 사용한다. 등

8 삼각 플라스크가 담긴 수조에 뜨거운 물을 부으면 유리관으로 액체가 올라오는 것처럼 액체는 대부분 열을 받으면 부피가 팽창한다. 이처럼 물체의 온도가 높아질 때 부피가 팽창하는 현상을 열팽창이라고 한다. 따라서 병에 음료수를 가득 채우지 않는 까닭도 열팽창에 의해 음료수병이 깨지는 것을 방지하기 위해서이다.

모범 답안 (2) 액체의 열팽창으로 부피가 커져 병이 깨지거나 흘러 넘치는 것을 방지하기 위해서이다.

정답은
이안에
있어!

시작은 하루 중학 영어

- 문법 1, 2, 3
- 어휘 1, 2, 3

이 교재도 추천해요!

- G코치 (Grammar Coach)
- 3초 보카

시작은 하루 중학 사회 / 역사

- 사회 ①, ②
- 역사 ①, ②

시작은 하루 중학 과학

- 1-1, 1-2
- 2-1, 2-2
- 3-1, 3-2

배움으로 행복한 내일을 꿈꾸는
천재교육 커뮤니티 안내 · · ·

 교재 안내부터 구매까지 한 번에!
천재교육 홈페이지

천재교육 홈페이지에서는 자사가 발행하는 참고서,
교과서에 대한 소개는 물론 도서 구매도 할 수 있습니다.
회원에게 지급되는 별을 모아 다양한 상품 응모에도
도전해 보세요.

 구독, 좋아요는 필수! 핵유용 정보 가득한
천재교육 유튜브 <천재TV>

신간에 대한 자세한 정보가 궁금하세요?
참고서를 어떻게 활용해야 할지 고민인가요?
공부 외 다양한 고민을 해결해 줄 채널이 필요한가요?
학생들에게 꼭 필요한 콘텐츠로 가득한 천재TV로 놀러 오세요!

 다양한 교육 꿀팁에 깜짝 이벤트는 덤!
천재교육 인스타그램

천재교육의 새롭고 중요한 소식을 가장 먼저 접하고 싶다면?
천재교육 인스타그램 팔로우가 필수!
누구보다 빠르고 재미있게 천재교육의 소식을 전달합니다.
깜짝 이벤트도 수시로 진행되니 놓치지 마세요!